JN092604

一瞬で目を引く
ビジネス文書のツボ

日経PC21 編
伊佐恵子 著

日経BP

はじめに

ワープロソフト「Word」(以下、ワード)は、ビジネスの現場で広く使われている、文書作成の定番ツールです。その大きな魅力は、多種多様な文書に対応できる柔軟性でしょう。会議資料などの社内文書はもちろん、顧客への案内状、新規事業の企画書、イベントの配布チラシ、小冊子のパンフレット、会報、写真入りのはがきなど、“何でも作れる”といっても過言ではありません。

一方で、ワードには“扱いにくい”というイメージがあり、苦手意識を持つ人も少なくありません。特に、出来上がった文書が「何となく読みにくい」「いまひとつパッとしない」という悩みはよく耳にします。漠然としているようですが、この文書の見栄えが悪いという問題には、はっきりとした原因があります。そして、その原因を見極めて解決すれば、文書は必ず生まれ変わります。

文書作りには、文字入力、レイアウト、印刷など、いくつかのプロセスがあります。その中で、文書の仕上がりを大きく左右するのが、文字列にスタイルを付けて配置するレイアウト作業です。例えばフォントの選び方ひとつでも、文書の印象や読みやすさは変わります。文字列だけでなく、図表の使い方、画像の見せ方、全体の色使いなども、内容をわかりやすく伝えるうえで重要なポイントです。これらのレイアウトを誤ると、文書はパッとしない方向に転がり落ちていきます。

センスより理論、レイアウトのルールを覚えよう

わかってはいるけれど、うまくレイアウトできない、センスがないから自分には無理、と思われている方は多いかもしれません。でも、レイアウト作業にセンスはあまり関係ありません。大事なのは、レイアウトのルールを覚えて活用することです。

例えば、フォントの種類や特徴、使いどころを頭に入れておくと、役割に応じたフォントを的確に選べます。また、「行と行の空きは、文字サイズの70%前後が見やすい」

というルールを知っていれば、広がった行間を整えるときに役立ちます。

本書では、このようなレイアウトのルールと、実際にワードで設定するときの操作方法を紹介しています。さらに、レイアウトに便利なテキストボックス（文字枠）の活用法、わかりやすい図表の作り方、写真などの画像を効果的に見せるテクニックなどを、さまざまなサンプル文書を使って解説しました。

理想の仕上がりをイメージする

本章に入る前に、レイアウトの違いによって文書がどれくらい変わるのか、1つ例を見ておきましょう。**図1**と**図2**の文書は、どちらも「農業セミナーの案内チラシ」です。まったく同じ内容を、異なるレイアウトで作成しました。

シンプルで読みやすいレイアウト

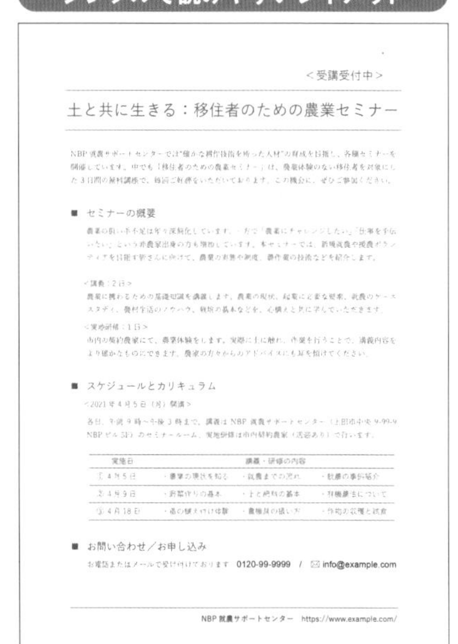

図1 文字列と表だけで構成した案内チラシ。やや事務的だが、シンプルで見やすく、ストレスなく読み進められる

ビジュアル表現で親しみやすく

図2 イメージ写真や図解を入れた案内チラシ。ひと目で内容を把握でき、セミナーへの興味も湧きやすいレイアウトだ

図1は、文字列と表だけのシンプルなレイアウトです。箇条書き、罫線、インデント(字下げ)などのレイアウト機能を使って、ページ内に文字列と表をバランス良く配置しました。タイトル、見出し、本文の各部が明確で読みやすく、セミナーのスケジュールも表で見やすくなっています。

図2は、イメージ写真や図解を利用して、内容をより視覚的に表現したレイアウトです。「受講受付中」はテキストボックスを使って囲み文字にし、写真はマイクロソフトが無料で提供する「ストック画像」から挿入し、スケジュールの図解には作図機能の「スマートアート」を使いました。ワードで使える機能を駆使して、目を引きやすく訴求力のあるチラシに仕上がっています。

2つのレイアウトに優劣はありません。チラシとしては写真入りのほうが目立ちますが、アクセシビリティ(すべての人が利用しやすいか)を考えるなら文字列だけのほうがいい場合もあります。肝心なのは、文書の目的や対象者、また印刷のコストなども考慮しながら、どのようなレイアウトにするかを決めることです。より良い文書作りは、理想の仕上がりをイメージすることからスタートするといってもいいでしょう。

ワードを立ち上げて白紙のページに向かうとき、誰もが「読みやすくアピール度の高い文書を作りたい」と思うでしょう。本書がそんな皆さんのお役に立つことを、そして読み手に伝わる文書がたくさん生まれることを、切に願っています。

テクニカルライター　伊佐恵子

CONTENTS

はじめに 3

第1章 まずは覚えておきたい
文書レイアウトの基本ルール 11

まずは基本 文書のレイアウトを決める代表的な3つの書式を確認しよう 12
01 伝える要素を洗い出して大まかなレイアウトを考える 14
02 適材適所でフォントを選ぶ 見出しと本文の相性も大切に 16
03 鍵を握る「段落」のスタイル 文字列の配置とメリハリが大事 20
04 文書の印象は配色で変わる 色の効果を考えて設定しよう 22
05 図解や表組みでとことん整理 ビジュアル素材でイメージ補完 24
06 ページ内の要素は視線の流れに沿ってレイアウト 26
Column 印刷もクオリティーに影響 用紙選びと出力設定を適切に 28

第2章 整えて読ませる
文字デザインのテクニック 29

まずは基本 文字書式の種類と設定方法を確認しよう 30
01 標準利用できる多彩なフォント 注目はユニバーサルデザインフォント 33
02 英数字混じりの日本語を美しく 欧文フォントを上手に使う 36
03 縦書き文章の英数字は見せ方の工夫で読みやすく 38
04 文字サイズでメリハリを出す フォントのサイズ感も考慮 42
05 過剰な文字装飾はNG ちょうどよい効果を見極める 46
06 ときには定石を破ってもOK デザインの必然に身をまかせる 48
Column フォントの組み合わせをワードに登録する 50

第3章 文章の役割を明確に 段落デザインのテクニック ……… 51

まずは基本 段落書式の種類と設定方法を確認しよう ……… 52
01 文字列の凸凹を放置しない 文字揃えやタブできれいに配置 ……… 56
02 行間は読みやすさに直結 適切な間隔に自動調整する ……… 62
03 行間の乱れは即修正 ポイント数で均一に整える ……… 66
04 チョット空けの効果は絶大 段落の間隔でメリハリを付ける ……… 68
05 箇条書きのレイアウトで文書の構成を明快に示す ……… 70
06 行頭文字をカスタマイズして資料の好感度を上げる ……… 76
07 区切りやまとめに大活躍 罫線1本のチカラを信じる ……… 80
Column 文字列をちょっと動かしてバランスを整える ……… 86

第4章 色使いで印象は変わる 配色のテクニック ……… 87

まずは基本 パレットの表示と色の設定方法を確認しよう ……… 88
01 まずはメインの色を決める 色の使いすぎには注意 ……… 92
02 モニターと印刷の色は違う 色がくすむのを見越しておく ……… 94
03 背景色とのコントラストは大事 白抜きの表現も効果的に ……… 96
04 背景色に透かし効果を加えて洗練されたデザインに ……… 98
05 グラデーションで変化を示す 一部分をほんのり染める手も ……… 100
06 全体の配色を一気に変更 文書のイメージチェンジを図る ……… 106
Column 色を決める参考になる「色相環」を覚えておこう ……… 108

第5章 レイアウトの万能選手 テキストボックスの活用術

第5章 レイアウトの万能選手 テキストボックスの活用術 …… 109

まずは基本 テキストボックスの構造と作成方法を確認しよう …… 110

01 多様なレイアウトを実現　テキストボックスの使いどころ …… 114

02 テキストボックスの配置は本文との関係を考えて決める …… 116

03 適度な空きで読みやすく　枠線と文字列の密着を防ぐ …… 120

04 ただの四角形じゃつまらない　文字枠を自在にデザインする …… 123

05 自由度ナンバーワン!　透明のテキストボックスを使う …… 128

06 囲み文字や作図に必須　図形と文字枠の重ねワザ …… 130

07 もう1つの文字枠　「吹き出し」を使いこなす …… 136

Column 文字列を自由自在に変形する …… 141

第6章 ビジュアル表現で伝える 作図のテクニック

第6章 ビジュアル表現で伝える 作図のテクニック …… 143

まずは基本 「図形」または「スマートアート」を利用　作図の方法を確認しよう …… 144

01 見やすい図にする秘訣はこれ!　並べて揃えてグループ化 …… 150

02 フローチャートや説明図に便利　図形をつなぐ「コネクタ線」 …… 155

03 図形を一覧表示して操作　グリッド線できっちり配置も …… 158

04 スマートアートで手間なし作図　基本操作を覚えよう …… 161

05 図形の並びをコントロール　レベルや順番の入れ替えも簡単 …… 166

06 スマートアートの便利ワザで思い通りの図に仕上げる …… 170

Column 視覚効果やひな型変更でイメージを変える …… 173

第7章 写真やイラストでアイキャッチ 画像の活用術 175

まずは基本 ワードで使える画像の種類と操作方法を確認しよう 176
01 写真を使うときのポイントはサイズ変更とトリミング 182
02 見せたい部分にフォーカス　トリミングで写真を生かそう 184
03 文字は見やすい位置に重ねる　写真の明度を落とす手も 190
04 ストック画像でイメージ喚起　用途別に探して使いこなす 193
05 実写の表現がいまひとつなら写真をイラスト風に加工する 197
Column 写真を被写体の形に切り抜く 199

第8章 文字や数値をスッキリ整理 表組みのテクニック 201

まずは基本 表の構成要素と作成手順を確認しよう 202
01 見やすい表はここが違う　一覧表のレイアウトルール 208
02 一覧表のスタイルを一括設定　構成に応じたアレンジもできる 210
03 セルの色と罫線のスタイルを個別に設定して整える 213
04 文字配置と間隔を調整してデータを読み取りやすくする 217
05 変則的な枠組みにはセルの分割や結合を活用 220
06 記入用紙の表はひと工夫　ガイドの文字列を小さく表示する 224
07 縦書きも横書きも自由自在　表で凝ったレイアウトを作る 226
Column セルに画像を挿入するときは列幅を固定する 230

第9章 内容に応じた体裁で見せる ページレイアウトのコツ 231

まずは基本 ページ書式の種類と設定方法を確認しよう 232

01 余白のさじ加減で文書は変わる　内容に合わせて幅を調節 234

02 背景色でページを引き締める　文章と図の境も明確に 237

03 意外に気付かない位置のずれ　ヘッダーとフッターの配置テク 239

04 段組みのポイントは段数と間隔　各段の行位置も揃える 243

05 縦書きの段組みで雑誌風に　段間の境界線も自動表示できる 247

06 2つ折りパンフは2段組みで　左右のバランスも取りやすい 251

Column 小冊子のレイアウトと印刷方法は? 252

ワード活用に便利なショートカットキー 254

まずは覚えておきたい

文書レイアウトの基本ルール

ビジネス文書のレイアウトには、最善の方法とされる「定石」がある。最初に、代表的な定石を確認しておこう。レイアウトに迷いが生じたときはここに立ち返って、どうすればより伝わる文書になるかを考えてみよう。

- 文書の目的と対象者をはっきりさせる
- 本文と見出しのフォントを適切に選ぶ
- 段落スタイルでメリハリを付ける
- 図表や画像を効果的に使う　ほか

まずは基本 文書のレイアウトを決める代表的な3つの書式を確認しよう

私たちは文書を作る過程で、用紙サイズを選んだり、タイトルを行の中央に配置したり、文字を赤くして目立たせたりと、さまざまな設定をする。このようにサイズや位置、色などの属性を決めていくのが、スタイル（書式）設定だ。

ひと口に「スタイル設定」といっても、その要素は多岐にわたる。ワードでは、書式の要素を設定単位ごとに「ページ」「段落」「文字」という3つに分類している（**図1**）。そして文書は、これらを適切に組み合わせることで見やすいレイアウトに整っていく。

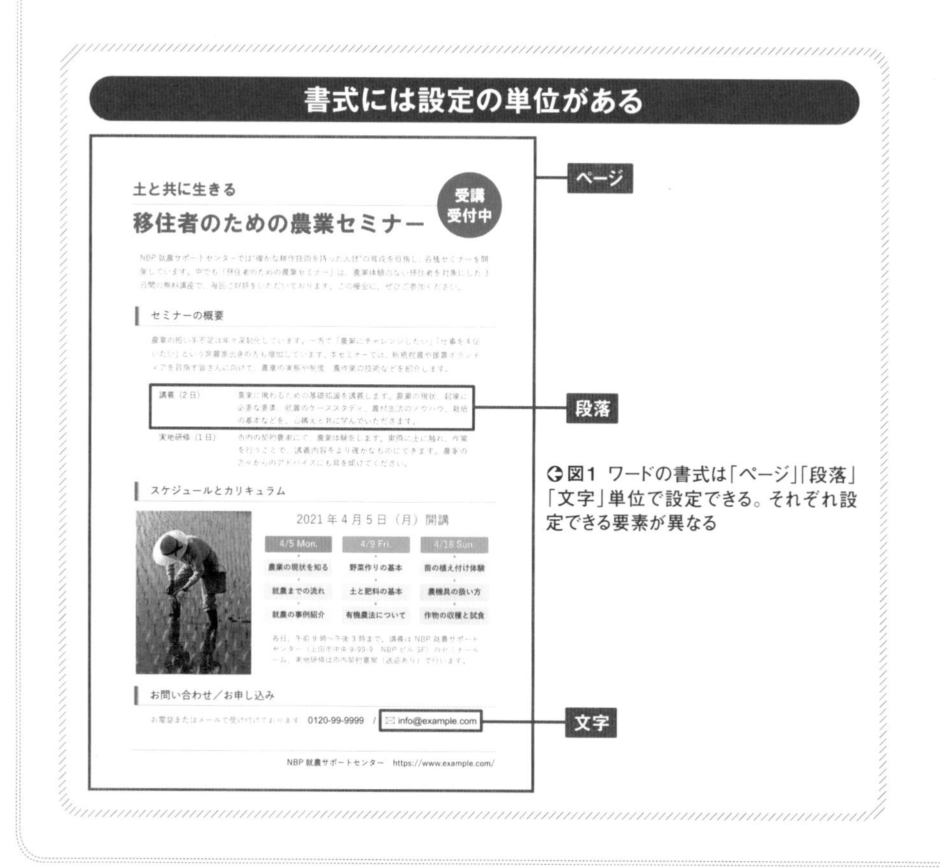

土と共に生きる

移住者のための農業セミナー

受講受付中

NBP 就農サポートセンターでは"確かな耕作技術を持った人材"の育成を目指し、各種セミナーを開催しています。中でも「移住者のための農業セミナー」は、農業体験のない移住者を対象にした3日間の無料講座で、毎回ご好評をいただいております。この機会に、ぜひご参加ください。

セミナーの概要

農業の担い手不足は年々深刻化しています。一方で「農業にチャレンジしたい」「仕事を手伝いたい」という非農家出身の方も増加しています。本セミナーでは、新規就農や援農ボランティアを目指す皆さんに向けて、農業の実態や制度、農作業の技術などを紹介します。

講義（2日）　農業に携わるための基礎知識を講義します。農業の現状、起業に必要な要素、就農のケーススタディ、農村生活のノウハウ、栽培の基本などを、心構えと共に学んでいただきます。

実地研修（1日）　市内の契約農家にて、農業体験をします。実際に土に触れ、作業を行うことで、講義内容をより確かなものにできます。農家の方々からのアドバイスにも耳を傾けてください。

スケジュールとカリキュラム

2021年4月5日（月）開講

4/5 Mon.	4/9 Fri.	4/18 Sun.
農業の現状を知る	野菜作りの基本	苗の植え付け体験
就農までの流れ	土と肥料の基本	農機具の扱い方
就農の事例紹介	有機農法について	作物の収穫と試食

各日、午前9時～午後3時まで。講義はNBP就農サポートセンター（上田市中央9-99-9 NBPビル5F）のセミナールーム、実地研修は市内契約農家（送迎あり）で行います。

お問い合わせ／お申し込み

お電話またはメールで受け付けております 0120-99-9999 / info@example.com

NBP就農サポートセンター https://www.example.com/

図1 ワードの書式は「ページ」「段落」「文字」単位で設定できる。それぞれ設定できる要素が異なる

まずは、それぞれの書式をざっくりと頭に入れておこう。ページ書式は、用紙サイズ、印刷の向き、上下左右の余白など、文書のベースとなるスタイル（**図2**）。ページ単位で設定できるが、通常は文書全体を同じ設定にする。段落書式は、行間、文字揃え、インデントなど、ひと続きの文章を整えるスタイル（**図3**）。文章の読みやすさを大きく左右する書式だ（→20ページ）。文字書式は、フォントや文字サイズなど、文字のデザインを決めるスタイル（**図4**）。このように、スタイルの内容は実にさまざま。文書ごとに必要な要素を見極めて、手間を惜しまずに設定していこう。

● ページ書式：文書全体の体裁を決める（ページ単位で設定）

用紙サイズ	文書1ページのサイズ。A4、B5、はがきサイズなど
印刷の向き	用紙の向き。縦向きまたは横向き
余白	ページの上下左右に設ける白いエリア
行送り	行間のベースになる間隔。初期設定は18ポイント

図2 ページ書式の要素は、用紙サイズ、印刷の向き、上下左右の余白、行送り、文字列の方向、段組みなど、文書の土台を決定するスタイルになっている。設定のコツは第9章で紹介する

● 段落書式：文章の体裁を整える（ひと続きの文字列に設定）

行間	行の上端から次行の上端までの間隔
段落の間隔	段落と段落の間隔
文字揃え	文字列を行の指定位置に揃える。中央揃えや右揃えなど
インデント	段落の行頭と行末の位置を調節する
段落罫線	段落の上下左右に表示する罫線

図3 段落書式の要素は、文字揃え、段落の間隔、行間、インデントなどで、必ず段落単位で設定される。これらは、文章の読みやすさを大きく左右する

● 文字書式：文字の体裁を整える（1文字単位で設定）

フォント	文字の書体。明朝体やゴシック体などを使い分ける（→16ページ）
文字サイズ	文字の大きさ。ポイント数で指定する
文字色	文字の色。カラーパレットなどで指定する
文字の効果	文字に付ける装飾。影、反射、輪郭、光彩など

図4 文字書式の要素は、フォント、文字サイズ、文字色、文字の効果など。文書作成ではおなじみのスタイルだが、それだけに"設定の質"が求められる部分だ。1文字から設定できる

Section 01

伝える要素を洗い出して大まかなレイアウトを考える

文書作成の準備

文書作りはどこから始めたらよいだろうか。長文レポートのように文章主体の文書なら、ワードでいきなり書き出すのも悪くない。でも、企画書や報告書、案内チラシやガイドブックといったビジネス文書では、最初に文書の目的と内容をはっきりさせたほうがよい（**図1**）。文書に盛り込む要素を洗い出しておくと、必要な情報を漏れなく表示できる。文書の対象者がわかれば、仕上がりの雰囲気もイメージしやすい。

「誰に何をどんなふうに伝えたいか」を明確にすることが、文書作りの第一歩だ。

文書の目的と内容を明確にしておく

文書の概要

【種　類】 案内チラシ

【目　的】 4月に開講する「移住者のための農業セミナー」の内容と申し込み方法を広報する

【対象者】 就農を目指す移住者（農業の未経験者）

表示する要素

①文書タイトル　②本文（案内文）　③セミナーの概要
④スケジュール　⑤申し込み方法　⑥主催者名とURL
⑦イメージ写真

仕上がりのイメージ

親しみやすく、手に取りやすいチラシにする。文章、写真、図表などで、セミナーの特徴や魅力をわかりやすく伝える

図1 文書を作るときは、文書の目的や対象者、ページ内に入れる要素をあらかじめ書き出しておこう。この例は、セミナーの案内チラシを作るときに書き出した内容。どんな文書にしたいのか、理想の仕上がりをイメージすることも大事だ

要素をざっくりとレイアウト、具体的な見せ方は作りながら考える

文書に表示する要素が決まったら、それを用紙にどう配置するかを大まかに考えよう（**図2**）。手書きでざっくりとスケッチする程度で構わない。この例では、A4用紙一枚に各要素を並べてみた。これが今後、レイアウト作業のたたき台になる。

個々の要素を具体的にどうレイアウトするかは、文書を作りながら考えよう。例えば、スケジュールの見せ方ひとつ取っても、箇条書きで並べる、表組みにする、図解で示す、などいくつかの選択肢がある。作例では、最終的にスケジュールを図解にした。また、イメージ写真の位置も変更している。何が最適かを考えて、それをワードの機能で実現していくのが、文書作りの醍醐味でもある。

● 用紙サイズと大まかなレイアウトを決める

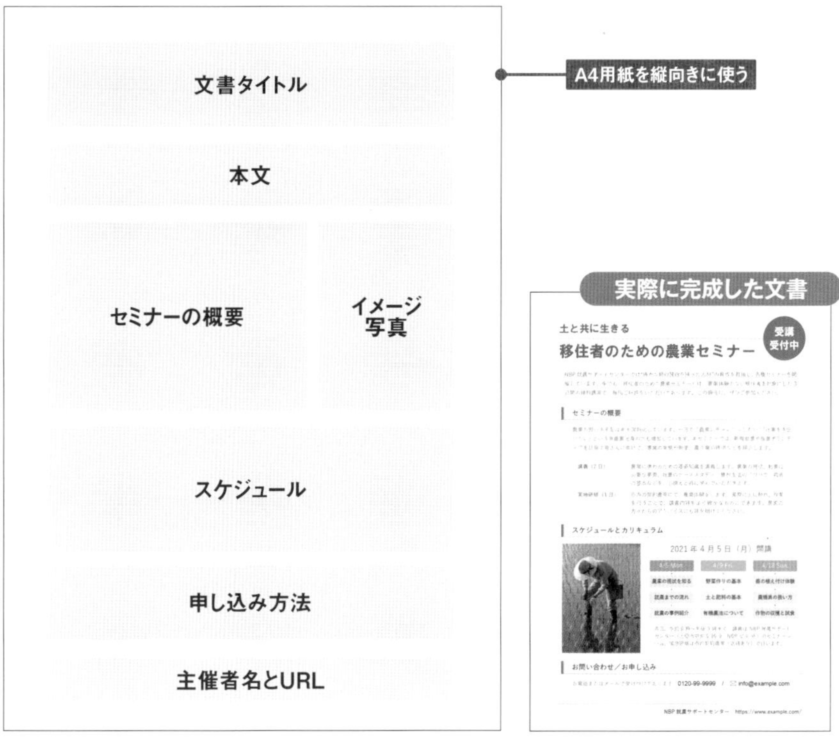

図2 A4一枚のチラシとして作成することを前提に、各要素の位置を大まかに決めておく（左）。だいたいの配置がわかればよい。もちろん、出来上がりはこの通りでなくても構わない。実際のレイアウトは、文書を作りながら練り上げていこう（右）

適材適所でフォントを選ぶ 見出しと本文の相性も大切に

フォント

フォントは、画面表示や印刷に使う書体デザインのこと。文章の読みやすさを決めるだけでなく、文書の雰囲気を担う要素でもある。ワードには数多くのフォントが用意されているので、それぞれの特徴を覚えて上手に使い分けよう。文書の内容とフォントのイメージがうまく合うと、作り手の意図が伝わって説得力も増す。

フォントの書体デザインは「明朝体」と「ゴシック体」の2つに大別され、形の特徴とイメージが異なる（**図1**）。明朝体は強弱のあるデザインで読みやすく、本文などの長

「明朝体」と「ゴシック体」の特徴

游明朝

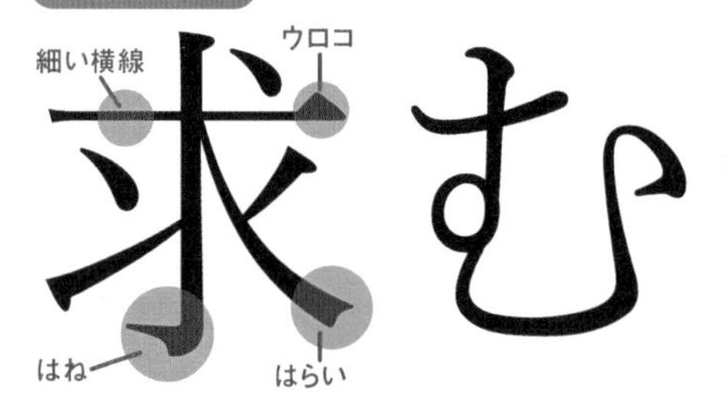

フォーマルな印象
読みやすく
長文の表示に
適している

游ゴシックMedium

カジュアルな印象
目に付きやすく
短文の表示に
適している

図1 ワードの標準として使われる游フォントを例に、明朝体とゴシック体の特徴を比較する。明朝体は縦線より横線が細く、線の端に「ウロコ」がある。ゴシック体は縦線と横線の太さが均一で、線の端は直線的な形状が多い。イメージも明朝体はフォーマル、ゴシック体はカジュアルと対照的だ

文に向く。一方、ゴシック体は太さが均一なデザインで目に付きやすく、タイトルや見出しなどの短文に向いている。

同じ明朝体の書体デザインでも、フォントにはさまざまな種類があり、さらに太さ違いなどのバリエーションに分かれている場合もある(**図2、図3**)。本文には線の細い「游ゴシックLight」、見出しには「游ゴシックMedium」のように、同じフォントを太さ違いで使い分けるのも効果的だ。このほか、文字幅の異なるバリエーションが用意されているフォントもある(→35ページ図4)。状況に合わせて使い分けよう。

● 複数のフォントとそのバリエーションがある

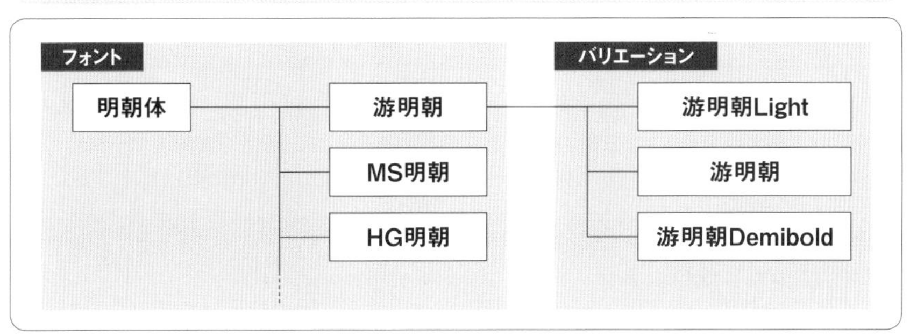

図2 ワードには複数のフォントが用意されていて、標準機能として使用できる。それぞれのフォントには、線の太さ(ウエイト)などが異なるバリエーションが用意されている場合もある

● 同じフォントのバリエーション【線の太さが異なる】

游明朝Light(細字)
文字のデザイン

游ゴシックLight(細字)
文字のデザイン

游明朝(標準)
文字のデザイン

游ゴシック(標準)
文字のデザイン

游明朝Demibold(太字)
文字のデザイン

游ゴシックMedium(太字)
文字のデザイン

図3 游フォントには、明朝体とゴシック体それぞれに太さ違いのバリエーションがある。「游ゴシックLight」や「游ゴシック」は、一般的なゴシック体に比べると線が細く、長文にも使えるフォントだ

本文は読みやすさを優先、見出しに「游ゴシックLight」は使わない

一般的なビジネス文書では、本文を明朝体、タイトルや見出しをゴシック体で表示するのが基本(**図4、図5**)。ただ、最近はさまざまなフォントが開発されていて、一概には言えない状況だ。本文と見出しのフォントを決めるときは、線の太さも1つの目安にしよう。本文に細いゴシック体を使うと、文書はよりカジュアルな雰囲気になる。タイトルを太めの明朝体にして、柔らかさを演出するのもよい。

● 本文の基本は明朝体、線の細いゴシック体も読みやすい

○ 游明朝(標準)

恒例のイベント「びわ湖ファミリーウォーク」を開催します。今年は約 8km の平坦なコースをのんびり歩きます。家族の皆さんで、ぜひご参加ください。お問い合わせは、総務部の八木(yagi@example.com)までお願いします。

○ 游ゴシックLight

恒例のイベント「びわ湖ファミリーウォーク」を開催します。今年は約 8km の平坦なコースをのんびり歩きます。家族の皆さんで、ぜひご参加ください。お問い合わせは、総務部の八木(yagi@example.com)までお願いします。

△ HG丸ゴシックM-PRO

恒例のイベント「びわ湖ファミリーウォーク」を開催します。今年は約 8km の平坦なコースをのんびり歩きます。家族の皆さんで、ぜひご参加ください。お問い合わせは、総務部の八木(yagi@example.com)までお願いします。

× HGS創英角ポップ体

恒例のイベント「びわ湖ファミリーウォーク」を開催します。今年は約 8km の平坦なコースをのんびり歩きます。家族の皆さんで、ぜひご参加ください。お問い合わせは、総務部の八木(yagi@example.com)までお願いします。

図4 複数行にわたる長い文章には、「游明朝」のような明朝体が適している。ただし、ゴシック体でも「游ゴシックLight」のように線が細いフォントは本文向きだ。「HG丸ゴシックM-PRO」は親しみやすいが、線がやや太めなので読みやすさはいまひとつ。「ポップ体」のように線の太いフォントは本文には不向きだ

● 見出しの基本はゴシック体、タイトルは線の太い明朝体も○

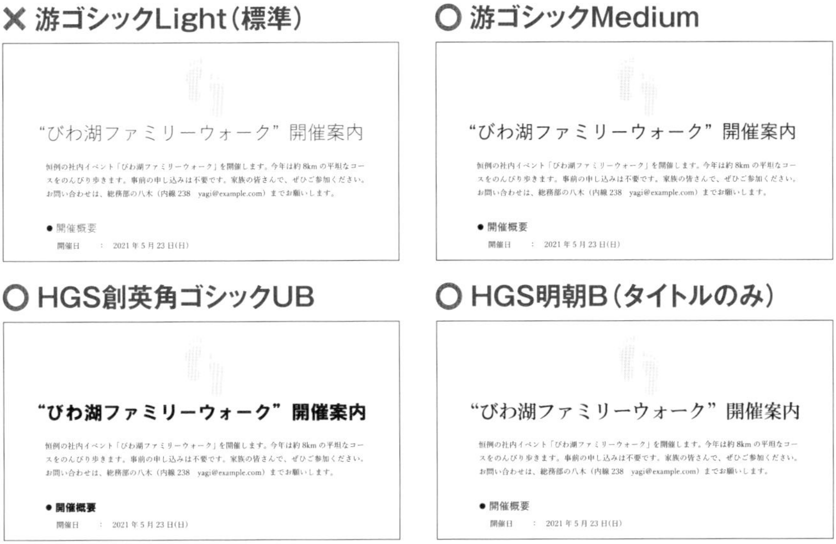

✕ 游ゴシックLight(標準)
“びわ湖ファミリーウォーク”開催案内
恒例の社内イベント「びわ湖ファミリーウォーク」を開催します。今年は約8kmの平坦なコースをのんびり歩きます。事前の申し込みは不要です。家族の皆さんで、ぜひご参加ください。お問い合わせは、総務部の八木(内線238 yagi@example.com)までお願いします。
● 開催概要
開催日 : 2021年5月23日(日)
○ 游ゴシックMedium
“びわ湖ファミリーウォーク”開催案内
恒例の社内イベント「びわ湖ファミリーウォーク」を開催します。今年は約8kmの平坦なコースをのんびり歩きます。事前の申し込みは不要です。家族の皆さんで、ぜひご参加ください。お問い合わせは、総務部の八木(内線238 yagi@example.com)までお願いします。
● 開催概要
開催日 : 2021年5月23日(日)
○ HGS創英角ゴシックUB
“びわ湖ファミリーウォーク”開催案内
恒例の社内イベント「びわ湖ファミリーウォーク」を開催します。今年は約8kmの平坦なコースをのんびり歩きます。事前の申し込みは不要です。家族の皆さんで、ぜひご参加ください。お問い合わせは、総務部の八木(内線238 yagi@example.com)までお願いします。
● 開催概要
開催日 : 2021年5月23日(日)
○ HGS明朝B(タイトルのみ)
“びわ湖ファミリーウォーク”開催案内
恒例の社内イベント「びわ湖ファミリーウォーク」を開催します。今年は約8kmの平坦なコースをのんびり歩きます。事前の申し込みは不要です。家族の皆さんで、ぜひご参加ください。お問い合わせは、総務部の八木(内線238 yagi@example.com)までお願いします。
● 開催概要
開催日 : 2021年5月23日(日)

↑図5 タイトルや見出しには、目に付きやすいゴシック体が適している。ただし、標準フォントの「游ゴシックLight」は線が細すぎる。「游ゴシックMedium」や「HGS創英角ゴシックUB」などを利用しよう。タイトルは、「HGS明朝B」のような線の太い明朝体でもよい

見出しフォントと本文フォントの相性も大事(**図6**)。タイトルや見出しに線の太いフォントを使うときは、本文もゴシック体にするとバランスが良い。ただし、「MSゴシック」のような本文向きでないフォントの使用は控えよう。

フォントの選び方やそのほかの文字書式については、第2章で紹介する。

● 見出しフォントと本文フォントの相性を考える

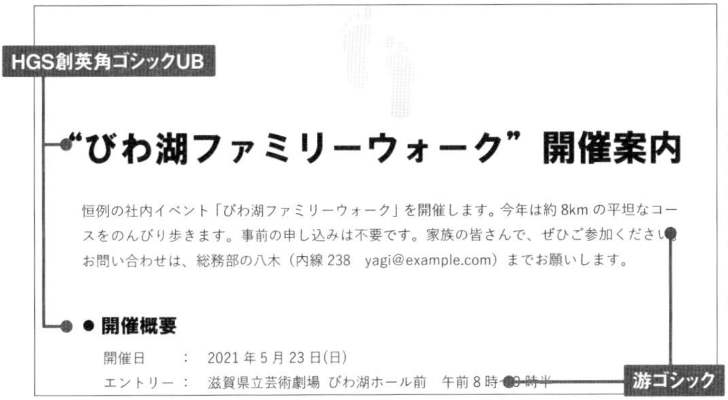

HGS創英角ゴシックUB
“びわ湖ファミリーウォーク”開催案内
恒例の社内イベント「びわ湖ファミリーウォーク」を開催します。今年は約8kmの平坦なコースをのんびり歩きます。事前の申し込みは不要です。家族の皆さんで、ぜひご参加ください。
お問い合わせは、総務部の八木(内線238 yagi@example.com)までお願いします。
● 開催概要
開催日 : 2021年5月23日(日)
エントリー : 滋賀県立芸術劇場 びわ湖ホール前 午前8時
游ゴシック

←図6 文書内で複数のフォントを使うときは、フォント同士の相性もよく考える。タイトルと見出しを「HGS創英角ゴシックUB」などの太いフォントにしたときは、本文を「游ゴシック」などの細めのゴシック体にすると、全体のデザインに統一感が出る

鍵を握る「段落」のスタイル 文字列の配置とメリハリが大事

段落書式

文書内の文字列には、タイトル、見出し、本文、説明、補足など、さまざまな役割がある。これらを役割ごとに整理して、内容にふさわしい体裁で示すことが、読みやすさを向上させる大きなポイントだ。

適切な段落書式で読みやすさを向上させる

✕ レイアウトが平坦で3つの手順が曖昧

会員登録
ご利用には、会員登録（無料）が必要です。トップページの「新規登録」を選び、お客様のメールアドレス、お名前やご住所などをご登録ください。
ご注文
オンラインショップにログイン後、ご希望の商品を選びます。購入手続きに進み、お届け先の情報、ギフト包装の有無など、必要事項を指定します。
お支払い
商品と送料の合計金額を確認して、支払方法を選びます。クレジットカード、銀行振込、コンビニ払い、代金引換よりお選びいただけます。

○ 連番で3つの手順がわかりやすくレイアウトにもメリハリがある

1. 会員登録
   ご利用には、会員登録（無料）が必要です。トップページの「新規登録」を選び、お客様のメールアドレス、お名前やご住所などをご登録ください。

2. ご注文
   オンラインショップにログイン後、ご希望の商品を選びます。購入手続きに進み、お届け先の情報、ギフト包装の有無など、必要事項を指定します。

3. お支払い
   商品と送料の合計金額を確認して、支払方法を選びます。クレジットカード、銀行振込、コンビニ払い、代金引換よりお選びいただけます。

図1 段落書式は、文章の役割に応じて設定する。例えば、手順説明の文章は、見出しのフォントや文字サイズを変えただけでは伝わりにくい（上）。見出しに連番を振ってレイアウトに強弱を付けると格段に読みやすくなる（下）

例えば、フォントや文字サイズを変えただけではいまひとつ役割のはっきりしない文章も、連番を振ったり、行頭を字下げしたり、段落の間隔を空けたりすると、メリハリが付いて理解しやすくなる（**図1**）。これらの体裁はすべて、段落書式の要素で整う。

レイアウトを確認しながらスタイルを順番に設定

実際に作業するときは、文章に必要な要素を考え、レイアウトを見ながら段階的にスタイルを整えていこう（**図2**）。この例では、見出しの先頭に記号を付けるスタイルも考えたが、手順を示す文章なので連番を振った。このように、複数の候補から適切な書式を選ぶことも大事だ。段落書式の具体的なテクニックは、第3章で紹介する。

● 連番、字下げ、段落間の空きでメリハリを付ける

会員登録
ご利用には、会員登録（無料）が必要です。トップページの「新規登録」を選び、お客様のメールアドレス、お名前やご住所などをご登録ください。
ご注文
オンラインショップにログイン後、ご希望の商品を選びます。購入手続きに進み、お届け先の情報、ギフト包装の有無など、必要事項を指定します。
お支払い
商品と送料の合計金額を確認して、支払方法を選びます。クレジットカード、銀行振込、コンビニ払い、代金引換よりお選びいただけます。

❶見出しのフォントと文字サイズを変える

1. 会員登録
ご利用には、会員登録（無料）が必要です。トップページの「新規登録」を選び、お客様のメールアドレス、お名前やご住所などをご登録ください。
2. ご注文
オンラインショップにログイン後、ご希望の商品を選びます。購入手続きに進み、お届け先の情報、ギフト包装の有無など、必要事項を指定します。
3. お支払い
商品と送料の合計金額を確認して、支払方法を選びます。クレジットカード、銀行振込、コンビニ払い、代金引換よりお選びいただけます。

❷見出しに連番を振って流れを明確に示す

1. 会員登録
　ご利用には、会員登録（無料）が必要です。トップページの「新規登録」を選び、お客様のメールアドレス、お名前やご住所などをご登録ください。

2. ご注文
　オンラインショップにログイン後、ご希望の商品を選びます。購入手続きに進み、お届け先の情報、ギフト包装の有無など、必要事項を指定します。

3. お支払い
　商品と送料の合計金額を確認して、支払方法を選びます。クレジットカード、銀行振込、コンビニ払い、代金引換よりお選びいただけます。

❸説明文を字下げしてレベルをはっきりさせる

❹段落の間隔を空けて各手順を区切る

図2 段落書式は、レイアウトを確認しながら段階を追って設定しよう。この例では、見出しに連番を振った後、下位レベルの文章を字下げして、さらに段落の間隔を空けた（❶～❹）

文書の印象は配色で変わる 色の効果を考えて設定しよう

色設定の基本

文書の配色も、全体の雰囲気を決める要素。色の感じ方は人それぞれだが、一般的なイメージはある（**図1**）。配色を決めるときは、このイメージを念頭に置こう。文書をどんなふうに見せたいかを考えれば、使うべき色の候補はおのずと絞り込める。

配色に迷ったら優等生の「青」を基調にする

ここではレポートの表紙を例に、配色によるイメージの違いを見てみよう（**図2**）。4つの配色を比べると、青を基調にした左上の文書が最も落ち着いて見える。青は万人に受け入れられる優等生的な色なので、ビジネス文書では無難だ。文書内で使う、色の組み合わせも大事。ワードでは、文書内で使う色のパターンを一括で切り替えることもできる。色の使い方については、第4章で詳しく紹介しよう。

色が持つイメージを利用する

暖色	明るい、カジュアル、愛情、活発、危険、緊急
寒色	涼しい、冷静、落ち着き、信頼、冷たい、誠実
中性色	安全、穏やか、自然、繊細、高貴、悲しみ
無彩色	清潔、シック、フォーマル、不安、暗い

図1 色は「暖色」「寒色」「中性色」「無彩色」に大別され、それぞれにイメージが異なる。文書のデザインにも、このイメージをうまく利用しよう

●配色によって文書のイメージは変わる

落ち着きがある／常識的な感じ
心地よく読み進められそう

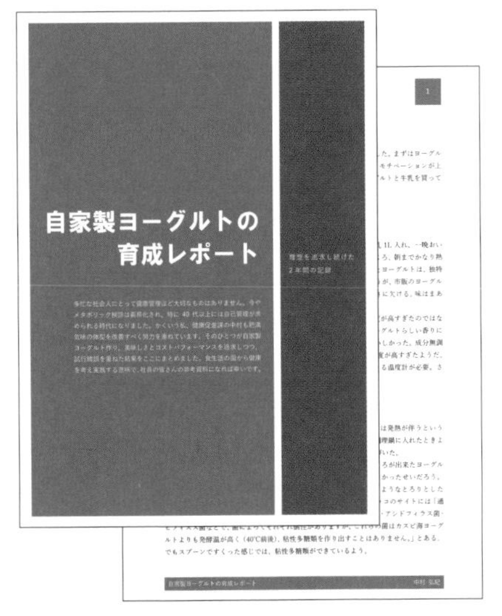

元気で明るい ／遊び心がある
楽しい気分になりそう

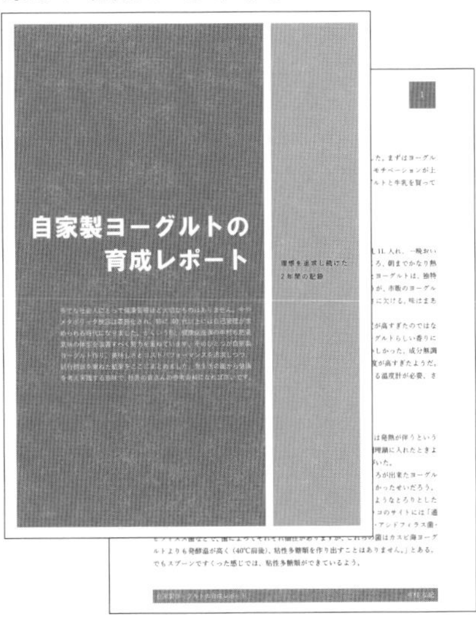

シンプル／ 堅実な感じ
堅苦しくてつまらなそう

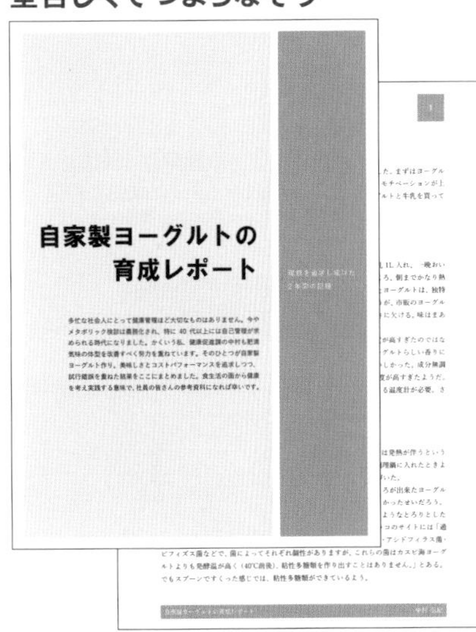

クール／洗練された雰囲気
知識やアイデアを得られそう

↑ 図2 同じ文書でも違う配色を比較すると、受ける印象はかなり異なる。特に、表紙など広い面に使う色は吟味して決めよう

図解や表組みでとことん整理 ビジュアル素材でイメージ補完

オブジェクト／表

文字列だけの説明に頼らず、図解や表組みなどを利用するのも、伝わる文書を作る秘訣だ。例えば、「海外進出の狙い」の3項目を写真付きの図解で説明すると、各項目とそのイメージがダイレクトに伝わる（**図1**）。

データを列挙するなら一覧表が見やすいし（**図2**）、まとまった引用文などは囲み記事にするとわかりやすい（**図3**）。写真やアイコンなどのビジュアル素材も、文字列のサポート役として積極的に利用しよう（**図4**）。ワードにはもちろん、図や表組みの作成機能が備わっているし、写真やアイコンなどのライブラリーも用意されている。

文字列をバランス良く並べてイメージ画像を添える

海外進出の狙い

① 販路開拓

② 技術提携

③ 人材確保

海外進出の狙い

販路開拓　**技術提携**　**人材確保**

図1 文字列だけではイメージがつかみにくい説明も、図解することで理解度が高まる。この例では、3つの項目をイメージ画像と共にバランス良く配置し、わかりやすく提示した

● 複数項目を列挙するときは表組みに

会員種類	月会費	利用時間		テニスコート利用
正会員	12,960円	全日	10:00〜23:00	○
平日会員	8,640円	月〜金	10:00〜17:00	○（土日は追加料金）
ナイト会員	8,640円	全日	18:00〜23:00	○
ホリデー会員	7,560円	土日祝	10:00〜23:00	○（平日は追加料金）
シニア会員	6,480円	全日	12:00〜20:00	△（予約制）

図2 複数の項目を列挙する場合は、一覧表の形式にするのが基本。ワードの表作成機能はスタイル設定も楽なので、効率良く作業するコツを覚えて利用しよう

● 本文と区別したい文字列は「テキストボックス」で切り離す

レポート、企画書、プレゼン資料などを作成する際に、他人の書物やインターネット上の著作物を参考にすることは多い。ただし、著作権の知識がないままに利用すると、著作権侵害に問われることがある。特に、簡単にコピーできるネット上の情報は、気軽に使ってしまう傾向があるので注意したい。

著作物を利用するときは、基本的に著作者から許可を得る必要がある。もちろん例外もあり、その代表が「引用」だ。引用であれば、原則として著作者の許可なく著作物を使うことができる。

引用については、著作権法第32条に定められているが（右枠参照）、この内容を正確に理解しているだろうか。誤った解釈で著作物を引用すると、著作権侵害に該当しかねない。無用のトラブルを防ぐためにも、引用の基礎知識をしっかりと身に付けることが大切だ。今回の講座では、「引用の必然性」「明瞭区別性」「主従関係の順守」という3つのポイントに絞って、正しい引用方法を解説していこう。

著作権法 第32条「引用」

1 公表された著作物は、引用して利用することができる。この場合において、その引用は、公正な慣行に合致するものであり、かつ、報道、批評、研究その他の引用の目的上正当な範囲内で行なわれるものでなければならない。

2 国若しくは地方公共団体の機関、独立行政法人又は地方独立行政法人が一般に周知させることを目的として作成し、その著作の名義の下に公表する広報資料、調査統計資料、報告書その他これらに類する著作物は、説明の材料として新聞紙、雑誌その他の刊行物に転載することができる。ただし、これを禁止する旨の表示がある場合は、この限りでない。

図3 本文と区別したい文字列は、「テキストボックス」に入力して配置する。本文から独立した文字枠なので、コラムのような囲み記事だけでなく、タイトル文字や写真のキャプションなど、さまざまな用途に利用できる

● アイコンを添えて内容を認識しやすくする

図4 手順を流れ図にするだけでなく、それぞれにアイコンを添えることで、内容をさらに認識しやすくなる。ワードには多彩なアイコンが用意されていて、作図や装飾に利用できる（→196ページ）

ページ内の要素は視線の流れに沿ってレイアウト

レイアウトの基本

ページ内の各要素は、文書を読むときの視線の流れに沿ってレイアウトするのが基本。特に、画像や図解などを入れた文書では、視線があちこちに飛ばないように工夫しよう。凝ったレイアウトにしたくて、画像をバラバラに配置すると途端に読みにくくなる（**図1左**）。ビジネス文書では、各要素をサイズと位置を揃えて、整然とレイアウトすることを心がける。この例では、文章を左側、関連するグラフを右側に並べることで、スムーズに読み進められる資料になった（**図1右**）。

要素ごとに位置とサイズを揃える

✕ 文章とグラフの位置がバラバラ

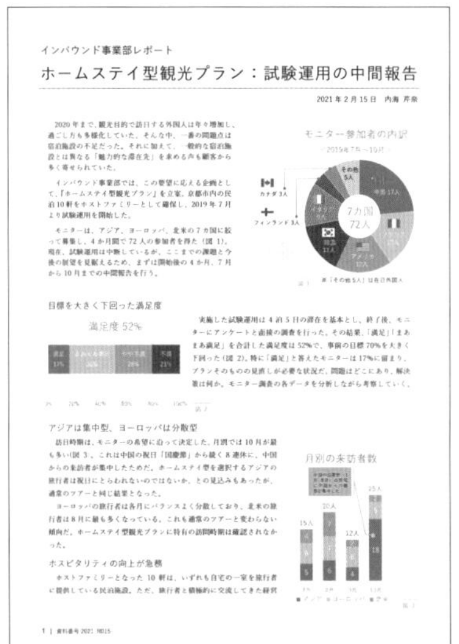
インバウンド事業部レポート

ホームステイ型観光プラン：試験運用の中間報告

2021年2月15日　内海 芹奈

2020年まで、観光目的で訪日する外国人は年々増加し、過ごし方も多様化していた。そんな中、一番の問題点は宿泊施設の不足だった。それに加えて、一般的な宿泊施設とは異なる「魅力的な滞在先」を求める声も顧客から多く寄せられていた。

インバウンド事業部では、この要望に応える企画として、「ホームステイ型観光プラン」を立案。京都市内の民泊10軒をホストファミリーとして確保し、2019年7月より試験運用を開始した。

モニターは、アジア、ヨーロッパ、北米の7カ国に絞って募集し、4か月間で72人の参加者を得た（図1）。現在、試験運用は中断しているが、ここまでの課題と今後の展望を見据えるため、まずは開始後の4か月、7月から10月までの中間報告を行う。

目標を大きく下回った満足度

実施した試験運用は4泊5日の滞在を基本とし、終了後、モニターにアンケートと面接の調査を行った。その結果、「満足」「まあまあ満足」を合計した満足度は52%で、事前の目標70%を大きく下回った（図2）。特に「満足」と答えたモニターは17%に留まり、プランそのものの見直しが必要な状況だ。問題はどこにあり、解決策は何か。モニター調査の各データを分析しながら考察していく。

アジアは集中型、ヨーロッパは分散型

訪日時期は、モニターの希望に沿って決定した。月別では10月が最も多い（図3）。これは中国の祝日「国慶節」から続く8連休に、中国からの来訪者が集中したためだ。ホームステイ型を選択するアジアの旅行者は祝日にとらわれないのではないか、との見込みもあったが、通常のツアーと同じ結果となった。

ヨーロッパの旅行者は各月にバランスよく分散しており、北米の旅行者は8月に最も多くなっている。これも通常のツアーと変わらない傾向だ。ホームステイ型観光プランに特有の訪問時期は確認されなかった。

ホスピタリティの向上が急務

ホストファミリーとなった10軒は、いずれも自宅の一室を旅行者に提供している民泊施設。ただ、旅行者と積極的に交流してきた経営

1 | 資料番号 2021 N015

○ 文章を左、グラフを右に配置

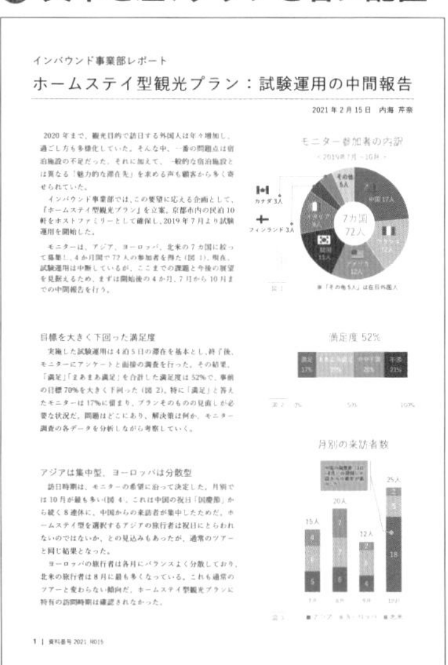
インバウンド事業部レポート

ホームステイ型観光プラン：試験運用の中間報告

2021年2月15日　内海 芹奈

2020年まで、観光目的で訪日する外国人は年々増加し、過ごし方も多様化していた。そんな中、一番の問題点は宿泊施設の不足だった。それに加えて、一般的な宿泊施設とは異なる「魅力的な滞在先」を求める声も顧客から多く寄せられていた。

インバウンド事業部では、この要望に応える企画として、「ホームステイ型観光プラン」を立案。京都市内の民泊10軒をホストファミリーとして確保し、2019年7月より試験運用を開始した。

モニターは、アジア、ヨーロッパ、北米の7カ国に絞って募集し、4か月間で72人の参加者を得た（図1）。現在、試験運用は中断しているが、ここまでの課題と今後の展望を見据えるため、まずは開始後の4か月、7月から10月までの中間報告を行う。

目標を大きく下回った満足度

実施した試験運用は4泊5日の滞在を基本とし、終了後、モニターにアンケートと面接の調査を行った。その結果、「満足」「まあまあ満足」を合計した満足度は52%で、事前の目標70%を大きく下回った（図2）。特に「満足」と答えたモニターは17%に留まり、プランそのものの見直しが必要な状況だ。問題はどこにあり、解決策は何か。モニター調査の各データを分析しながら考察していく。

アジアは集中型、ヨーロッパは分散型

訪日時期は、モニターの希望に沿って決定した。月別では10月が最も多い（図3）。これは中国の祝日「国慶節」から続く8連休に、中国からの来訪者が集中したためだ。ホームステイ型を選択するアジアの旅行者は祝日にとらわれないのではないか、との見込みもあったが、通常のツアーと同じ結果となった。

ヨーロッパの旅行者は各月にバランスよく分散しており、北米の旅行者は8月に最も多くなっている。これも通常のツアーと変わらない傾向だ。ホームステイ型観光プランに特有の訪問時期は確認されなかった。

1 | 資料番号 2021 N015

図1 要素のサイズと位置がバラバラだと、視線があちこちに飛んで読みにくい（左）。要素ごとにサイズと位置を揃え、視線がスムーズに流れるようにするのが肝要だ（右）。この例では、右インデント（→74ページ図7）を利用して、ページの右側にグラフを配置するスペースを作った

視線の流れは、用紙の向きによっても異なる。横書きの文書では、縦向きだと上から下に流れ、横向きだと左から右に流れる。どちらにするかは、内容をどう見せたいかによって決めよう。例えば、流れ図を入れる場合は、手順を縦に並べるか横に並べるかによって用紙の向きも変わる（**図2**）。この例では、横に並べるレイアウトを採用した（**図3**）。こちらのほうがアイコンを大きく表示でき、手順を追うときも説明文を読むときも視線が横に動くので、ストレスなく内容を捉えられると考えたからだ。

● 用紙の向きは内容に合わせて決める

縦向き：上から下へ

こんぴら家具工房　Online Shop
ご利用ガイド

会員登録
▼
ご注文
▼
お支払い
▼
発送
▼
到着

横向き：左から右へ

◀▲ **図2** 5つの手順を流れ図で示す説明書。レイアウトは用紙を縦向きにして手順を縦に並べるか、用紙を横向きにして手順を横に並べるかの二択となる。流れ図のデザインや文字量などを考えて判断しよう

▶ **図3** 5つの手順は横に並べたほうがひと目で捉えやすいく、アイコンも大きく表示できると判断。用紙もそれに合わせて横向きにした

印刷もクオリティーに影響 用紙選びと出力設定を適切に

文書の出来は印刷にも左右されるので、適切な用紙選択と設定は欠かせない。例えば、写真をきれいに印刷するなら、マットフォトペーパーなどの写真専用の高品位用紙が必要だ。ページをとじる小冊子には薄めの両面印刷用紙を使うなど、印刷面や厚みも考慮しよう。普通紙以外を使う場合は、「プリンターのプロパティ」画面を開き、用紙の種類や印刷品質を正しく指定する（**図1、図2**）。これを怠ると、用紙の特性が生かされないので注意しよう。

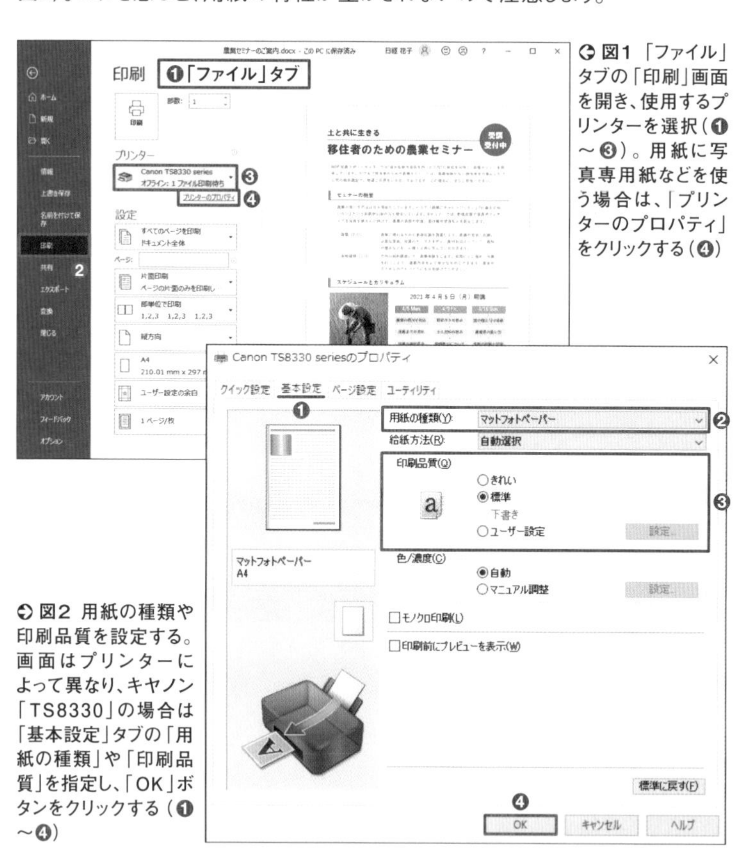

図1 「ファイル」タブの「印刷」画面を開き、使用するプリンターを選択（❶〜❸）。用紙に写真専用紙などを使う場合は、「プリンターのプロパティ」をクリックする（❹）

図2 用紙の種類や印刷品質を設定する。画面はプリンターによって異なり、キヤノン「TS8330」の場合は「基本設定」タブの「用紙の種類」や「印刷品質」を指定し、「OK」ボタンをクリックする（❶〜❹）

整えて読ませる

文字デザインのテクニック

日本語の文章は、ひらがな、カタカナ、漢字、英数字、記号が混在する複雑な構成。さらに横書きと縦書きがあるため、文字列のバランスを崩しやすい側面がある。状況に応じた文字書式の設定で、見やすい文章に整えていこう。

- フォントの注目株は「UDフォント」
- 半角文字には欧文フォントを使う手もある
- 縦書きの半角文字は「縦中横」で縦向きに
- 文字サイズの強弱で重要度を示す　ほか

まずは基本

文字書式の種類と設定方法を確認しよう

ワードの文字列は、特に変更しない限り文字サイズ10.5ポイントの「游明朝」で表示される。そこで文字書式を利用して、文字列を役割にふさわしいデザインに整える必要がある。文字デザインのベースになる書式は、「フォント」「文字サイズ」「文字色」の3つ。これらを変更するだけで、文字列の印象はかなり変わる(**図1**)。

実際に設定するときは、フォントの種類によって文字サイズを調節するなど、ちょっとしたコツがいる。この章では、文字書式を設定する際のルールを見ていこう。

ベースの書式は「フォント」「文字サイズ」「文字色」

標準スタイル	文字のデザイン
フォントの設定	文字のデザイン
文字サイズの設定	文字のデザイン
文字色の設定	文字のデザイン

図1 文字デザインのベースになる書式は、「フォント」「文字サイズ」「文字色」の3つ。標準スタイルの文字列にこれらの書式を設定するだけで、見た目の印象を大きく変えることができる

書式を組み合わせて文字列を装飾する

文字書式は「グラデーション」「文字の輪郭」「影」「反射」など、ほかにもたくさん用意されている（**図2**）。チラシなどのタイトルをデザインするときは、これらを単独、または組み合わせて使うのもお勧めだ（**図3**）。すべて文字単位で設定できるので、1文字だけを目立たせるのも簡単。ただし、やりすぎると逆効果になり、文字が読みにくくなる。一度に設定するのは3種類までにして、いろいろな表現を試してみよう。

↑図2 ほかにも、さまざまな文字書式が用意されている。複数のスタイルを上手に組み合わせて、文字列をデザインしよう

● 独自の文字表現を探求する

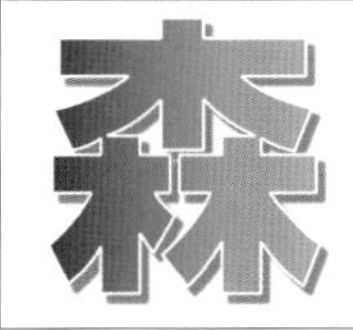

←図3「文字の輪郭」を付けると、白色や薄い色の文字がはっきりする。輪郭線の色や線種も指定可能だ（左）。「グラデーション」「影」「文字の輪郭」を組み合わせると、文字が立体的に見える（右）

メニューで書式を選び、ダイアログボックスや作業ウインドウで詳細設定

文字書式を設定するコマンドは、「ホーム」タブにまとめられている（**図4、図5**）。メニューやボタンで設定するほか、ダイアログボックスや作業ウインドウ（画面の右側に表示されるウインドウ）を開いて、詳細に設定する場合もある。例えば、文字に付けた影の色や濃さなどを、背景に合わせて細かく調節したいときは、作業ウインドウを開いて操作する（→47ページ）。

●「ホーム」タブのメニューやボタンで設定する

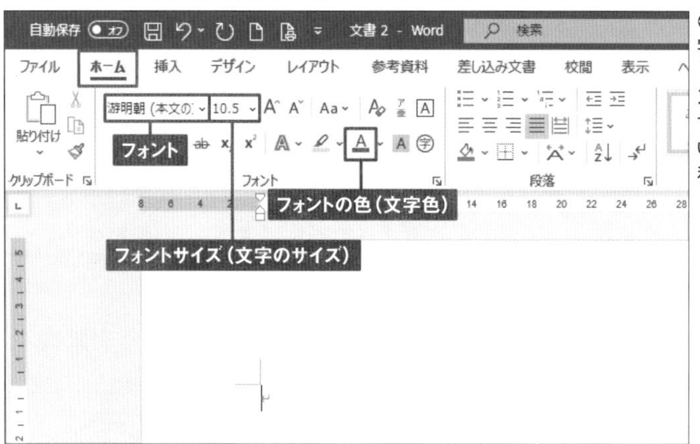

図4 フォント、文字サイズ、文字色は「ホーム」タブのコマンドで設定する。いずれもメニューを開いて、候補の中から利用するものを選ぶ

●「ホーム」タブのコマンドで設定する

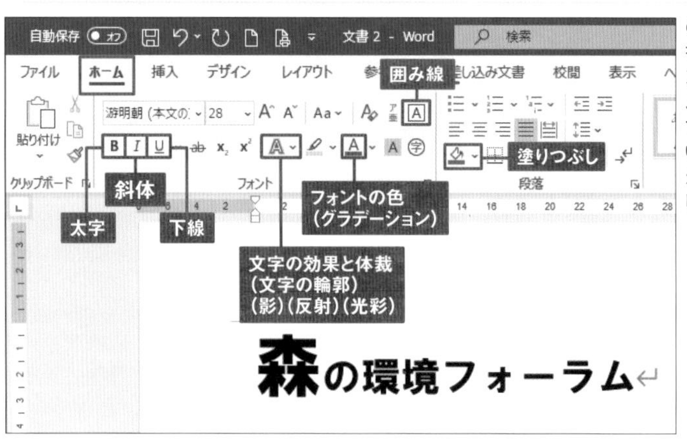

図5 ほかの文字書式を設定するコマンドも、すべて「ホーム」タブに用意されている。メニューを開いてスタイルを選ぶか、ボタンをクリックして設定する

標準利用できる多彩なフォント 注目はユニバーサルデザインフォント

フォント

ワードには、本文と見出しに使う標準フォントが指定されていて、「フォント」メニューの「テーマのフォント」に表示される（**図1**）。メニューの上部に表示されているので選びやすく、見出し用のフォントは「見出し1」などの組み込みスタイルに使われているので設定しやすい。ただ「游ゴシックLight」は線が細く、見出しには向かないフォントだ。また、本文の「游明朝」を変えたい場合もある。ワードには多彩なフォントが備わっているので（次ページ**図2**）、「フォント」メニューから選んで利用しよう。なお、本文と見出しの標準フォントはまとめて変更もできる（→50ページ）。

数あるフォントの中で特に注目したいのは、読みやすさを追求した「ユニバーサルデザインフォント（UDフォント）」。太さの強弱を抑えるなどの工夫で文字を識別しやすくし、誤読が少ないようにデザインされたフォントだ（**図3**）。丸みのある文字なので、文書に温かみを加えたいときにも重宝する。

「見出し」と「本文」の標準フォントがある

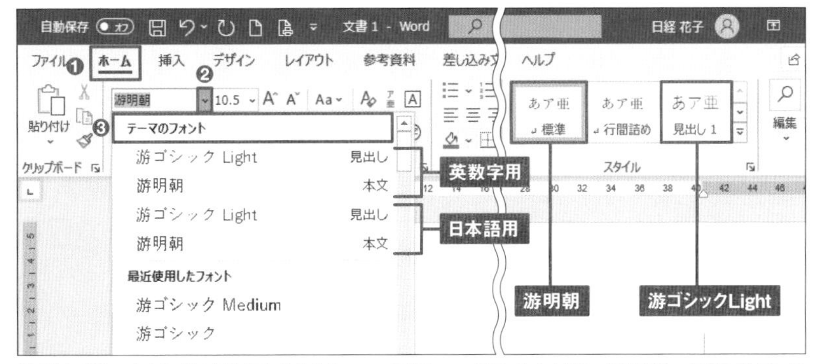

図1 「ホーム」タブにある「フォント」メニューの「テーマのフォント」（❶〜❸）には、本文と見出しの標準フォントが表示される。上の2種類が英数字用、下の2種類が日本語用のフォントだ。本文の標準フォント「游明朝」は「標準」スタイル、見出しの標準フォント「游ゴシックLight」は「見出し1」スタイルなどに適用されている。テーマのフォントは文書ごとに変更することもできる

● 日本語用の主なフォント

【明朝体】

游明朝	MS明朝
文字のデザイン ABC	文字のデザイン ABC
BIZ UD明朝Medium	**HGS明朝E**
文字のデザイン ABC	文字のデザイン ABC

【ゴシック体】

游ゴシック	MSゴシック
文字のデザイン ABC	文字のデザイン ABC
メイリオ	**HG丸ゴシックM-PRO**
文字のデザイン ABC	文字のデザイン ABC
HGゴシックM	**HGS創英角ゴシックUB**
文字のデザイン ABC	文字のデザイン ABC

【教科書体・行書体・ポップ体】

HGS教科書体	UDデジタル教科書体NP-R
文字のデザイン ABC	文字のデザイン ABC
HGS行書体	**HGS創英角ポップ体**
文字のデザイン ABC	文字のデザイン ABC

図2 明朝体やゴシック体だけでなく、教科書体やポップ体などのフォントもある。文書の用途に応じて使い分けが可能だ

ウィンドウズ10には2書体のUDフォントが標準搭載されていて、そのままワードで使える(**図4**)。フォントにはすべての文字幅が同じ「等幅フォント」と、文字によって幅が変わる「プロポーショナルフォント」があり、「UDデジタル教科書体」にも「N-R」「NP-R」「NK-R」の3種類が用意されている。半角文字の形や、全角文字の文字間隔が変わるので、状況に応じて選ぼう。このほか、太字の「N-B」などもある。

● 目に優しい「UDフォント」を全面に使う

“びわ湖ファミリーウォーク”開催案内

恒例の社内イベント「びわ湖ファミリーウォーク」を開催します。今年は約8kmの平坦なコースをのんびり歩きます。事前の申し込みは不要です。家族の皆さんで、ぜひご参加ください。お問い合わせは、総務部の八木(内線238 yagi@example.com)までお願いします。

● 開催概要　　UDデジタル教科書体NP-R

開催日　：　2021年5月23日(日)
エントリー：　滋賀県立芸術劇場 びわ湖ホール前　午前8時~9時半
スタート　：　滋賀県立芸術劇場 びわ湖ホール前　午前10時
ゴール　：　矢橋帰帆島公園 多目的グラウンド　午後12時~13時頃
コース　：　びわ湖ホール➡大津湖岸なぎさ公園➡近江大橋➡矢橋帰帆島公園

図3 太さの強弱が少なく、形がわかりやすいユニバーサルデザインフォント(UDフォント)を使うと、文字をすんなり捉えられる。見出しにも本文にも適しているので、文書全体に使ってもよい

● ウィンドウズ10に標準搭載されているUDフォント

UDデジタル教科書体　教育現場向けのUDフォント
教材や説明書などに適している

N-R:すべて等幅
お問い合わせは、総務部の八木(内線238　yagi@example.com)まで

NP-R:全角文字は等幅、半角文字はプロポーショナル
お問い合わせは、総務部の八木(内線238　yagi@example.com)まで

NK-R:漢字以外はすべてプロポーショナル
お問い合わせは、総務部の八木(内線238 yagi@example.com)まで

BIZ UD明朝Medium　一般文書向けのUDフォント
ビジネス文書に適した明朝体

お問い合わせは、総務部の八木(内線238　yagi@example.com)まで

図4 ウィンドウズ10に標準搭載されているユニバーサルデザインフォントには、「UDデジタル教科書体」と「BIZ UDフォント」がある。同じフォント内に複数の種類があるので、必要に応じて使い分けよう

Section 02

英数字混じりの日本語を美しく欧文フォントを上手に使う

フォント

日本語用のフォント（和文フォント）は半角文字の幅が狭く、英数字が平坦な印象になりやすい（**図1上**）。半角文字の混ざった文字列には、「欧文フォント」を組み合わせるとよい（**図1下**）。欧文フォントは、半角文字だけに設定できるフォントだ。数字やアルファベットのデザインが優れており、英数字がきれいに表示される。欧文フォントにも種類とバリエーションがあるので、和文フォントとの相性を考えよう（**図2**）。

欧文フォントで平坦な半角文字をふくよかに

HG創英角ゴシックUB

お得なクーポンを 8 月末まで LINE で配信中

HG創英角ゴシックUB + Arial Black

お得なクーポンを 8 月末まで LINE で配信中

図1 和文フォントは概して半角文字の幅が狭く、平坦な印象になりやすい。欧文フォントを組み合わせて、半角の英数字をふくよかなフォルムに変更しよう

● 欧文フォントは「セリフ体」と「サンセリフ体」、バリエーションもある

Century（セリフ体）

Aa

Arial（サンセリフ体）

Aa

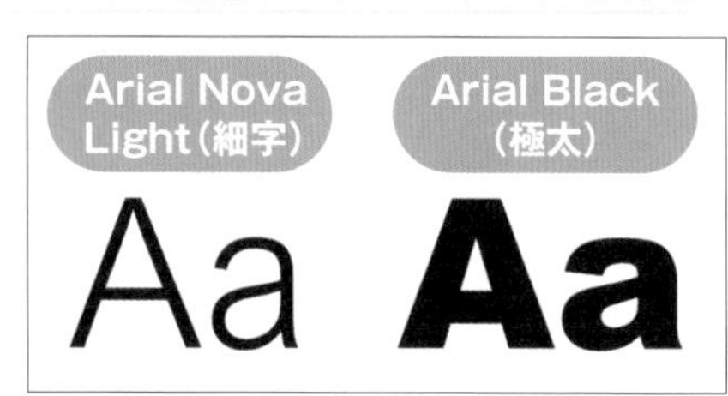

図2 欧文フォントは、明朝体に当たる「セリフ体」、ゴシック体に当たる「サンセリフ体」に大別される（左）。用途も、明朝体とゴシック体と同じように考えよう。欧文フォントにはたいてい、線の太さや文字幅のバリエーションがある。また、斜体の文字が用意されている場合もある。日本語と組み合わせるときは、和文フォントとの相性を考慮する

日本語用と英数字用のフォントを併用するときは、必ず和文フォント→欧文フォントの順で設定する（**図3**）。この例では、極太のゴシック体「HG創英角ゴシックUB」に、同じく極太のサンセリフ体の「Arial Black」を組み合わせた。

なお、和文フォントでも「游明朝」や「游ゴシック」のように、半角文字が平坦にならないようにデザインが工夫されているものある（**図4**）。このようなフォントは、単独で使っても半角英数字をきれいに表示できる。

● 和文フォント→欧文フォントの順で設定する

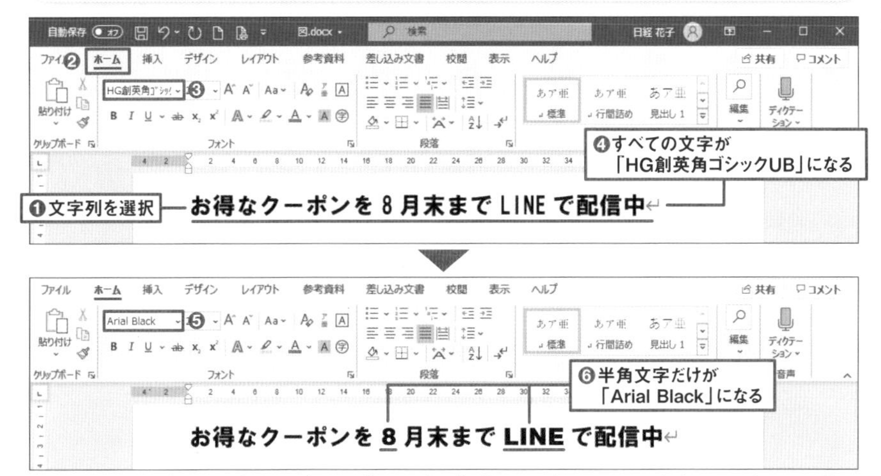

図3 フォントを変える文字列を選択して、「ホーム」タブの「フォント」メニューから和文フォント（ここでは「HG創英角ゴシックUB」）を選ぶ（❶～❸）。すべての文字が和文フォントに変わる（❹）。文字列を選択したまま「フォント」メニューから欧文フォント（ここでは「Arial Black」）を選ぶ（❺）。半角文字だけが欧文フォントに変わる（❻）

● 半角文字が比較的きれいな和文フォントもある

游ゴシック

お得なクーポンを 8 月末まで LINE で配信中

UDデジタル教科書体NP-R

お得なクーポンを 8 月末まで LINE で配信中

図4 「游明朝」や「游ゴシック」は和文フォントだが、半角の英数字もデザインが工夫されている。そのため、単独で使っても英数字混じりの日本語をきれいに表示できる。ほかにも「UDデジタル教科書体NP-R」のように、プロポーショナルフォントを使うと英数字がきれいに表示される場合がある

Section 03

縦書き文章の英数字は見せ方の工夫で読みやすく

文字種の変換／縦中横

縦書きの文章で特に気を付けたいのは、半角文字の表示だ。そのままでは横向きの状態になるので、縦向きに修正しよう（**図1**）。この例では、見出しの「第3回」や本文の「6月10日」などの数字を縦向きにした。半角文字を縦向きにする方法はいくつかあるので、文字数や内容によって選ぼう。

全角文字に一括変換して縦向きにする

半角文字が1文字の場合は、全角文字に修正するのが簡単だ。ワードでは「文字種の変換」機能を使って、範囲内の半角文字を全角文字に変換できる（**図2**）。続けて操作する場合は、直前の操作を繰り返す「Ctrl 」+「Y」キー、または「クイックアクセスツールバー」の「繰り返し」ボタンを使うと効率が良い。

横向きの文字を縦向きの表示にする

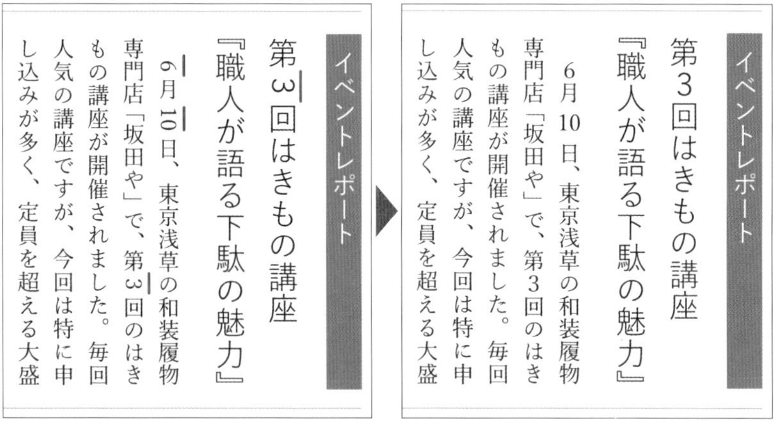

イベントレポート
第3回はきもの講座
『職人が語る下駄の魅力』
6月10日、東京浅草の和装履物専門店「坂田や」で、第3回のはきもの講座が開催されました。毎回人気の講座ですが、今回は特に申し込みが多く、定員を超える大盛

イベントレポート
第3回はきもの講座
『職人が語る下駄の魅力』
6月10日、東京浅草の和装履物専門店「坂田や」で、第3回のはきもの講座が開催されました。毎回人気の講座ですが、今回は特に申し込みが多く、定員を超える大盛

図1　文章を縦書きにすると、半角文字は横向きの状態で表示される（左）。これらの文字は変換して縦向きにすると読みやすくなる。1文字は全角文字に、2文字は半角文字のまま縦向きの横並びにするのが基本。3文字以上は状況に応じて考えよう

この機能は、横書きの文章で英数字を半角文字に揃える場合にも便利だ。範囲を選択して「文字種の変換」メニューから「半角」を選べばよい。ただし、この操作をすると、範囲内のカタカナも半角文字になるので注意しよう。

● 半角文字を全角文字に変換する

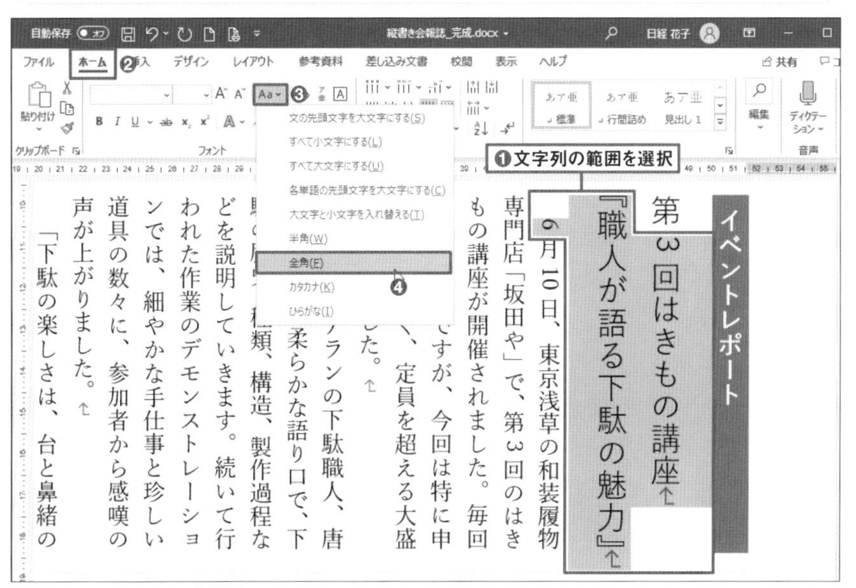

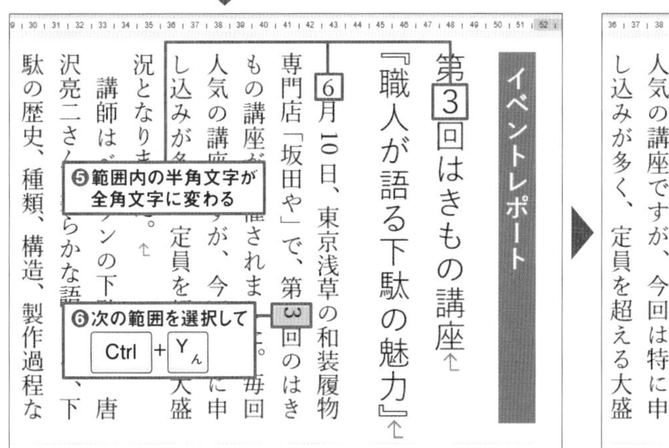

図2 変換する文字を含む範囲を選択し、「ホーム」タブの「文字種の変換」メニューから「全角」を選ぶ（❶～❹）。範囲内の半角文字が全角文字に変わり、縦向きになる（❺）。次の範囲を選択し、「Ctrl」+「Y」キーを押す（❻）。直前の操作が繰り返され、範囲内の半角文字が全角文字に変わる（❼）

2桁の数字は立てて横に並べ、3文字以上は状況に合わせて考える

2文字以上の半角文字は、全角文字に変換すると縦に並んでしまう。「AN」のようなアルファベットの固有名詞なら違和感はないが、「10」のような2桁の数字は読みにくい。2桁の数字は、縦向きにしつつ横に並べよう。このレイアウトは「縦中横」機能で実現できる(**図3**)。

半角文字を縦向きにする方法は、このように1文字か2文字かで使い分けよう。3文字以上の場合は、縦向きの横並びだとやや読みづらいので、半角のまま横向きで表示するか、全角で縦に並べるのがよいだろう(**図4**)。

そのほか、算用数字を漢数字に変更したり、「Skype」を「スカイプ」のようにカタカナ表記にしたりするやり方もある。縦書きにすることがわかっている場合は、文字列を入力する際に半角文字を使わないようにするなどの配慮も大事だ。

● 半角文字を縦向きの横並びで表示する

図3 対象の半角文字(ここでは「10」)を選択し、「ホーム」タブの「拡張書式」メニューから「縦中横」を選ぶ(❶〜❹)。表示される画面の「プレビュー」で文字列の向きを確認し、「OK」ボタンをクリック(❺❻)。選択した文字列が縦向きの横並びになる(❼)

文字数によって表示方法を使い分ける

1文字は全角、ほかは半角	すべて全角	3文字を縦中横に
❶ 海外でも「KIMONO」は大人気。1年365日、和装で過ごす強者がベルリンにいると聞き、スカイプでの取材を敢行しました。	❷ 海外でも「ＫＩＭＯＮＯ」は大人気。１年３６５日、和装で過ごす強者がベルリンにいると聞き、スカイプでの取材を敢行しました。	❸ 海外でも「KIMONO」は大人気。1年365日、和装で過ごす強者がベルリンにいると聞き、スカイプでの取材を敢行しました。

図4 アルファベットの単語や桁数の多い数字は、バランスを考えて表示方法を決める。長い文字列は半角のまま横向き表示にするか（❶）、全角に変換して縦に並べるのがお勧め（❷）。3文字以上を縦中横で横に並べるとバランスが悪くなる（❸）。また、文字が極端に小さくなったり、行間が大きく広がったりすることがある

補足説明 同じ文字列を一気に横並びにする

「縦中横」ダイアログボックスで「すべて適用」ボタンをクリックすると、文書内のほかの箇所にある同じ文字列（この例では「10」）も横並びにできる（**図5**）。

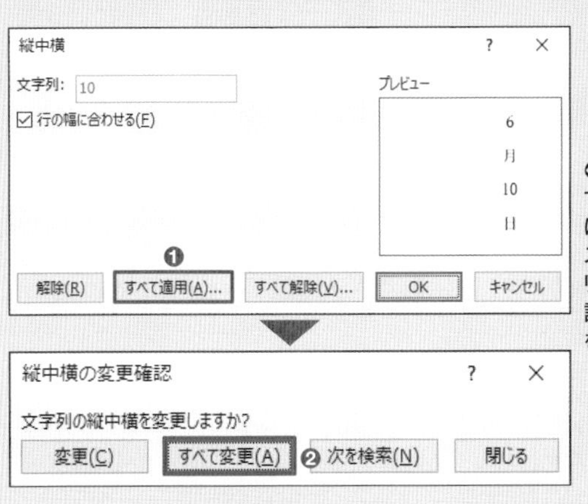

図5 文書内の同じ文字列をすべて縦向きの横並びにするには、「縦中横」ダイアログボックスで「すべて適用」ボタンをクリックする（❶）。表示される確認画面で「すべて変更」ボタンをクリック（❷）

Section 04

文字サイズでメリハリを出す フォントのサイズ感も考慮

フォントサイズ

文字サイズは、大ざっぱに設定されがちな書式だ。取りあえずタイトル文字を大きめにして、本文は初期設定のまま、見出しは12ポイントぐらいにしておけばいいか、などと、あまり考えずに設定されることも多い。もちろん、シンプルな文書ではそれでいい場合もある。でも、チラシのタイトル部分のように、複数の文字列を並べてレイアウトするときは別。何を一番伝えたいのかを考えて、文字サイズを決めよう。

例えば、セミナーの案内チラシで「受付開始」を強調したいなら、タイトル文字よりも大きなサイズにする（**図1**）。セミナーの内容自体を伝えたい場合は、逆にタイトル文字を大きくする（**図2**）。このほか、サブタイトルの「田植えから瓶詰めまで」を大きくすれば、体験型というセミナーの特徴をアピールできる。当たり前のようでいて、忘れられがちな「文字サイズで強調する」手法。効果抜群なので覚えておこう。

文字サイズで役割や重要性を伝える

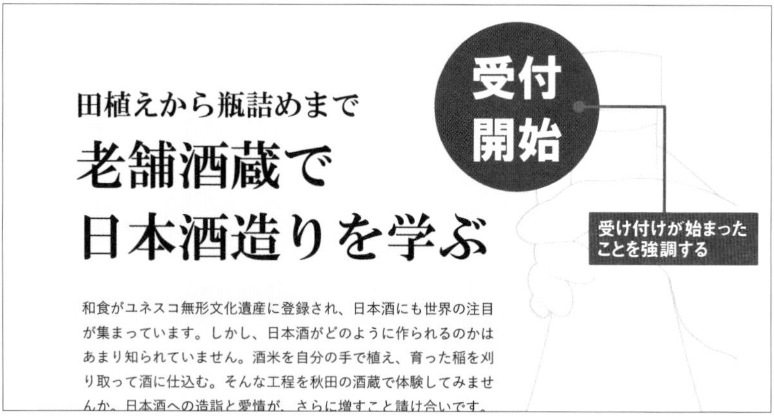

田植えから瓶詰めまで
老舗酒蔵で
日本酒造りを学ぶ

受付
開始

受け付けが始まった
ことを強調する

和食がユネスコ無形文化遺産に登録され、日本酒にも世界の注目が集まっています。しかし、日本酒がどのように作られるのかはあまり知られていません。酒米を自分の手で植え、育った稲を刈り取って酒に仕込む。そんな工程を秋田の酒蔵で体験してみませんか。日本酒への造詣と愛情が、さらに増すこと請け合いです。

図1 セミナー案内のチラシには、サブタイトル、タイトル、本文、囲み文字など、さまざまな要素がある。この例では「受付開始」という囲み文字を大きく表示して強調した。まずここに視線が集まり、セミナーの受け付けが始まったことがしっかり伝わる

● セミナーのタイトルを強調する

田植えから瓶詰めまで
老舗酒蔵で
日本酒造りを学ぶ
受講者募集中
和食がユネスコ無形文化遺産に登録され、日本酒にも世界の注目が集まっています。しかし、日本酒がどのように作られるのかはあまり知られていません。酒米を自分の手で植え、育った稲を刈

図2 タイトル文字を大きく表示すると、まずセミナーの内容が伝わる。メリハリを付けるため、囲み文字は小さめに表示した

文字サイズはポイント数で指定するが、同じポイントの文字でもフォントによってサイズ感が異なるので注意しよう。例えば、「游明朝」「UDデジタル教科書体NP-R」「HG丸ゴシックM-PRO」を比較すると、「HG丸ゴシックM-PRO」が最も大きいことがわかる（**図3**）。フォントを変えたときは、レイアウトのバランスが崩れていないかを確認し、必要ならサイズを調整する。

フォントによって文字のサイズ感は異なる

游明朝

UDデジタル教科書体NP-R

HG丸ゴシックM-PRO

図3 同じポイント数でも、フォントによって見た目のサイズ感は異なる。本文のフォントを変えたときなどは、バランスが悪くなっていないかを確認することが大事だ

フォントによってはサイズの違いが目立たない場合もある(**図4**)。特に、見出しと本文のバランスが悪いときは、どちらかの文字サイズを調整するとよい(**図5**)。なお、「ホーム」タブの「フォントサイズ」メニューに表示されないサイズは、「フォントサイズ」欄に直接入力して「Enter」キーを押せば設定できる。

● 見出し12ポイント×本文10.5ポイントのバランスも異なる

游ゴシックMedium/游明朝

●オンラインショップの取り扱い家具について

店舗で人気の定番商品から新製品まで、幅広く取り扱っております。また、ネットでしか買えない限定商品も、年2回のペースで販売します。

UDデジタル教科書体NP-R

●オンラインショップの取り扱い家具について

店舗で人気の定番商品から新製品まで、幅広く取り扱っております。また、ネットでしか買えない限定商品も、年2回のペースで販売します。

HG丸ゴシックM-PRO

●オンラインショップの取り扱い家具について

店舗で人気の定番商品から新製品まで、幅広く取り扱っております。また、ネットでしか買えない限定商品も、年2回のペースで販売します。

図4 見出しを12ポイント、本文を10.5ポイントにした例。「UDデジタル教科書体NP-R」と「HG丸ゴシックM-PRO」は、見出しと本文のサイズ差が小さい感じがする

● 文字サイズの調整でバランスを整える

見出しのサイズを大きくした(12.5 ポイント)

●オンラインショップの取り扱い家具について

店舗で人気の定番商品から新製品まで、幅広く取り扱っております。また、ネットでしか買えない限定商品も、年2回のペースで販売します。

本文のサイズを小さくした(10 ポイント)

●オンラインショップの取り扱い家具について

店舗で人気の定番商品から新製品まで、幅広く取り扱っております。また、ネットでしか買えない限定商品も、年2回のペースで販売します。

図5 見た目のサイズが小さめ「UDデジタル教科書体NP-R」は見出しのサイズを大きくし、見た目のサイズが大きめの「HG丸ゴシックM-PRO」は本文のサイズを小さくして、見出しと本文のバランスを整えた

文字サイズは、キー操作で1ポイントずつ上下させることも可能だ。「Ctrl」+「[」キーを押すと1ポイント小さくなり、「Ctrl」+「]」キーを押すと1ポイント大きくなる。サイズを微調整したり、変更しながら適切な大きさを見つけたりする場合に利用しよう。

補足説明 字間を調節して間延びを防ぐ

記号と文字の空きが気になる場合は、その部分の文字間隔を詰めるのがお勧め(**図6**)。記号だけ文字サイズを小さくすると、バランスが悪くなるので気を付けよう。文字の間隔は、ダイアログボックスを開いて設定する(**図7**)。

記号と文字の間隔が空きすぎ

“びわ湖ファミリーウォーク” 開催案内

プロポーショナルフォントでは全体が詰まりすぎ

“びわ湖ファミリーウォーク”開催案内

記号だけ字間を狭める

“びわ湖ファミリーウォーク” 開催案内

図6 記号と文字の間隔だけを詰めたいときは、プロポーショナルフォントを使うか、記号の字間だけを狭める

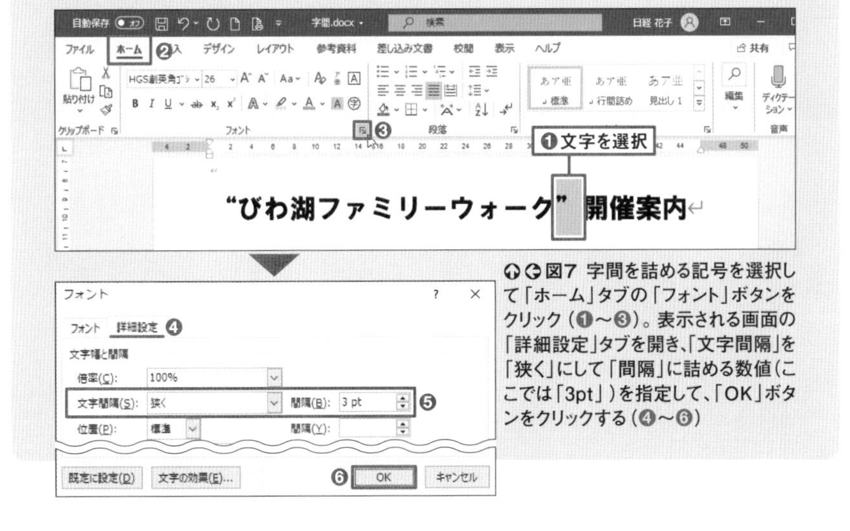

図7 字間を詰める記号を選択して「ホーム」タブの「フォント」ボタンをクリック(❶〜❸)。表示される画面の「詳細設定」タブを開き、「文字間隔」を「狭く」にして「間隔」に詰める数値(ここでは「3pt」)を指定して、「OK」ボタンをクリックする(❹〜❻)

過剰な文字装飾はNG ちょうどよい効果を見極める

文字の効果

「影」や「反射」のような装飾系の文字書式は、ちょっとした調整で見やすくなる（**図1**）。必要に応じてカスタマイズするのがお勧めだ。影の設定例を紹介しよう。

まずは既製のスタイルを設定、細かい調整は作業ウインドウで

影は、「影」サブメニューに表示される既製スタイルから選んで設定する（**図2**）。既製スタイルにポインターを合わせると、選択中の文字列にそのスタイルがプレビュー表示されるので、設定したい影を選ぼう。

影の色や濃さ、表示位置などを調整する場合は、サブメニューから「影のオプション」を選び、作業ウインドウを開く。作業ウインドウの設定は選択中の文字列にすぐ反映されるので、いろいろ試してみよう（**図3**）。この例では、「透明度」を減らして影を濃くし、「距離」を増やして影の位置をずらした。なお、作業ウインドウでは、「反射」「光彩」など、ほかの効果も同時に付けられるが、くれぐれも装飾過剰にならないように気を付けたい。

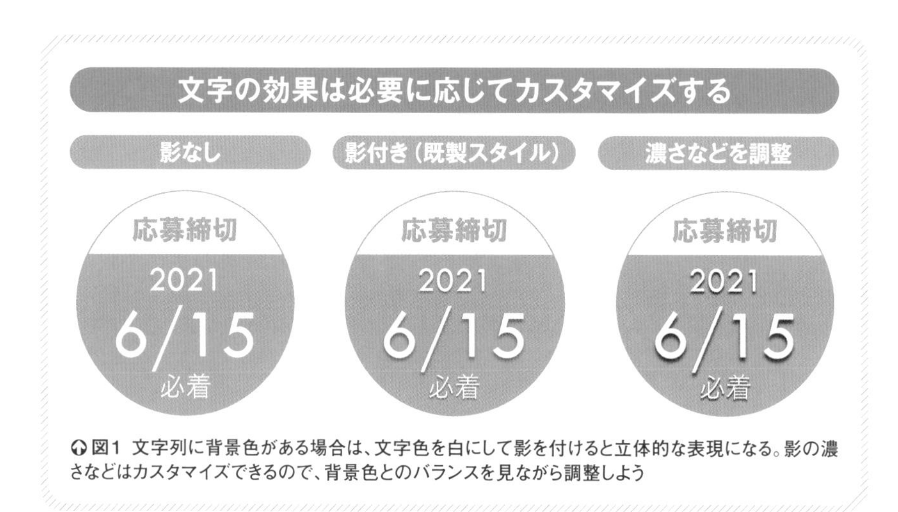

図1 文字列に背景色がある場合は、文字色を白にして影を付けると立体的な表現になる。影の濃さなどはカスタマイズできるので、背景色とのバランスを見ながら調整しよう

● 影の濃さや位置などを調整する

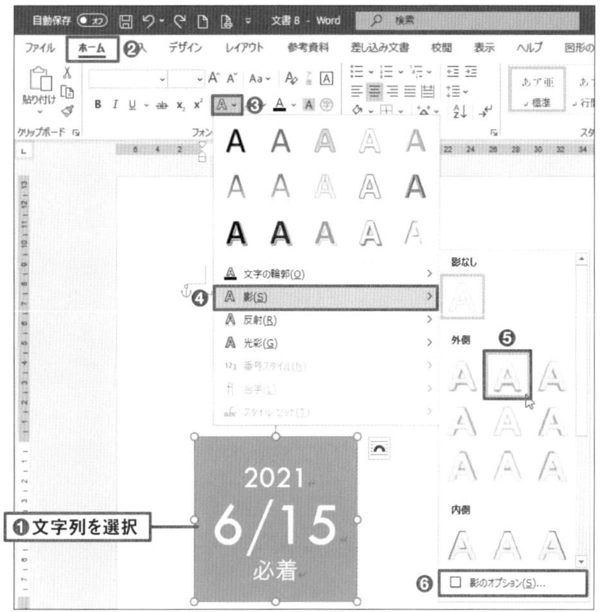

図2 影を付ける文字列を選択し、「ホーム」タブの「文字の効果と体裁」メニューにある「影」サブメニューから影のスタイル（ここでは「オフセット:下」）を選ぶ（❶～❺）。再度「影」サブメニューを開いて「影のオプション」を選ぶ（❻）

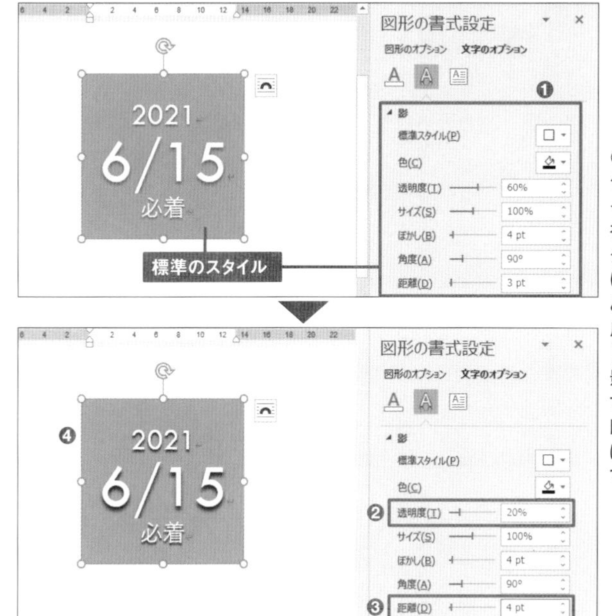

図3 作業ウインドウの「影」グループが表示され、影のスタイルが一覧表示される（❶）。初めは図2で選んだ既製のスタイルになっているので、必要に応じて影の濃さや色、位置などを指定する。ここでは「透明度」を「20％」に、「距離」を「4pt」に変えた（❷❸）。これで影が濃くなり、位置も少し下にずれる（❹）。なお、作業ウインドウの設定を元に戻したいときは、一番上の「標準スタイル」で既製スタイルを選び直す

ときには定石を破ってもOK デザインの必然に身をまかせる

フォント／文字配置

この章で紹介してきた文字書式の設定は、あくまでも基本のルール。文書の内容によっては、ルールを外れても構わない。タイトルに線の細いフォントを使ってもいいし、本文の一部を極太のゴシック体にするのもありだ（**図1、図2**）。デザインを重視するなら、読みやすさを少々犠牲にしてもいいだろう（**図3**）。普段は使用を控えたほうがいいポップ体のフォントも、POP広告では光輝く（**図4**）。

● タイトル文字に線の細いフォントを使う

Let's share the beauty and enjoyment of kimono

着物クラブ定期便

Vol.12 2021年7月1日発行
発行：着物クラブ事務局
〒602-8453 京都府京都市上京区笹屋町 9-99
https://www.example.com/

HG教科書体

きもの知恵袋・夏

涼しさを呼び込む
着付けの工夫

7月と8月は、着物好きにとってうれしくもあり悩ましくもある季節。浴衣や薄物といった、この時期ならではの着物を楽しめる半面、暑さ対策が必須になるからです。

吹き出す汗をどうしたらいい？涼しく着付けるコツってあるの？その答えを求めて、京都の老舗呉服店「ささもと」を訪問。若女将の千絵さんに、盛夏の着付けワ伺いました。

しく着るポイントとして、笹んが真っ先にあげたのは「二の帯」です。これは胴に巻く部お太鼓の部分を切り離した帯。通常の帯よりも簡単に締められるため、着付け時間が短縮できます。

「夏はとにかく着付け中にも汗が出ますから、短時間でサッと着ることが大事です。そのため、夏に普段使いする帯はほとんど二部式にしています」

二部式の帯は重なる部分も少なくなるので、着ていても蒸れずに涼しいのだそう。

続いてのポイントは、「麻の素材」を上手に使うこと。

「麻はさらっとした肌触りが心地よく、洗ってもすぐ乾く利点があります。半襦袢などの下着はもちろん、足袋も麻にすると足元から涼しいですよ」

麻のステテコも、汗が着物に移るのを防いでくれる必需品。メッシュの帯板など、通気性のよい小物を選ぶことも大切だといいます。

最後のポイントは「紐を減らす」こと。紐や伊達締めの数を少なくすると風が通りやすくなり、無駄な汗をかかずに済むそうです。

「皆さん着崩れを心配されますが、夏の着物は滑らない素材が多いので、案外大丈夫なんです」

気になる補正ですが、汗を吸い取る役目があるため、普段通りきちんとするのがお勧めとのことでした。笹本さんのアドバイスを参考に、自分なりの涼しい着付けを見つけましょう。

イベントレポート

第3回はきもの
『職人が語る下駄

6月10日、東京浅
専門店「坂田や」で、
もの講座が開催され
人気の講座ですが、
し込みが多く、定員
況となりました。
講師はベテランの
沢亮二さん。柔らかな

■ Event 次回の催し
第5回 着こなし塾
『半襟のおしゃれを楽もう』
日時：2021年9月12日（日）14時

図1 「着物クラブ」の会報誌では、タイトルに和の雰囲気を持つフォント「HG教科書体」を使った。線の細いフォントでも、このようにタイトル文字にフィットする場合もある

● 本文の強調部分を極太のゴシック体で目立たせる

2019 年末まで、観光目的で訪日する外国人は年々増加し、過ごし方も多様化していた。この時期、一番の問題点は宿泊施設の不足であり、加えて一般的な宿泊施設とは異なる**「魅力的な滞在先」**を求める声が、顧客から多く寄せられていた。

インバウンド事業部では、この要望に応える企画として、**「ホームステイ型観光プラン」**を立案。京都市内の民泊 10 軒をホストファミリーとして確保し、2019 年 7 月より試験運用を実施した。

モニターは、アジア、ヨーロッパ、北米の 7 カ国に絞って募集し、4 か月間で 72 人の参加者を得た（右グラフ）。現在、試験運用は中断してしているが、これまでの課題と今後の展望を見据えるため、ここに 2019 年 7 月から 10 月までの中間報告を行う。

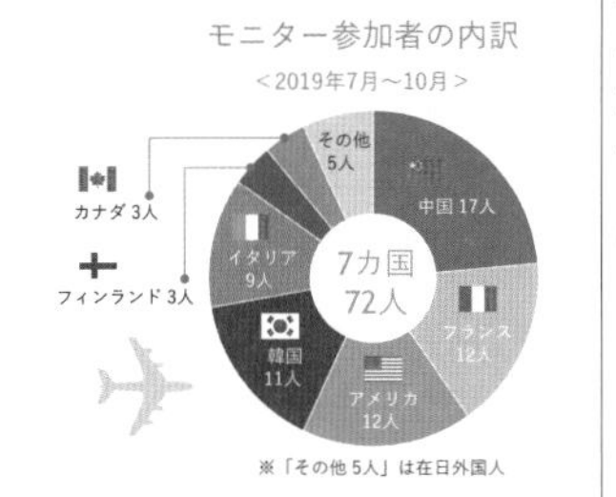

図2 本文内に特に強調したい文字列がある場合は、思い切って極太のゴシック体を設定するのも効果的だ。ここでは「HGS創英角ゴシックUB」を利用した

● あえて読みやすさを優先しないレイアウトに

図3 トークショーの案内チラシ。トークショーのちょっと過激な内容を表現するため、文字列を斜めに表示したり、上に白いバツ印を重ねて文字列の一部を消したりした

● ポップ体はPOP広告で輝く

図4 ポップ体はその名の通り、POP広告によく使われる親しみやすい書体。ユニークでベタな表現をしたいときに使おう。本文など小さい文字には「HG丸ゴシックM-PRO」を使うとよい

ポチの朝ごはん

安全性、栄養バランス、おいしさを兼ね備え、
愛犬の健康管理に最適なドッグフードです。

HG丸ゴシックM-PRO

フォントの組み合わせをワードに登録する

本文と見出しの標準フォントは、自由に組み合わせて「テーマのフォント」に登録できる。いちいち変更するのが面倒なときは、新しいテーマに4種類のフォントを指定しよう(**図1、図2**)。テーマのフォントを変えると、「フォント」メニューのテーマのフォント(33ページ)、文書内の本文フォントなどが一括変更される。

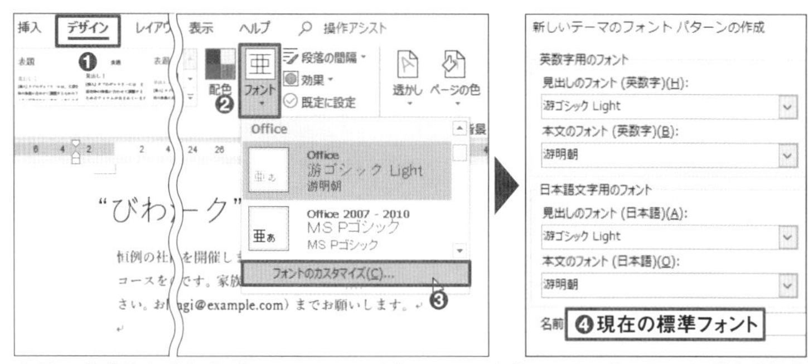

図1 「デザイン」タブの「テーマのフォント」メニューから「フォントのカスタマイズ」を選択する(❶〜❸)。ダイアログボックスが開き、現在の標準フォントが表示される(❹)

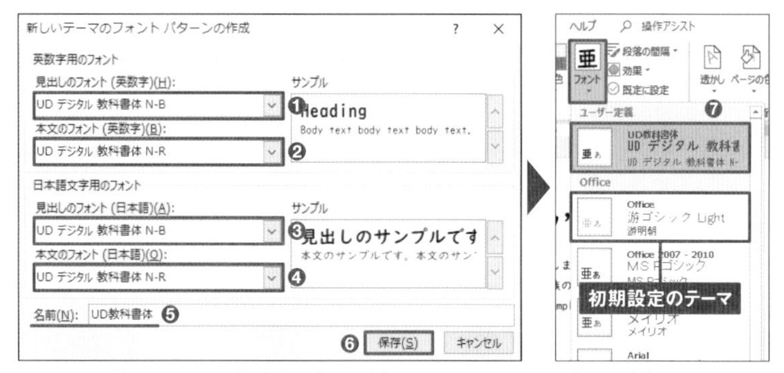

図2 4種類のフォントを指定する(❶〜❹)。ここでは見出し用を「UDデジタル教科書体N-B」、本文用を「UDデジタル教科書体N-R」にした。「名前」欄にテーマ名(ここでは「UD教科書体」)を入力して「保存」ボタンをクリックする(❺❻)。「テーマのフォント」メニューに「UD教科書体」のテーマが追加され、ほかの文書でも利用できる(❼)。追加したテーマの編集や削除をするときは、テーマを右クリックしてメニューを表示する。標準フォントをワードの初期設定に戻したいときは「Office」を選ぶ

文章の役割を明確に

段落デザインのテクニック

段落書式の重要性は「第1章03」(20ページ)で紹介した。本章では、それぞれの書式の設定方法を見ていこう。行と行の間はどれくらい空けると読みやすいのかなど、具体的な数値を示しながら設定のコツを解説する。

- 行間を文字サイズに応じて変化させある
- 段落間の空きが間延びや読みにくさを防ぐ
- 箇条書きとインデントで構成を明快に
- 段落罫線を区切りやまとめに活用　ほか

まずは
基本

段落書式の種類と設定方法を確認しよう

ワードの「段落」は、段落記号までのひと続きの文章を指す（**図1**）。タイトルのように1行の場合もあれば、本文のように複数行の場合もある。空白行も1つの段落だ。1つ1つの文字が集まって段落となり、その段落がさらに集まって配置され、最終的に文書の形になると考えよう。段落をどのようなスタイルで表示するかで、文章の読みやすさは大きく変わる。それだけに、段落書式のルールをしっかり覚えて適切に設定していくことが大切だ。

段落ごとに役割に応じたスタイルを設定

段落スタイルのベースになる書式は「文字揃え」と「行間」の2つ（**図2**）。特に、行間はワード文書の体裁を整えるキーポイントなので、本章で詳しく解説する。

「文字揃え」と「行間」を設定するコマンドは、「ホーム」タブにまとめられている（**図3**）。なお、段落書式は必ず段落ごとに設定される。段落の一部、つまり文字単位で設定することはできない。ただし、行間はページ単位で設定することもできる。

「段落」は段落記号で区切られたひと続きの文字列

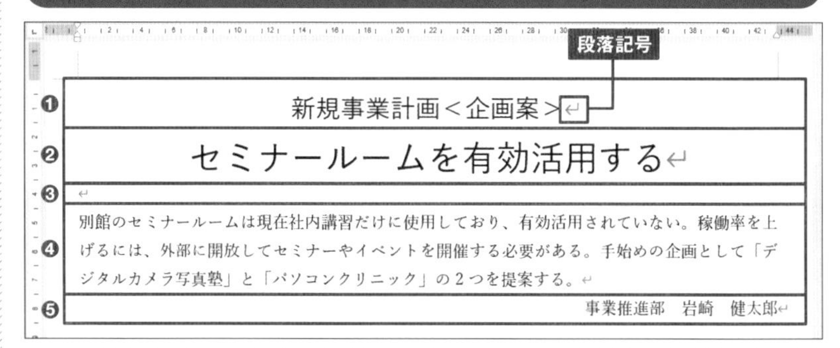

図1 「段落」は、段落記号までのひと続きの文字列のこと。1行の場合もあれば複数行の場合もあり、段落記号だけの空白行も1つの段落になる。上の文書は、5つの段落に分かれている（❶～❺）

ベースの段落書式は「文字揃え」と「行間」

標準スタイル

新規事業計画＜企画案＞

セミナールームを有効活用する

別館のセミナールームは現在社内講習だけに使用しており、有効活用されていない。稼働率を上げるには、外部に開放してセミナーやイベントを開催する必要がある。手始めの企画として「デジタルカメラ写真塾」と「パソコンクリニック」の２つを提案する。
事業推進部　岩崎　健太郎

文字揃えの設定／行間の調節

中央揃え

新規事業計画＜企画案＞

セミナールームを有効活用する

行間を詰める

別館のセミナールームは現在社内講習だけに使用しており、有効活用されていない。稼働率を上げるには、外部に開放してセミナーやイベントを開催する必要がある。手始めの企画として「デジタルカメラ写真塾」と「パソコンクリニック」の２つを提案する。

事業推進部　岩崎　健太郎

右揃え

図2 段落デザインのベースになる書式は、「文字揃え」と「行間」の2つ。標準スタイルの段落は（上）、この2つによってビジネス文書の標準的な体裁に整えられる（下）

●「ホーム」タブで設定する

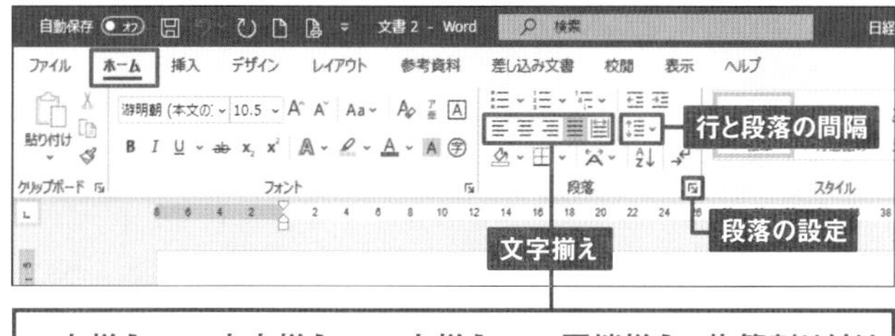

図3 文字揃えは「ホーム」タブのボタンで簡単に設定できる。行間は「行と段落の間隔」メニューで広げられるが、任意のポイント数で指定したり詰めたりする場合は「段落の設定」ボタンをクリックして「段落」ダイアログボックスを開く

字下げや段落の空き、行頭文字などで文章をさらに読みやすくする

段落書式には、行頭と行末の位置を変更する「インデント」、行頭に記号や番号を付ける「行頭文字」や「段落番号」、段落間の空きを調節する「段落の間隔」などもある（**図4**）。これらを組み合わせて段落にメリハリを付けると、文章はさらに読みやすくなる。特に、複数の見出しを立てたり内容を列挙したりするときは、行頭文字や段落番号を使った箇条書きのスタイル設定が便利だ。

「行頭文字」「段落番号」「インデント」「段落の間隔」でメリハリ

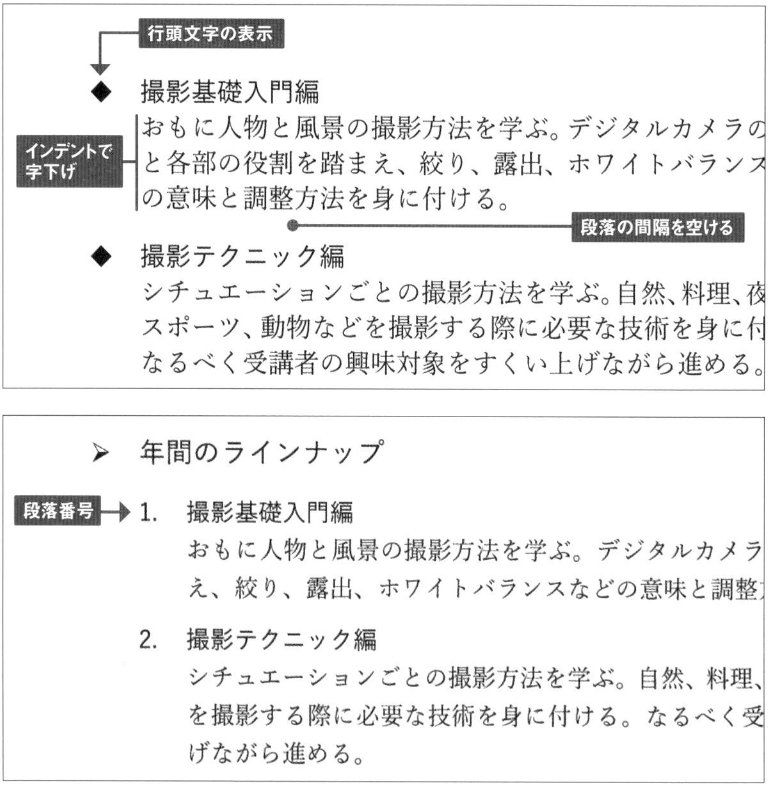

図4 段落の先頭に表示する「行頭文字」、行頭と行末の位置を調節する「インデント」、段落間の空きを調節する「段落の間隔」を利用すると、段落のレベルがはっきりしてメリハリが付く（上）。段落の先頭には「段落番号」で連番を振ることもできる（下）

これらの段落書式も「ホーム」タブや「レイアウト」タブで設定する（**図5**）。複数の段落書式を同時に設定したり、細かい数値を指定したりする場合は、「段落」ダイアログボックスの「インデントと行間隔」タブを開く（**図6**）。

●「ホーム」タブや「レイアウト」タブで設定する

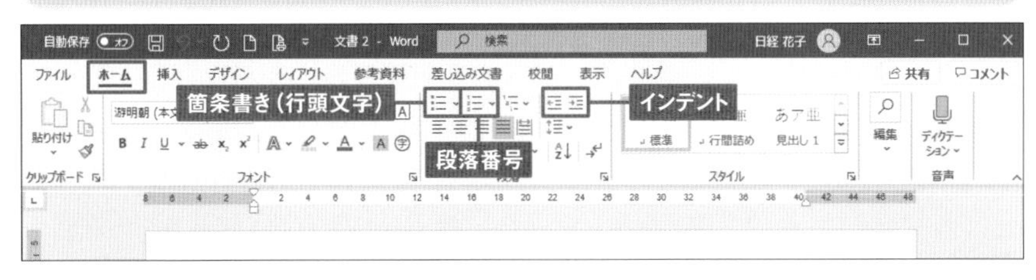

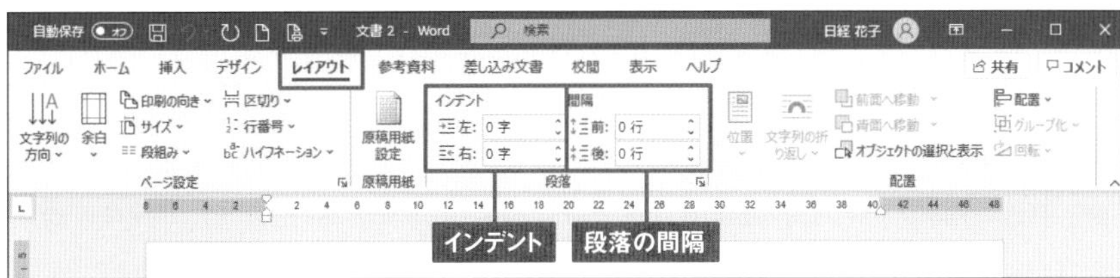

図5 段落書式は「ホーム」タブや「レイアウト」タブのコマンドにまとめられている。「インデント」のように両方のタブで設定できる書式もあるので、設定内容によって使い分けよう

●「段落」ダイアログボックスで設定する

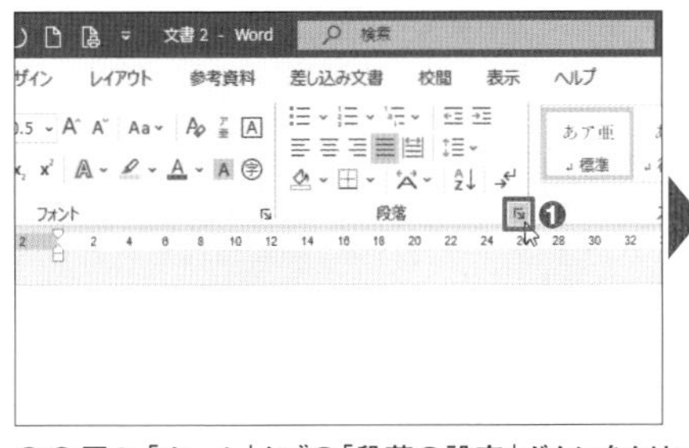

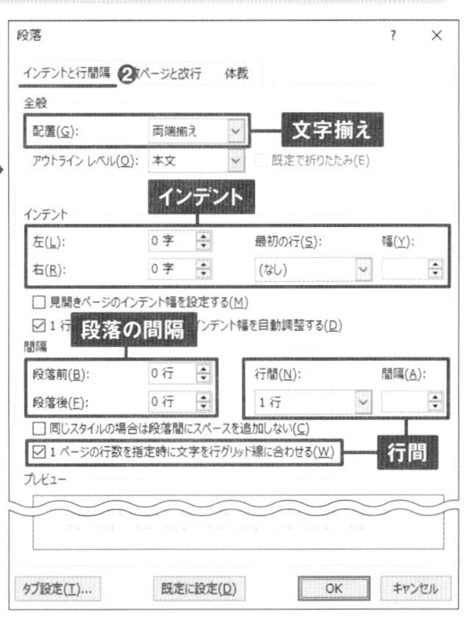

図6 「ホーム」タブの「段落の設定」ボタンをクリックすると（❶）、「段落」ダイアログボックスが開く。主な段落書式は「インデントと行間隔」タブでまとめて設定できる（❷）

文字列の凸凹を放置しない 文字揃えやタブできれいに配置

文字揃え／タブ

ビジネス文書には、タイトルは中央に配置する、日付や作成者名は右端に寄せる、といった定番のスタイルがある。ワードの文書も、まずはそのスタイルに沿ってレイアウトしていこう。見出しと本文は、ワードの初期設定である「両端揃え」が基本だ（**図1上**）。両端揃えは、行の左端と右端を段落内で揃える配置方法。複数行でも左右がきれいに揃う。一方、「左揃え」は行の左端を揃える配置方法なので、本文に設定すると複数行の右端が揃わない場合がある（**図1下**）。

段落のレイアウトでは、このように文字列をきれいに揃えることを意識しよう。視線がスムーズに流れることも考慮する。例えば、タイトルは中央揃えが基本だが、両端揃えや均等割り付けのほうが、バランスが良いこともある（**図2、図3**）。ただし、均等割り付けの配置では、文字列の間隔が空きすぎないように注意しよう。

見出しと本文は「両端揃え」が基本

○ 両端揃え

提案 1：デジタルカメラ写真塾

アマチュアカメラマンの、もっと技術を磨きたい、写真をサクサク整理したい、効果的な加工方法を知りたい、という声に応える写真塾。講師は社内フォトグラファーが担当する。

✕ 左揃え

アマチュアカメラマンの、もっと技術を磨きたい、写真をサクサク整理した
い、効果的な加工方法を知りたい、という声に応える写真塾。講師は社内
フォトグラファーが担当する。

右端が揃わない

↑図1 見出しと本文の文字揃えは、ワードの初期設定である「両端揃え」のままが読みやすい（上）。「左揃え」にすると、段落の右端が揃わないことがあるので注意しよう（下）

●タイトルの位置は臨機応変に

○ 中央揃え

新規事業計画<企画案>

セミナールームを有効活用する

別館のセミナールームは現在社内講習だけに使用しており、有効活用されていない。稼働率を上げるには、外部に開放してセミナーやイベントを開催する必要がある。手始めの企画として「デジタルカメラ写真塾」と「パソコンクリニック」の２つを提案する。

事業推進部　岩崎　健太郎

✕ 中央揃え

新規事業計画<企画案>

セミナールームを有効活用する

別館のセミナールームは現在社内講習だけに使用しており、有効活用されていない。稼働率を上げるには、外部に開放してセミナーやイベントを開催する必要がある。手始めの企画として「デジタルカメラ写真塾」と「パソコンクリニック」の２つを提案する。

事業推進部　岩崎　健太郎

○ 両端揃え

新規事業計画<企画案>

セミナールームを有効活用する

別館のセミナールームは現在社内講習だけに使用しており、有効活用されていない。稼働率を上げるには、外部に開放してセミナーやイベントを開催する必要がある。手始めの企画として「デジタルカメラ写真塾」と「パソコンクリニック」の２つを提案する。

事業推進部　岩崎　健太郎

図2 文書のタイトルは「中央揃え」が基本（上）。ただ、ページの左側だけに罫線を引いて全体をまとめている文書では、タイトルを中央揃えにすると視線の動きが大きくなって読みにくい（中）。行頭を揃えると、タイトルと本文をスムーズに捉えられる（下）

○ 中央揃え

提案：セミナールームを有効活用する

別館のセミナールームは現在社内講習だけに使用しており、有効活用されていない。稼働率を上げるには、外部に開放してセミナーやイベントを開催する必要がある。手始めの企画として「デジタルカメラ写真塾」と「パソコンクリニック」の２つを提案する。

事業推進部　岩崎　健太郎

○ 均等割り付け

提案：セミナールームを有効活用する

別館のセミナールームは現在社内講習だけに使用しており、有効活用されていない。稼働率を上げるには、外部に開放してセミナーやイベントを開催する必要がある。手始めの企画として「デジタルカメラ写真塾」と「パソコンクリニック」の２つを提案する。

事業推進部　岩崎　健太郎

図3 タイトル文字は「中央揃え」のほか、「均等割り付け」で行幅いっぱいに配置してもいい。本文と同じ幅にすると、文書全体をまとめる効果もある。ただし、文字数が少なかったり文字サイズが小さかったりすると、間延びするので気を付ける

● 「っ」「ォ」などの文字を行頭に表示しない

△ 標準の禁則処理

アマチュアカメラマンの、もっと技術を磨きたい、写真をサクサク整理したい、効果的な加工方法を知りたい、という声に応える写真塾。講師は社内フォトグラファーが担当する。

行頭に表示される

○ 高度な禁則処理

アマチュアカメラマンの、もっと技術を磨きたい、写真をサクサク整理したい、効果的な加工方法を知りたい、という声に応える写真塾。講師は社内フォトグラファーが担当する。

行末に表示される

図4 ワードの初期設定では、「っ」「ォ」などの小さい文字が禁則文字になっていないため、行頭に表示される場合がある（上）。これらを行頭禁則文字に設定して行末に表示すると、文章はさらに読みやすくなる（下）

図5 禁則文字を設定するときは、「ファイル」タブの「オプション」を選択する（❶）。表示される画面で「文字体裁」パネルを開き、「禁則文字の設定」で「高レベル」を選ぶ（❷❸）。「行頭禁則文字」に小さい文字が追加されたのを確認して「OK」ボタンをクリックする（❹❺）

補足説明 「均等割り付け」で項目の長さを揃える

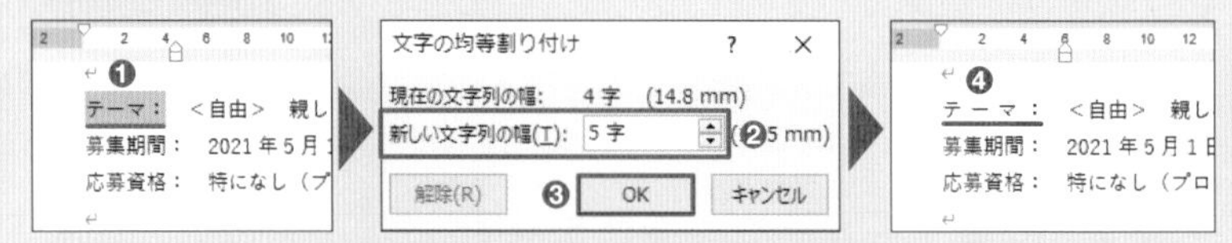

図6 均等割り付けは、文字列単位でも設定できる。文字列を選択してから「均等割り付け」ボタンをクリックすると（❶）、「文字の均等割り付け」ダイアログボックスが表示される。「新しい文字列の幅」に文字列の長さ（ここでは「5字」）を指定して「OK」ボタンをクリック（❷❸）。選択した4文字が5文字の幅に広がり、ほかの項目名と左右の長さが揃う（❹）

視線をスムーズに流すうえで、もう1つ確認しておきたいのが「禁則処理」の設定。ワードの文書では「。」「、」が行頭に来たり、「(」のような始め括弧が行末に置き去りにされたりしない。これは行頭に表示しない文字を「行頭禁則文字」、行末に表示しない文字を「行末禁則文字」に指定して、自動調整しているからだ。

ただ、初期設定では「っ」や「ォ」といった小さい文字が行頭に表示される（**図4上**）。このままでは読みづらいので、小さい文字は行末に残すようにしよう（**図4下**）。禁則処理の設定は、「Wordのオプション」ダイアログボックスにある「文字体裁」パネルで変更する（**図5**）。なお、この設定は編集中の文書だけに適用される。今後、新しく作成する文書にも適用したい場合は、「文字体裁オプションの適用先」に「すべての新規文書」を指定する。

「Tab」キーで文字列をきれいに配置

レイアウト作業でやりがちなのが、スペースの挿入で文字列を揃える操作。上下の文字列がずれる大きな原因だ（**図7左**）。行の途中に文字列を配置する場合は「タブ」を利用しよう。タブは、段落内の指定した位置（タブ位置）に文字列を配置する機能。複数の項目を揃えられ、さらに項目間を線で結ぶこともできる（**図7右**）。

段落内の複数項目は「タブ」でキッチリ揃える

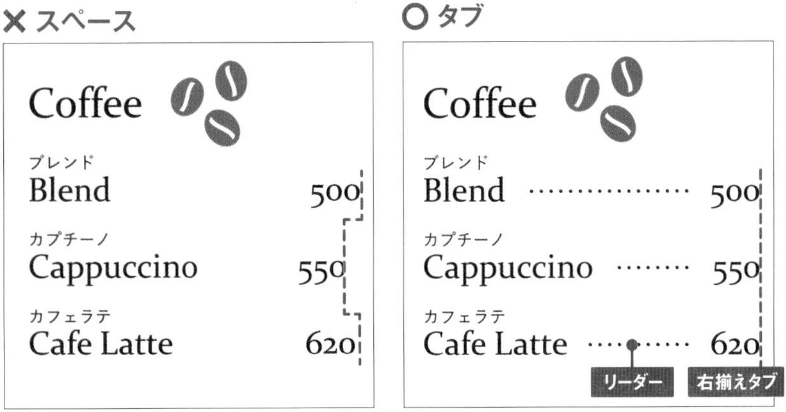

図7 商品名と金額の間をスペースで空けると、金額の右端がきれいに揃わず、金額を見間違える危険がある（左）。「タブ」を使えば、「Tab」キーを1回押すだけできれいに揃えられ、間にリーダーの線を自動表示することも可能（右）

タブには、文字列の先頭を揃える「左揃えタブ」、中心を揃える「中央揃えタブ」、末尾を揃える「右揃えタブ」、小数点の位置を揃える「小数点揃えタブ」、縦罫線をタブ位置に表示する「縦棒タブ」の5種類がある。文字列は左揃え、金額なら右揃えのように使い分けよう。タブ間を結ぶ線は「リーダー」といい、必要に応じてタブとともに設定できる。

文字列を揃える「タブ位置」は、ルーラー上で設定するのが簡単だ。まず、タブの種類を選択する（**図8**）。続いてタブを設定する段落にカーソルを移動し、ルーラーの下部をクリックしてタブ位置を指定（**図9左**）。そのまま「Tab」キーを押すと、カーソルがタブ位置に移動する（**図9右**）。リーダーの線は、ダイアログボックスで種類を選んで設定する（**図10**）。

タブ位置を変更するときは、ルーラー上のタブマーカーを左右にドラッグする。配置済みの文字列も移動するので、レイアウトの調節は簡単だ。タブ位置は段落内にいくつでも設定できるので、状況に応じて利用しよう（**図11**）。なお、タブ位置はタブマーカーをルーラーの外にドラッグすると削除される。

●ルーラー上でタブを指定する

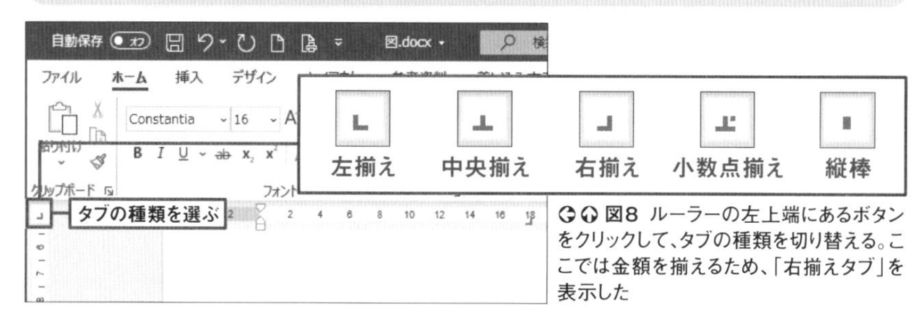

図8 ルーラーの左上端にあるボタンをクリックして、タブの種類を切り替える。ここでは金額を揃えるため、「右揃えタブ」を表示した

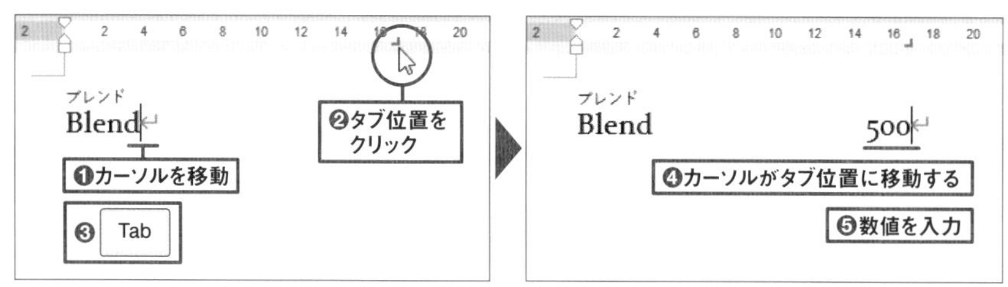

図9 タブを設定する段落にカーソルを移動する（❶）。ルーラーの下部で文字列を揃える位置をクリックすると、クリックした位置にタブのマーカー（ここでは「右揃えタブ」マーカー）が表示される（❷）。「Tab」キーを押すと、カーソルがタブ位置に移動するので、文字列（ここでは金額の数値）を入力する（❸～❺）。なお、文字列の前にカーソルを置いて「Tab」キーを押すと、カーソルから後ろの文字列がタブ位置に移動する

●リーダーの線を追加する

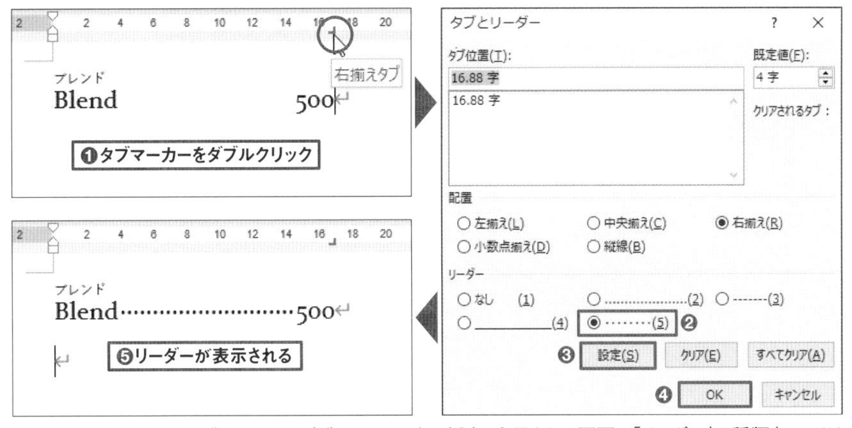

図10 ルーラー上のタブマーカーをダブルクリックする（❶）。表示される画面で「リーダー」の種類（ここでは「(5)」）を選び、「設定」ボタンをクリックする（❷❸）。「OK」ボタンをクリックすると、タブ位置までリーダーの線が表示される（❹❺）。リーダーの線と文字列の密着が気になる場合は、線の左右にスペースを挿入して少し間隔を空けるとよい

●段落内に複数のタブを設定して文字列を配置する

図11 5種類のタブは段落内に複数設定できるので、状況に応じて利用しよう。作例のカフェのメニューは、商品を左右に表示するため、「左揃えタブ」と「右揃えタブ」を追加した。また、行の中央には「縦棒タブ」で縦罫線を引き、左右のメニューを区切った。タブの位置と種類は、ルーラー上のマーカーで確認できる

Section 02

行間は読みやすさに直結 適切な間隔に自動調整する

行間

文字サイズを変えた途端に行間が大きく広がる現象は、大多数のユーザーを悩ませる、ワードの名物トラブルだ。文章の行間は広すぎず狭すぎず、バランス良く整えたい。ここでは、行間を適切な間隔にする方法を紹介する。

まずは、行間の基本を押さえておこう。ワードの行間は、行の上端から次行の上端までの間隔を指す（**図1上**）。1行の行間はページ設定の「行送り」の値が基準にな

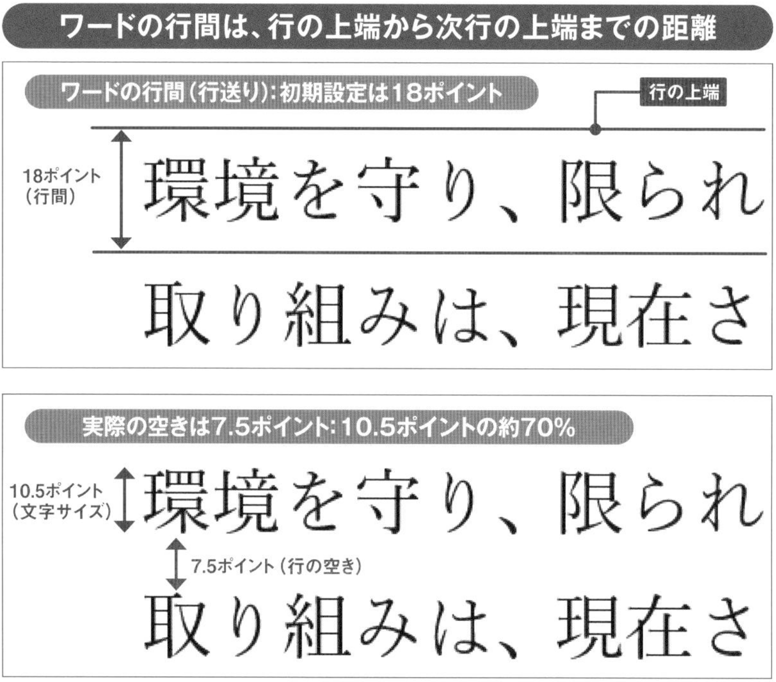

ワードの行間は、行の上端から次行の上端までの距離

図1 ワードの行間は、行の上端から次行の上端までの間隔を指す（上）。ワードの初期設定では、10.5ポイントの文字が18ポイントの行間に表示され、結果的に行の空きは7.5ポイントとなる（下）。この空きは文字サイズの約70%で、複数行の文章が読みやすい間隔だ

り、初期設定は18ポイント。特に変更しない限り、文書内では10.5ポイントの文字が18ポイントの行間に表示される(**図1下**)。本文として読みやすく、問題のない行間だ。

制限を外すと見やすい行間になる

では、なぜ行間は不自然に広がるのだろうか。それは行間に「行送りの整数倍で変化する」という制限がかかっているせいだ。行間が18ポイント→36ポイントと変化するため、文字サイズによっては間隔が広すぎてバランスが悪くなる(**図2**)。この制限を解除すると、行間は文字サイズに応じて変化するようになる(**図3**)。行の空きは文字サイズの70%前後が見やすいので、適切な間隔だ。

●ワードの行間には制限がかかっているので広がりやすい

✕ 文字サイズを11ポイントにすると行間が36ポイントに広がってしまう

環境を守り、限られた資源を有効利用するには、循環型社会の形成が必須です。そのた

めの取り組みは、現在さまざまな場所で展開されています。活動の指針となるのは、資

源有効利用促進法に基づく「3R」。

図2 行間は、文字サイズを大きくすると極端に広がることがある。逆にサイズを小さくしても変化しない。これは、行間に「18ポイントの整数倍で変化する」という制限がかかっているため

●制限を外すと行間が文字サイズに応じて適切に変化する

○ 10.5ポイントの文字列:行間は約17.5ポイント、空きは約70%

環境を守り、限られた資源を有効利用するには、循環型社会の形成が必須です。そのための
取り組みは、現在さまざまな場所で展開されています。活動の指針となるのは、資源有効利
用促進法に基づく「3R」。

○ 11ポイントの文字列:行間は約18.5ポイント、空きは約70%

環境を守り、限られた資源を有効利用するには、循環型社会の形成が必須です。そのた
めの取り組みは、現在さまざまな場所で展開されています。活動の指針となるのは、資
源有効利用促進法に基づく「3R」。

図3 行間の制限を解除すると、行間は文字サイズに応じて柔軟に変化するようになる。10.5ポイントの文字では、初期設定の18ポイントとほとんど変わらない(上)。11ポイントでは約18.5ポイントの行間となり、空きは約7.5ポイント(下)。これも文字サイズの約70%なので適切な間隔だ

行間の制限は段落単位で解除できる。行間が広がった段落を選択して、「1ページの行数を指定時に文字を行グリッド線に合わせる」をオフにすればよい（**図4**）。文字量が多い文書では、全体の行間を一括して詰めるのがお勧め。ページ設定で「標準の文字数を使う」を選択すると、文書全体が行送りの制限から解放され、文字サイズに応じた行間に変わる（**図5**）。なお、制限を解除したときの行間は、設定しているフォントによって異なる（**図6**）。行間が詰まりすぎたときは「行と段落の間隔」メニューで調整しよう。「1.15」を選ぶと、行間はわずかに広がる（**図7**）。このほか、行間は任意のポイント数で指定することも可能だ（→66ページ）。

● 段落ごとに制限を外す

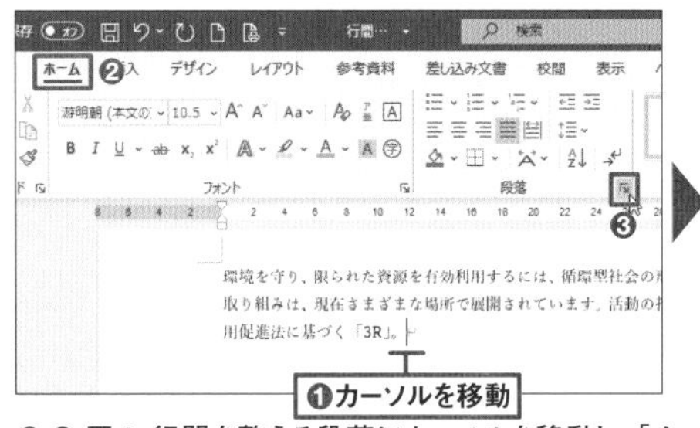

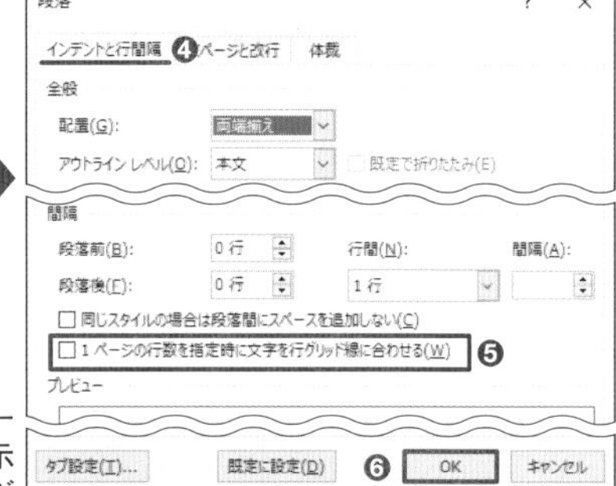

図4 行間を整える段落にカーソルを移動し、「ホーム」タブの「段落の設定」ボタンをクリック（❶〜❸）。表示される画面の「インデントと行間隔」タブを開き、「1ページの行数を指定時に文字を行グリッド線に合わせる」をオフにして「OK」ボタンをクリックする（❹〜❻）。これで制限が解除され、行間は文字サイズに応じた間隔になる

● 文書全体の制限を外す

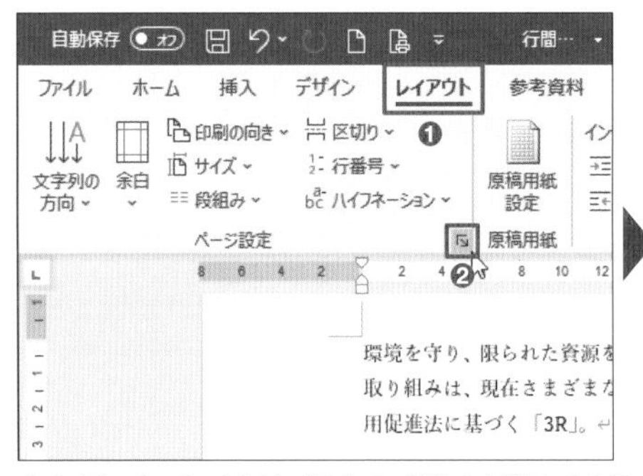

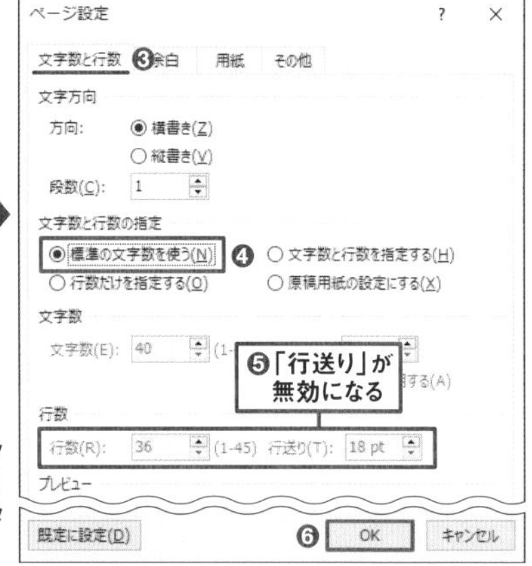

図5 「レイアウト」タブの「ページ設定」ボタンをクリック（❶❷）。「文字数と行数」タブで「標準の文字数を使う」を選択して、「行送り」を無効にする（❸〜❺）。「OK」ボタンをクリックする（❻）

●フォントによって行間は異なるので注意する

○ UDデジタル教科書体NP-R：約50%の空き

環境を守り、限られた資源を有効利用するには、循環型社会の形成が必須です。そのための取り組みは、現在さまざまな場所で展開されています。活動の指針となるのは、資源有効利用促進法に基づく「3R」。

✕ HG丸ゴシックM-PRO：約30%の空き

環境を守り、限られた資源を有効利用するには、循環型社会の形成が必須です。そのための取り組みは、現在さまざまな場所で展開されています。活動の指針となるのは、資源有効利用促進法に基づく「3R」。

△ メイリオ：約110%の空き

環境を守り、限られた資源を有効利用するには、循環型社会の形成が必須です。そのための取り組みは、現在さまざまな場所で展開されています。活動の指針となるのは、資源有効利用促進法に基づく「3R」。

図6 制限を解除したときの行間は、フォントによって異なる。各フォントのサイズ感と行の間隔を見て、読みやすさを確認しよう。この例では「HG丸ゴシックM-PRO」の行間が狭すぎて、文章が読みづらい

●詰まりすぎた行間を少し広げる

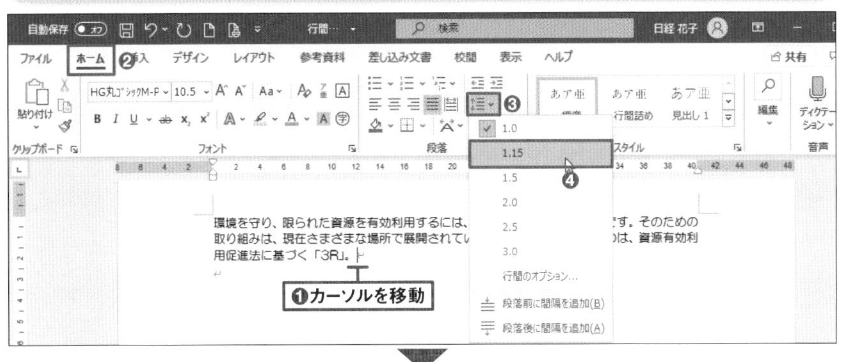

❺行間が1.15倍に広がる

環境を守り、限られた資源を有効利用するには、循環型社会の形成が必須です。そのための取り組みは、現在さまざまな場所で展開されています。活動の指針となるのは、資源有効利用促進法に基づく「3R」。

図7 行間を整える段落にカーソル移動し、「ホーム」タブの「行と段落の間隔」メニューから「1.15」を選択する（❶～❹）。行間が1.15倍に広がる（❺）。これにより、行の空きは文字サイズの約50%になった

行間の乱れは即修正 ポイント数で均一に整える

行間

段落内の行間は、一部分だけ広がることがある（**図1上**）。このような段落の行間は、行送りの制限を解除しただけ（→64ページ）では均一にならない。行間をポイント数で指定し、一定の間隔に固定しよう（**図1中**）。行の空きを狭くしすぎると読みにく

読みやすい行間をポイント数で指定する

✕ 行間が一部分だけ広がっている

一番の問題点は宿泊施設の不足であり、加えて一般的な宿泊施設とは異なる**「魅力的な滞在先」**を求める声が顧客から多く寄せられていた。インバウンド事業部では、この要望に応える企画として、「ホームステイ型観光プラン」を立案。

○ 行間を20ポイントに固定して均一にする

一番の問題点は宿泊施設の不足であり、加えて一般的な宿泊施設とは異なる**「魅力的な滞在先」**を求める声が顧客から多く寄せられていた。インバウンド事業部では、この要望に応える企画として、「ホームステイ型観光プラン」を立案。

✕ 行間を16ポイントにすると狭すぎる

一番の問題点は宿泊施設の不足であり、加えて一般的な宿泊施設とは異なる**「魅力的な滞在先」**を求める声が顧客から多く寄せられていた。インバウンド事業部では、この要望に応える企画として、「ホームステイ型観光プラン」を立案。

図1　10.5ポイントの本文の一部を16ポイントにしたら行間が広がった（上）。このように、一部の文字だけを大きくしたり、文字列にルビ（ふりがな）を振ったりすると、段落内のその部分だけ行間が広がることがある（上）。その場合は、段落の行間を「固定値」にして均一化すると読みやすくなる（中）。行間は広すぎても狭すぎても読みにくい（下）。ちょうどよい間隔を見極めよう

いので(**図1下**)、適切な間隔を見極める。

行間を均一にするときは、「行間」に「固定値」を選び、「間隔」にポイント数を指定する(**図2**)。文字サイズより小さなポイント数を指定すると、行が重なって文字の一部が切れてしまうので注意する。サイズ違いの文字がある場合は、一番大きな文字に合わせて調節しよう。「行間」は「固定値」のほかにも「倍数」「最小値」などを選択できる(**図3**)。それぞれの特徴を表にまとめたので、設定の参考にしてほしい。

● 任意のポイント数で行間を固定する

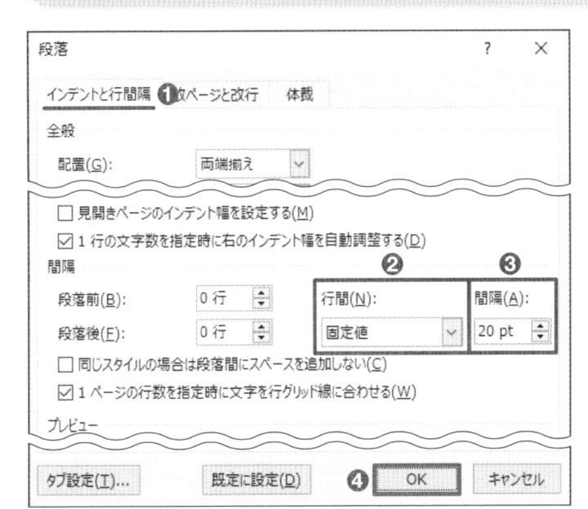

←図2 「ホーム」タブの「段落の設定」ボタンで「段落」ダイアログボックスの「インデントと行間隔」タブを開き、「行間」メニューから「固定値」を選ぶ(❶❷)。「間隔」には行の高さを指定する。高さのポイント数は「文字サイズ+行の空き」と考えよう。ここでは「20pt」にした(❸)。「OK」ボタンをクリックすると(❹)、行間が20ポイントに固定される。行の空きは、広すぎても狭すぎても読みにくい。通常は、文字サイズの50〜100%の間隔を目安に設定しよう。ただしレイアウトによっては、広いほうが読みやすい場合もある。全体のバランスを見ながら決めていこう

● ワードで設定できる行間は6種類

←↓図3 行間の設定は状況に応じて使い分けよう。「段落」ダイアログボックスの「インデントと行間隔」タブにある「行間」メニューから種類を選び(❶)、「間隔」を指定すればよい(❷)

行間❶	間隔❷	行間の変化
1行	ー	文字サイズに応じて適切な行間になる。1.5行、2行は、倍数の「1.5」「2」と同じ。倍数には「0.8」のような半端な数値も指定できる
1.5行	ー	
2行	ー	
倍数	1行の倍数	
最小値	ポイント数	文字サイズに応じて適切な行間になる。ただし指定したポイント数以下にはならない。行間に下限を設けたい場合に利用
固定値	ポイント数	文字サイズにかかわらず指定したポイント数の行間になる。行間を一定に保ちたい場合や、行間を微調整する場合に利用

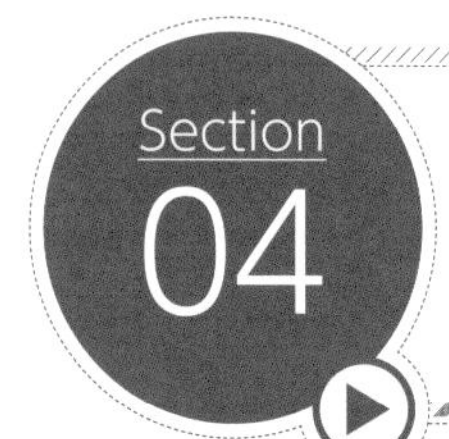

チョット空けの効果は絶大 段落の間隔でメリハリを付ける

段落の間隔

段落間を広げたいけれど、1行空けると間延びしてしまう——。そんなときは「段落の間隔」の出番（**図1**）。間隔は、「前の間隔」や「後の間隔」の右ボタンで0.5行ずつ増減する（**図2**）。微調整もできるので（**図3**）、見出しと本文の間を少し空けるのも簡単。箇条書きの文章では、段落間を広げて行間を少し詰めるとより効果的だ（**図4**）。

段落間を空けて項目を明確に区切る

✕ 行間が一定だと区切りがわかりにくい

＜年間のラインナップ＞
撮影基礎入門編
おもに人物と風景の撮影方法を学ぶ。デジタルカメラの構造と各部の役割を踏まえ、絞り、露出、ホワイトバランスなどの意味と調整方法を身に付ける。
撮影テクニック編
シチュエーションごとの撮影方法を学ぶ。自然、料理、夜景、スポーツ、動物などを撮影する際に必要な技術を身に付ける。なるべく受講者の興味対象をすくい上げながら進める。
Photoshop 編
写真の加工技術を学ぶ。色調補正のコツ、合成の方法、RAW 画像の扱い方、写真的表現法のテクニック、便利なワザ、Lightroom との連携方法などを身に付ける。

○ 小見出しの前に0.5行分の空きを挿入

＜年間のラインナップ＞

撮影基礎入門編
おもに人物と風景の撮影方法を学ぶ。デジタルカメラの構造と各部の役割を踏まえ、絞り、露出、ホワイトバランスなどの意味と調整方法を身に付ける。

撮影テクニック編
シチュエーションごとの撮影方法を学ぶ。自然、料理、夜景、スポーツ、動物などを撮影する際に必要な技術を身に付ける。なるべく受講者の興味対象をすくい上げながら進める。

Photoshop 編
写真の加工技術を学ぶ。色調補正のコツ、合成の方法、RAW 画像の扱い方、写真的表現法のテクニック、便利なワザ、Lightroom との連携方法などを身に付ける。

図1 段落間を少し空けると、各項目の区切りがはっきりして読みやすくなる。空白行を入れると間隔が空きすぎる場合は、「段落の間隔」で調節しよう

● 段落の前に0.5行分の空きを作る

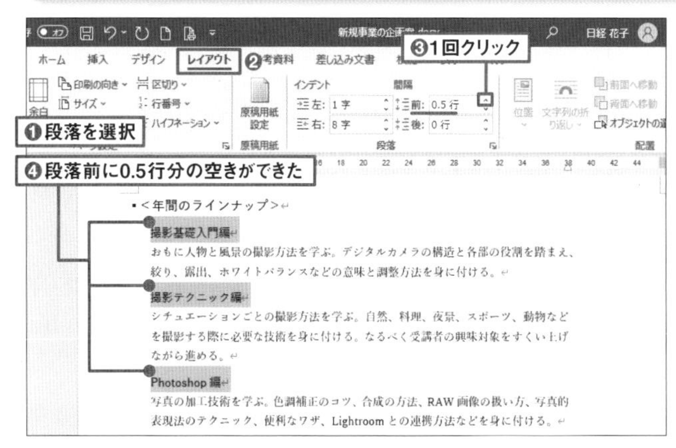

図2 空きを挿入する段落を選択する。ここでは3つの見出しを同時に選択した（❶）。離れた文字列を選択するときは、2つめ以降を「Ctrl」キーを押しながら選択する。「レイアウト」タブを開き（❷）、「前の間隔」や「後の間隔」に間隔の数値を指定する。ここでは「前の間隔」のボタンを1回クリックして「0.5行」を指定した（❸）。これで3つの見出しの前に0.5行分の空きが挿入される（❹）

● 半端な数値で微調整もできる

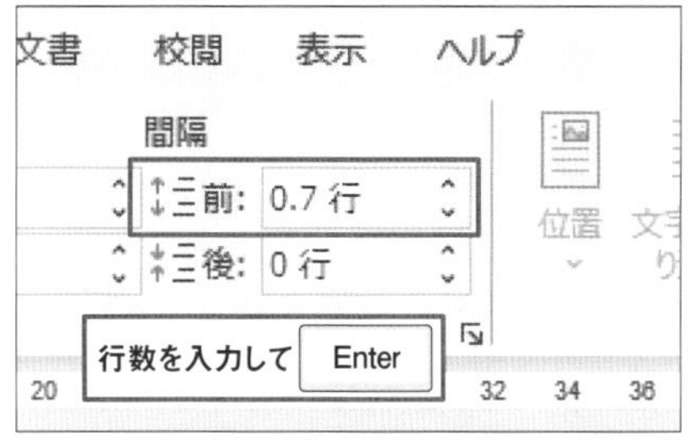

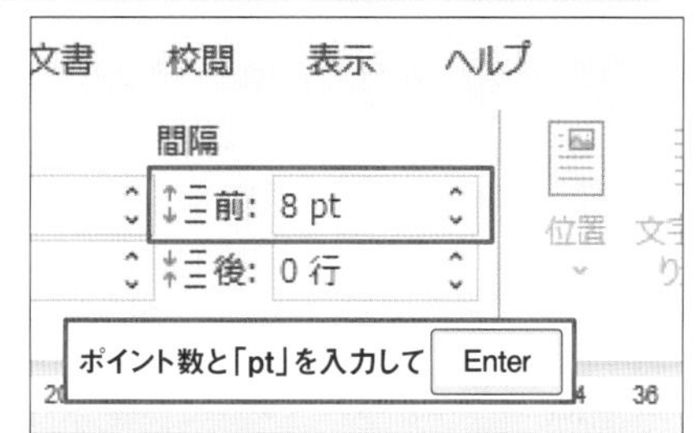

図3 「0.7行」のような半端な数値は、「前の間隔」や「後の間隔」に直接入力して「Enter」キーで確定する（左）。ポイント数を入力することも可能だ（右）

● 行間との合わせワザで間延びを解消する

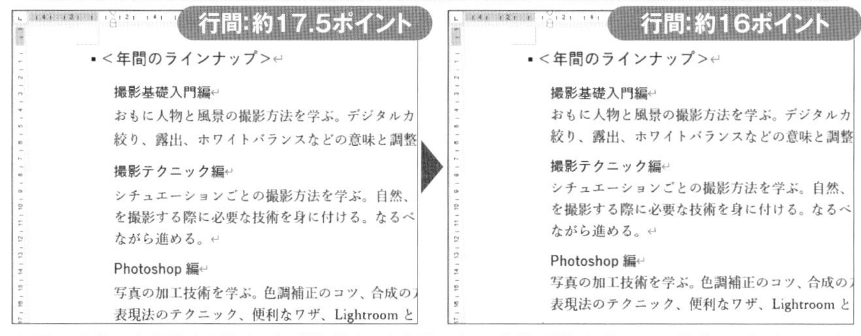

図4 全体の行間を少し詰めると、引き締まった表示になる。全体が間延びしている場合や、もっとコンパクトに表示したい場合に適用しよう

箇条書きのレイアウトで文書の構成を明快に示す

インデント／箇条書き／段落番号

ビジネス文書に欠かせないのが、先頭に行頭文字や段落番号を付けて、下位レベルの文字列を字下げする箇条書きのレイアウト（**図1**）。文章の階層や順序がわかりやすく、読み手の理解度もぐっと高まる。ここでは一連の操作を通して、箇条書きと字下げの設定方法を紹介しよう。

段落全体の行頭は「左インデント」で字下げする。インデントは、段落の左右（行頭と行末の位置）を調節する機能だ。ワードには4種類用意されているので、文章に合

段落の階層をはっきりさせる

✕ 段落の階層がはっきりしない

年間のラインナップ

撮影基礎入門編
おもに人物と風景の撮影方法を学ぶ。デジタルカメラの構造と各部の役割を踏まえ、絞り、露出、ホワイトバランスなどの意味と調整方法を身に付ける。

撮影テクニック編
シチュエーションごとの撮影方法を学ぶ。自然、料理、夜景、スポーツ、動物などを撮影する際に必要な技術を身に付ける。なるべく受講者の興味対象をすくい上げながら進める。

○ 行頭文字や段落番号を付けてレベルごとに字下げする

➢ 年間のラインナップ

1. 撮影基礎入門編
   おもに人物と風景の撮影方法を学ぶ。デジタルカメラの構造と各部の役割を踏まえ、絞り、露出、ホワイトバランスなどの意味と調整方法を身に付ける。
2. 撮影テクニック編
   シチュエーションごとの撮影方法を学ぶ。自然、料理、夜景、スポーツ、動物などを撮影する際に必要な技術を身に付ける。なるべく受講者の興味対象をすくい上げながら進める。

図1 文章がいくつかの階層になっているときは、先頭に記号や連番を付けたり、行頭を字下げしたりするとより読みやすくなる。ワードでは、行頭文字や段落番号を自動設定でき、段落ごとの字下げも簡単に設定できる

わせて使い分けよう（**図2**）。左インデントは、「ホーム」タブのボタンや「レイアウト」タブの「左インデント」で簡単に設定できる（**図3**）。

●ワードで設定できるインデントは4種類

種類	役割	マーカー
左インデント	段落全体の行頭位置を指定する	
右インデント	段落全体の行末位置を指定する	
1行目のインデント	段落1行目の行頭位置を指定する	
ぶら下げインデント	段落2行目以降の行頭位置を指定する	

図2 インデントは段落の左右（行頭と行末の位置）を調節する機能。ワードには4種類のインデントが用意されていて、それぞれの位置はルーラーに表示されるマーカーで確認できる

●行頭を字下げする：左インデント

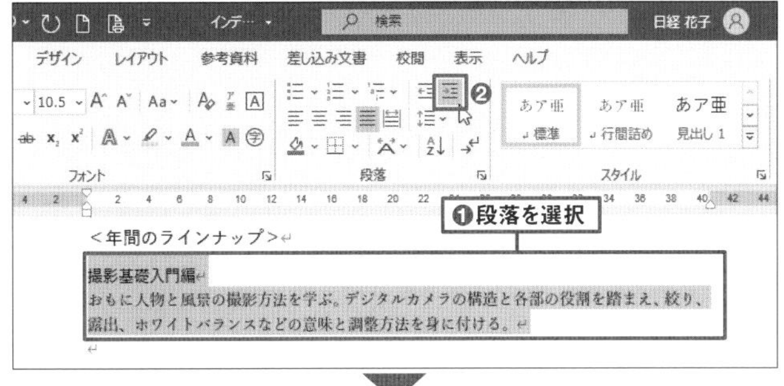

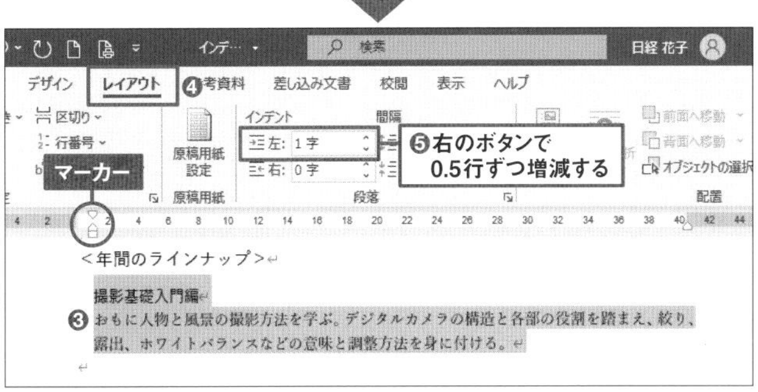

図3 字下げする段落を選択して「ホーム」タブの「インデントを増やす」ボタンをクリックする（❶❷）。クリックするたびに段落全体の行頭が1字分ずつ字下げされる。ここでは1回クリックした。ルーラーの「左インデント」マーカーが1文字分下がり、行頭がその位置に移動する（❸）。設定状況は「レイアウト」タブの「左インデント」で確認でき、ここで指定もできる（❹❺）

箇条書きの段落には「ぶら下げインデント」が設定される

行頭文字は「箇条書き」メニューから選んで表示する（**図4上**）。段落の文字列は2文字分字下げされ、行頭文字と見出しの間に程よい空間ができる。以降の文章は、左インデントで字下げしよう。2文字分字下げすると、先頭が箇条書きの文字列ときれいに揃う（**図4下**）。行頭に連番を振る場合も同様に、「段落番号」メニューから番号のスタイルを選べばよい（**図5**）。この例では複数の見出しを選択して操作した。内容の段落はさらに2文字分字下げして、連番の後ろの文字列に揃える。

行頭文字や段落番号を付けた段落には、「ぶら下げインデント」が自動設定される（**図6上**）。文字列が長くなって複数行になると、2行目以降の行頭はぶら下げインデントの位置に揃う（**図6中**）。1行目の文字列もこの位置に字下げされているので、複数行の文章も見やすく表示される。2行目以降の文字列を段落内で改行すると、見出しとその内容が1つの段落になり、何かと便利だ（**図6下**）。

● 見出しに行頭文字を付けて以降を字下げする

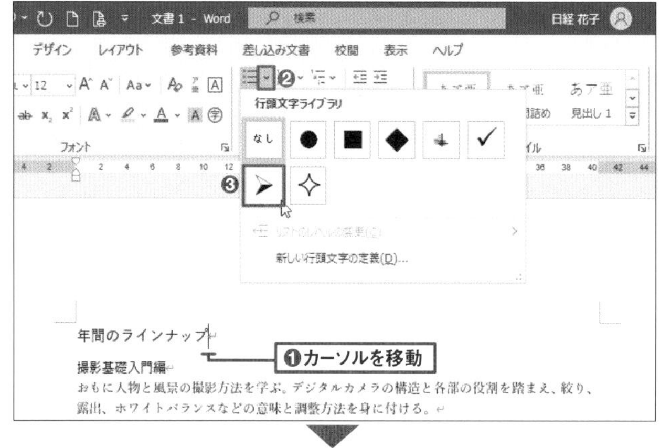

図4 行頭文字を付ける段落（ここでは見出し）にカーソルを移動し、「ホーム」タブの「箇条書き」ボタン横の「▼」をクリックしてメニューから記号のスタイルを選ぶ（❶～❸）。行頭に記号が付き、文字列は少し字下げされる（❹）。見出し以降の段落を選択して、行頭を字下げする（❺）。ここでは2文字分字下げして、見出しの文字列の先頭に揃えた

● 小見出しに連番を振って内容を字下げする

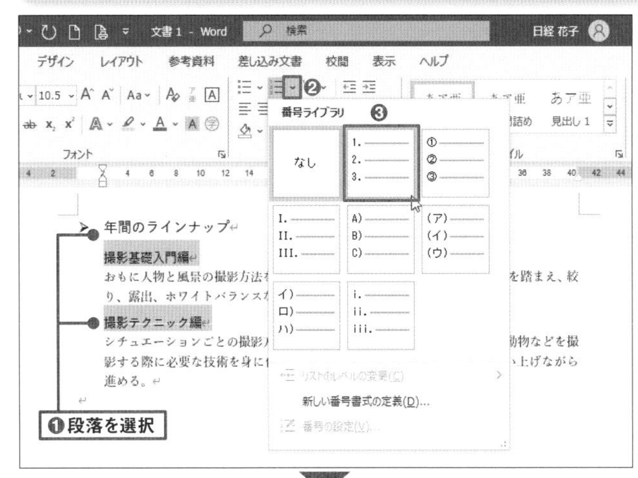

図5 連番を振る段落(ここでは小見出し)を選択して、「ホーム」タブの「段落番号」ボタン横の「▼」をクリックしてメニューから番号のスタイルを選ぶ(❶～❸)。行頭に番号が振られ、文字列は少し字下げされる(❹)。小見出し以降の段落は、さらに字下げする(❺)。ここでは2文字分字下げして、小見出しの文字列の先頭に揃えた

● 箇条書きの「ぶら下げインデント」を利用する

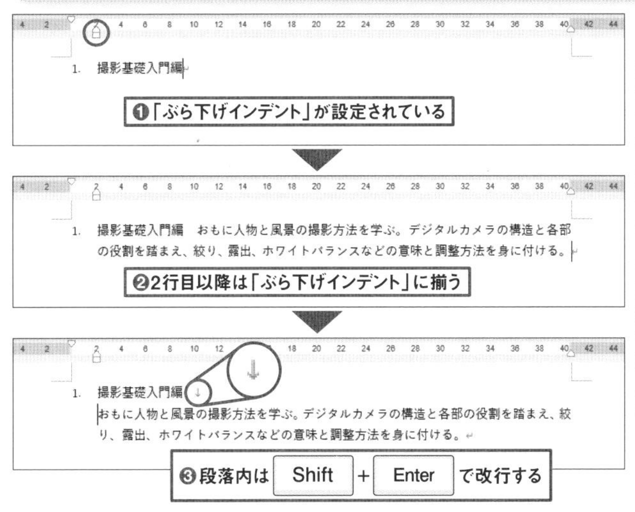

図6 行頭文字や連番を表示した段落には「ぶら下げインデント」が設定され、2行目以降の行頭がこの位置に揃う(❶❷)。1行目を見出しにする場合は、見出し以降を「Shift」+「Enter」キーで改行する(❸)。段落内の改行位置には「↓」の編集記号が表示される。見出しと内容が1つの段落となるので、末尾で「Enter」キーを押すと、続きの番号(または同じ行頭文字)が表示される

先頭の1字下げは「スペース」キーで

「右インデント」や「1行目のインデント」の設定方法も覚えておこう（**図7、図8**）。1行目のインデントは、必ず文字入力の後に設定する。空白行の先頭で「スペース」キーを押すと、全角スペースが入力されるだけなので注意する。段落の末尾で改行すると、次の段落にもスタイルが引き継がれる。不要なスタイルは適宜解除したり、設定を変更したりしよう。文字や段落に設定しているスタイルをすべて解除する場合は、「ホーム」タブの「すべての書式をクリア」ボタンをクリックする。

● 行末の位置を調節する：右インデント

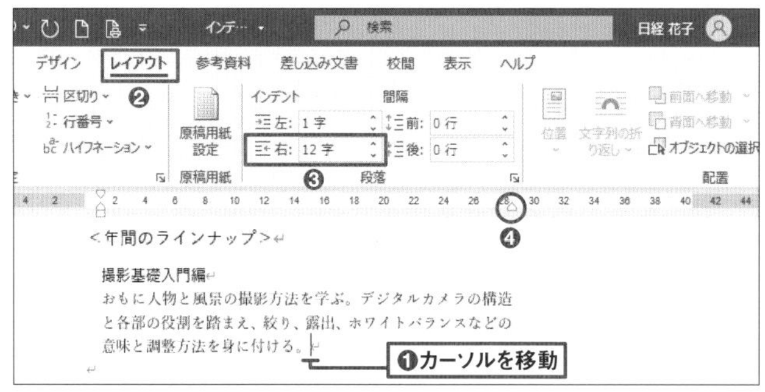

図7 行末を変更する段落にカーソルを移動し、「レイアウト」タブの「右インデント」に行末を移動する幅（ここでは「12字」）を指定する（❶～❸）。ルーラーの「右インデント」マーカーが12文字分内側に移動し、行末はその位置に揃う（❹）

● 先頭を1文字分字下げする：1行目のインデント

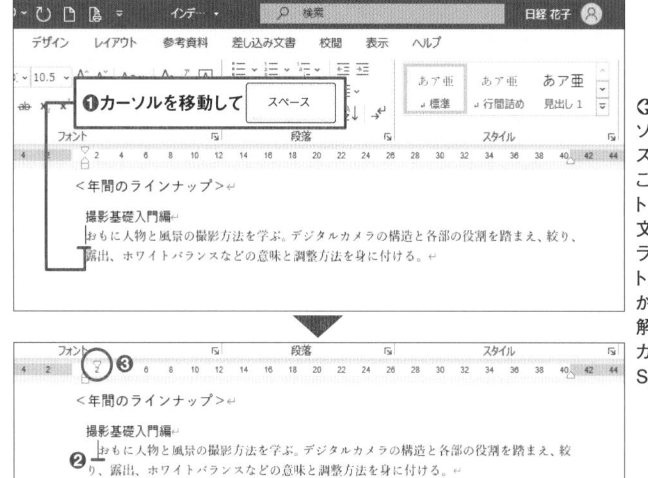

図8 段落の先頭にカーソルを移動して「スペース」キーを1回押す（❶）。これで「1行目のインデント」が設定され、先頭が1文字分下がる（❷）。ルーラーの「1行目のインデント」マーカーも1文字分下がった（❸）。インデントを解除するときは、先頭にカーソルを移動して「Back Space」キーを押す

補足説明 先頭の文字列を見出し項目にする

先頭の文字列を見出し項目として飛び出させる場合は、文章の字下げ位置に「ぶら下げインデント」を設定する（**図9**）。1行目の文章は、「Tab」キーでぶら下げインデントの位置に配置する。

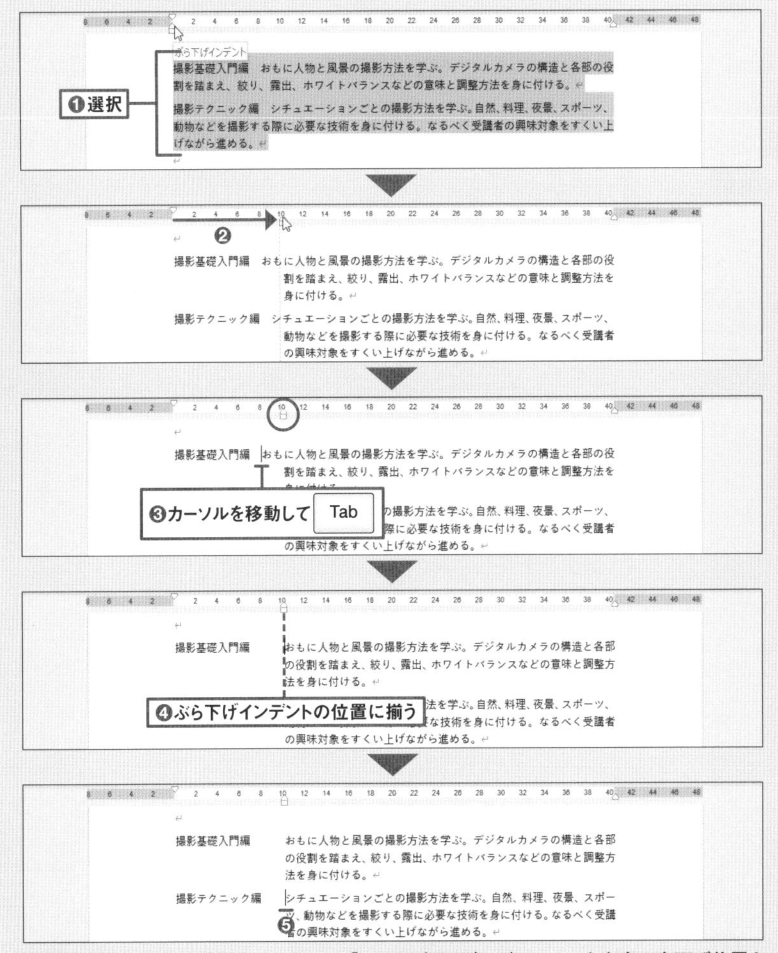

図9 対象の段落を選択し、ルーラーの「ぶら下げインデント」マーカーを文章の字下げ位置までドラッグする（❶❷）。段落の2行目以降がその位置まで字下げされる。1行目の文章の先頭位置にカーソルを移動して「Tab」キーを押す（❸）。カーソルから後の文字列がぶら下げインデントの位置に揃う（❹）。同様にほかの段落の1行目の文章も揃える（❺）

行頭文字をカスタマイズして資料の好感度を上げる

箇条書き

段落の先頭に付ける「行頭文字」のライブラリーには、好みの記号やイラストを追加できる（**図1**）。写真の色調補正を解説した資料の見出しにカメラの行頭文字を付けるなど、内容に合う絵文字やイラストを使うと、硬くなりがちな文書も一気に和んだ雰囲気になる。ここでは、見出しに付けた「■」の行頭文字を、カメラの絵文字に変更する例で操作方法を見ていこう。

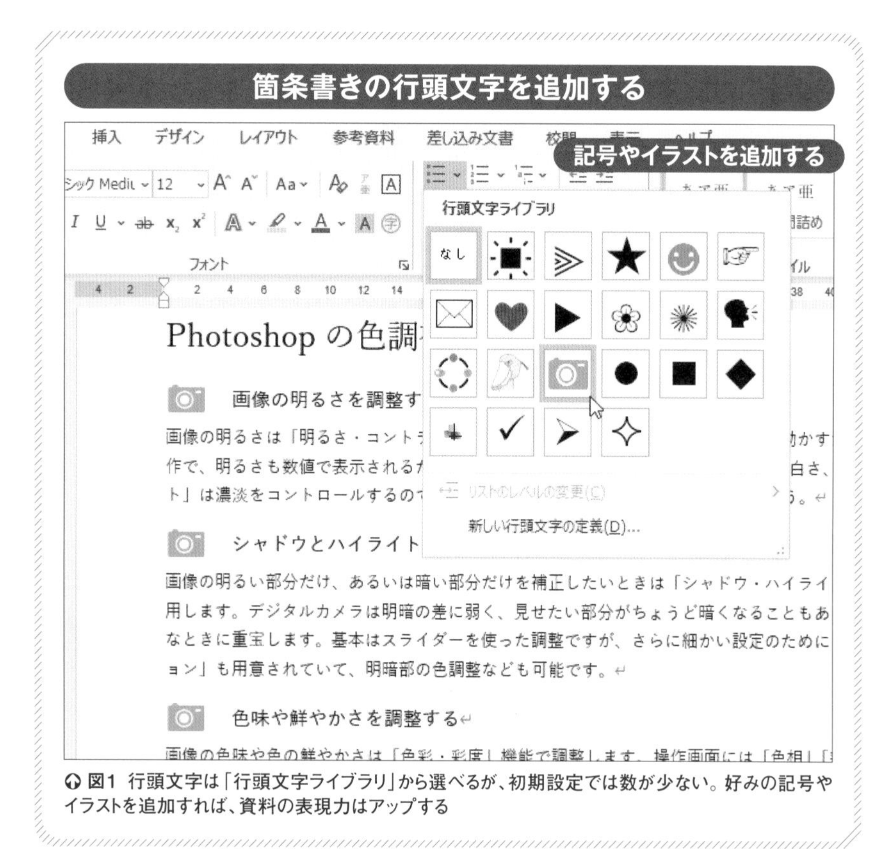

図1　行頭文字は「行頭文字ライブラリ」から選べるが、初期設定では数が少ない。好みの記号やイラストを追加すれば、資料の表現力はアップする

文字サイズや文字色も指定できる

新しい行頭文字は、「新しい行頭文字の定義」ダイアログボックスで指定する（**図2**）。記号を使う場合は「記号」ボタンをクリックして、表示される画面で行頭文字を選ぶ（**図3**）。記号を表示するフォントには「Wingdings」や「Segoe UI Symbol」などがあるので、切り替えて利用しよう。作例では「Segoe UI Symbol」を選び、一覧をスクロールしてカメラの絵文字を選んだ。文字サイズなどの書式も指定可能だ（次ページ**図4**）。編集画面に戻ると、行頭文字「■」がカメラの絵文字に変わる（**図5**）。

● 行頭文字を好みの記号に変更する

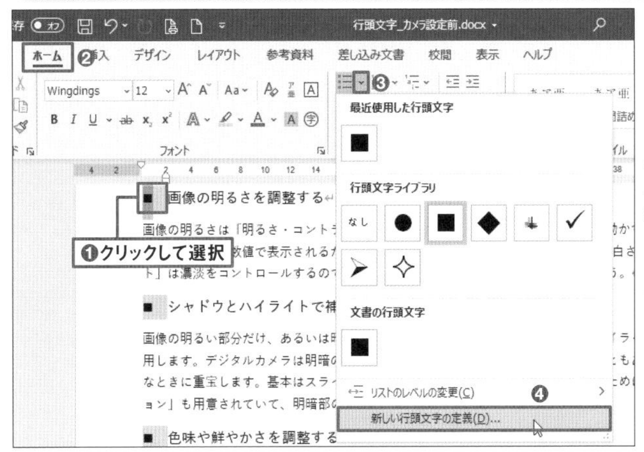

図2 設定した行頭文字をどれか1つクリックして選択（❶）。「ホーム」タブの「箇条書き」メニューから「新しい行頭文字の定義」を選択する（❷〜❹）

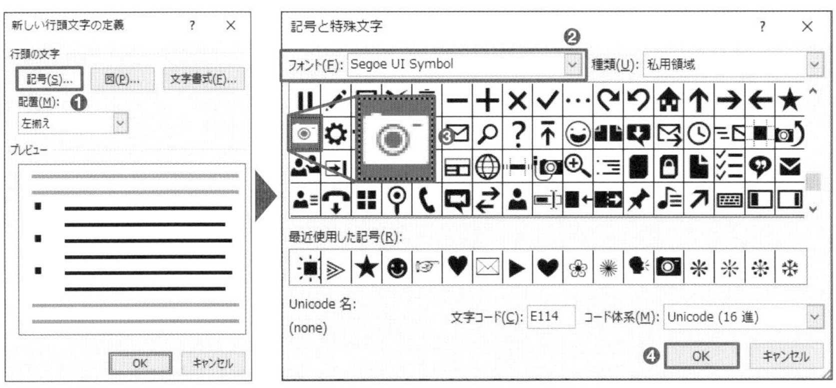

図3 表示される画面で「記号」ボタンをクリック（❶）。次の画面で「フォント」に「Segoe UI Symbol」を指定。一覧から行頭文字にしたいもの（ここではカメラの絵文字）を選び、「OK」ボタンをクリック（❷〜❹）

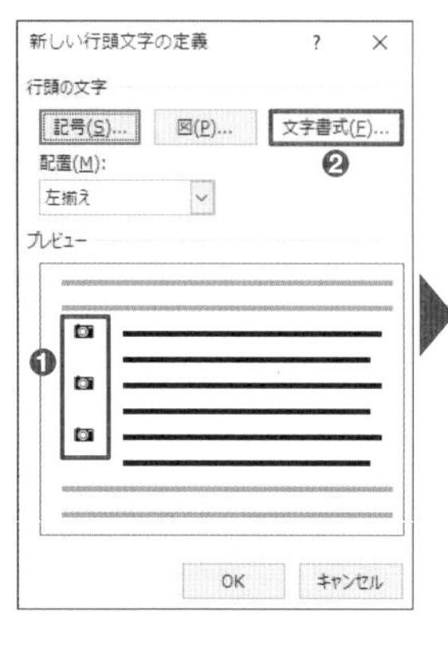

図4 前の画面に戻ったら、「プレビュー」に選択した記号が表示されているのを確認して「文字書式」ボタンをクリック（❶❷）。次の画面で「フォント」タブを開き（❸）、文字スタイルを指定する。ここでは「サイズ」に「22」ポイント、「フォントの色」に「緑、アクセント6」を選んだ（❹❺）。「OK」ボタンをクリックする（❻）

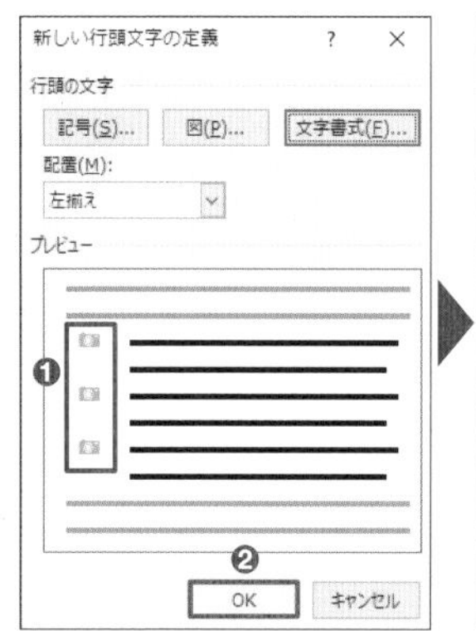

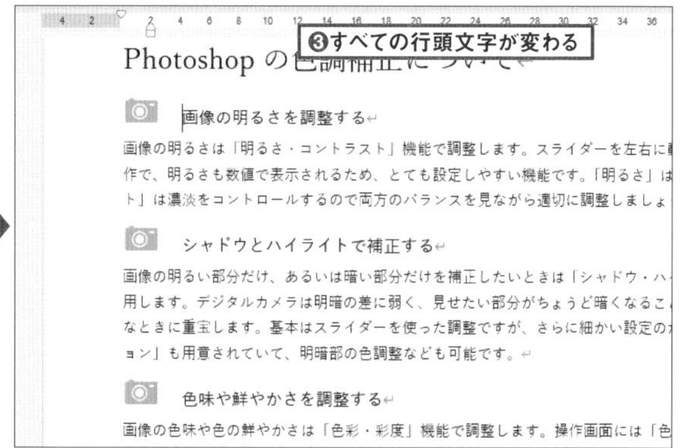

図5 前の画面に戻ったら、「プレビュー」で記号の文字書式を確認し、「OK」ボタンをクリックする（❶❷）。行頭文字がすべてカメラの絵文字に変わる（❸）。文字サイズは22ポイント、文字色は緑となる

行頭文字と文字列の文字サイズが違うときは、上下の位置がずれてバランスが悪くなることがある。この例でも、22ポイントの行頭文字と12ポイントの文字列が上下にずれてしまった。これを修正するには、「段落」ダイアログボックスの「体裁」タブにある「文字の配置」を「自動」から「中央揃え」にすればよい（→86ページ図1）。このような、ちょっとした位置の修正が文書全体をきれいに見せてくれる。

なお、追加した行頭文字はワードに追加されるので、ほかの文書でも利用できる。不要になったときは、「箇条書き」メニューを開いて行頭文字を右クリックし、表示されるメニューから「削除」を選ぶ。

行頭文字と文字列の間隔を調節する

箇条書きの行頭文字は「1行目のインデント」、文字列は「ぶら下げインデント」の位置に揃う。ただし、行頭文字のサイズが大きかったり、行頭を字下げしていたりすると、文字列の位置がずれる場合がある。ここでも行頭文字と文字列の間が大きく空いてしまった（**図6左**）。

文字列の位置は「ぶら下げインデント」の位置を調節して変更する。箇条書きの段落では、ルーラーの「ぶら下げインデント」マーカーをドラッグしても正しく変更できないことがある。そこで専用のダイアログボックスを開き、「インデント」にぶら下げインデントの位置（文字列の先頭位置）を指定する（**図6右、図7**）。行頭からの距離をミリメートルで指定すればよい。

● 文字列の字下げ位置を調節する

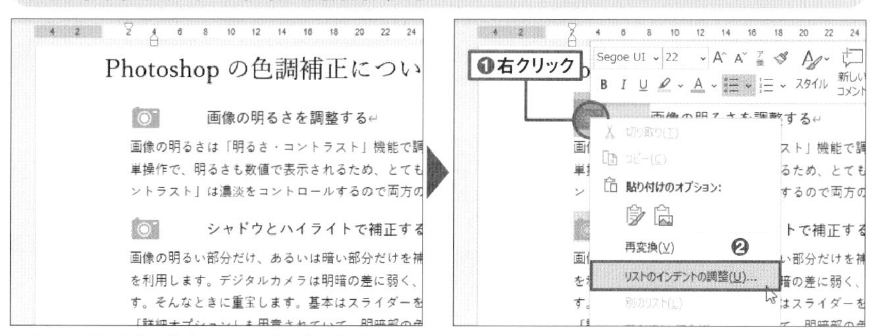

図6 行頭文字と文字列の間隔は空きすぎることがある。ここでも行頭文字と文字列の間が大きく空いてしまった（左）。位置を変更するときは行頭文字を右クリックして、表示されるメニューから「リストのインデントの調整」を選ぶ（❶❷）

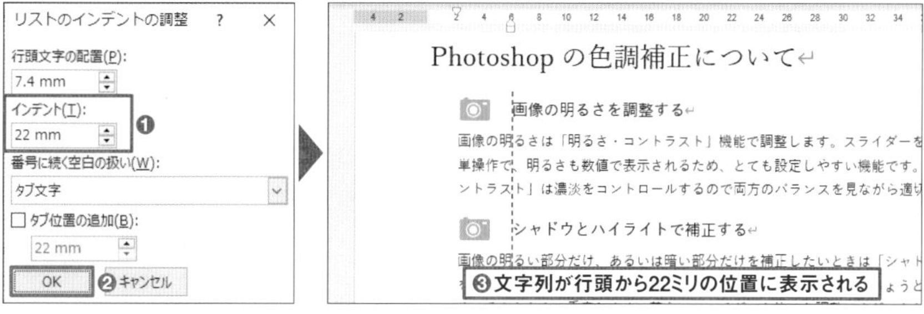

図7 表示される画面の「インデント」に文字列の先頭位置を指定する。ここでは「22mm」にした（❶）。「OK」ボタンをクリックすると（❷）、文字列の先頭の字下げが行頭から22ミリの位置になる（❸）。行頭文字と適度な間隔になり、読みやすくなった

区切りやまとめに大活躍 罫線1本のチカラを信じる

段落罫線／網かけ

ワードには、段落の上下左右に罫線を引いたり、段落全体に背景色を付けたりする機能がある。これらを使うと、表組みに頼らず文字列を区切ることができ、色帯の作成も簡単だ（**図1**）。タイトルや見出しのデザインを考えるとき、何か物足りないと思ったら、取りあえず罫線を1本引いてみよう。

区切りによし、飾りによしの優れモノ

段落罫線と網かけは、実に重宝なアイテム。スタイルの異なる罫線や背景色を組み合わせたり（**図2A**）、タイトル周りをカラフルにデザインしたりと、いろいろな表現が可能だ（**図2B**）。段落罫線は段落を区切るだけでなく、文章をまとめる役割もしてくれる（**図2C**）。段落罫線ではないが、タブの「リーダー」（→61ページ）は、見出しの日本語と英語の文字列を結ぶなど、段落のデザインにも利用できる（**図2D**）。

「段落罫線」と「網かけ」でタイトル部分を装飾

網かけ

定期シンポジウム Vol.7

市民マラソンの未来を考える

都市型マラソン大会と市民ランナーを巡るシンポジウム

市民ランナーの増加と共に、老若男女が参加できる都市型のマラソン大会が、次々と新設されています。今回のシンポジウムでは、すでに飽和状態ともいわれるマラソン大会の問題点を探り、その解決方法と未来のあるべき姿を考察します。

段落罫線

図1 ワードの段落罫線と網かけは、段落を区切ったり、色帯を作ったりするのに便利だ。この例では、文書のタイトル部分を装飾した。罫線を1本引くだけで、文字列は劇的に読みやすくなる

●文書内のいろいろな場所で重宝する

A：線種の異なる段落罫線を使う

提案1：デジタルカメラ写真塾

アマチュアカメラマンの、もっと技術を磨きたい、写真をサクサク整理したい、効果的な加工方法を知りたい、という声に応える写真塾。講師は社内フォトグラファーが担当する。

開催概要

デジタルカメラの作業を「撮影」と「整理・加工」の段階に分け、それぞれの技術を4講座で伝える。1講座（6回）を3カ月とし、1年間で全課程を修了する。人数は20名程度を想定。受講者のレベルや要望に沿うため、講座単位での参加も可とする。

B：段落罫線と網かけの組み合わせでカラフルに

定期シンポジウム Vol.7

市民マラソンの未来を考える

都市型マラソン大会と市民ランナーを巡るシンポジウム

市民ランナーの増加と共に、老若男女が参加できる都市型のマラソン大会が、次々と新設されています。今回のシンポジウムでは、すでに飽和状態ともいわれるマラソン大会の問題点を探り、その解決方法と未来のあるべき姿を考察します。

Introduction　ブームの火付け役、東京マラソン十年の軌跡

C：左端に縦罫線を引いて本文をまとめる

❄ 画像の明るさを調整する

画像の明るさは「明るさ・コントラスト」機能で調整します。スライダーを左右に動かすだけの簡単操作で、明るさも数値で表示されるため、とても設定しやすい機能です。「明るさ」は白さ、「コントラスト」は濃淡をコントロールするので両方のバランスを見ながら適切に調整しましょう。

❄ 色味や鮮やかさを調整する

画像の色味や色の鮮やかさは「色彩・彩度」機能で調整します。操作画面には「色相」「彩度」「明度」のスライダーが表示され、それぞれを組み合わせて調整します。特定の色にアプローチできるので、「青い部分だけを鮮やかに」、「緑の個所だけ明るく」、「赤い部分を少し黄色っぽく」という調整も可能です。

D：タブの「リーダー」で見出しをデザイン

❖ 開催概要 ································· Outline

活動期間：　2021年5月～2022年2月　全4回
募集定員：　50名（先着順。定員になり次第締め切ります）
参加費用：　お一人様　32,000円（消費税、保険料、お持ち帰りの酒代込み）
開催場所：　PC21酒造（JR秋田駅より車で10分）

❖ 年間スケジュール ······················ Schedule

◎図2　段落罫線のスタイル（線種、色、太さ）は、上下左右それぞれに設定できる。タイトルや見出しに変化を付けたいときは、スタイルの違う罫線を組み合わせてみよう（A）。背景色も加えると、よりカラフルな仕上がりになる（B）。縦罫線だけを使って、本文や複数の段落をまとめる使い方もできる（C）。段落罫線ではないが、タブの「リーダー」も見出しデザインなどに利用できる（D）

段落罫線は、上下左右の好きな位置に引くことができる。設定するときは対象の段落全体を選択して、「罫線」メニューから線の表示位置を選ぶ（**図3**）。ワードの初期設定では、0.5ポイントの黒い実線が指定した位置に引かれる。段落罫線と文字列の間隔は、ダイアログボックスを開いて指定する（**図4〜図6**）。なお、段落罫線を設定するときは必ず段落全体（先頭から末尾の段落記号まで）を選択する。文字列だけを選択して操作すると、その部分だけが罫線で囲まれるので注意しよう。

●段落の上下に罫線を引く

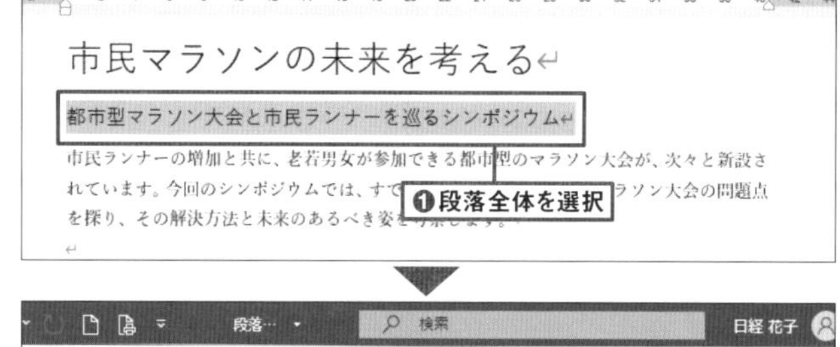

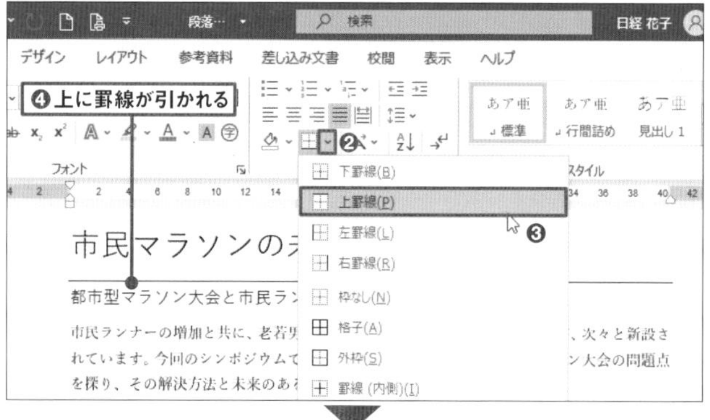

❼下に罫線が引かれる

◯図3 罫線を引く段落全体を、末尾の段落記号も含めて選択する（❶）。「ホーム」タブの「罫線」メニューから線の表示位置を選ぶ（❷）。ここでは「上罫線」を選んだ（❸）。選択した段落の上に罫線が引かれる（❹）。続けて「ホーム」タブの「罫線」メニューから「下罫線」を選ぶ（❺❻）。選択した段落の下に罫線が引かれる（❼）

●段落罫線と文字列の間隔を調節する

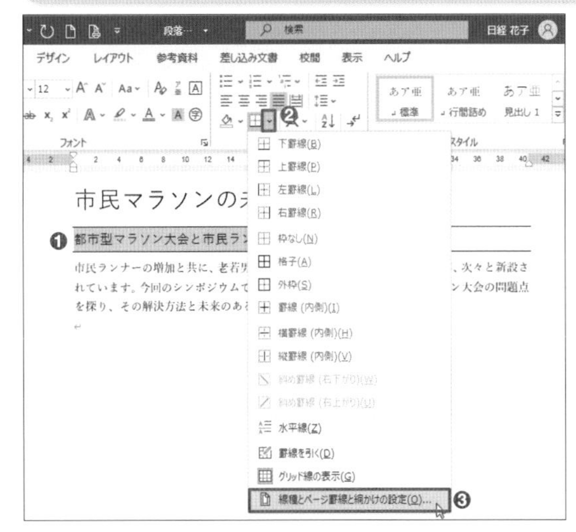

図4 間隔を調節する段落全体を選択し、「ホーム」タブの「罫線」メニューから「線種とページ罫線と網かけの設定」を選ぶ（❶～❸）

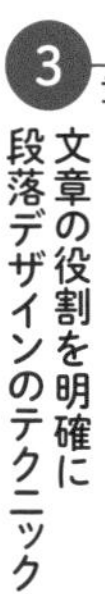

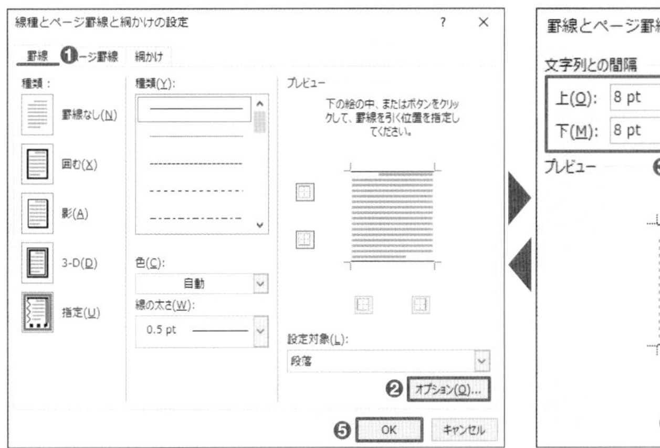

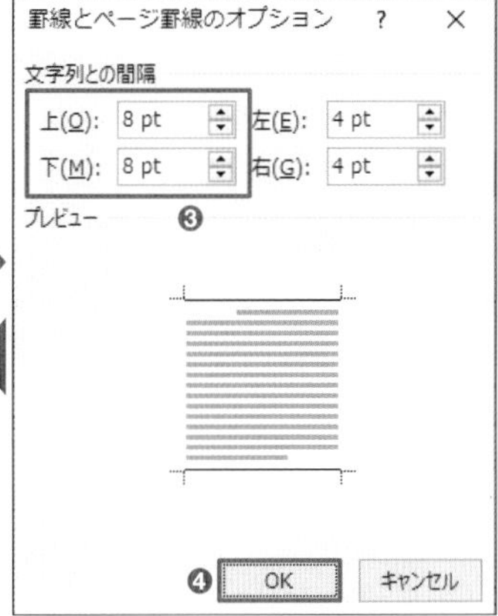

図5 表示される画面の「罫線」タブにある「オプション」ボタンをクリックする（❶❷）。表示される画面で「上」「下」「左」「右」の間隔を調節する。ここでは「上」と「下」を「8pt」にした（❸）。「OK」ボタンをクリックして前の画面に戻り、「OK」ボタンで設定を確定する（❹❺）

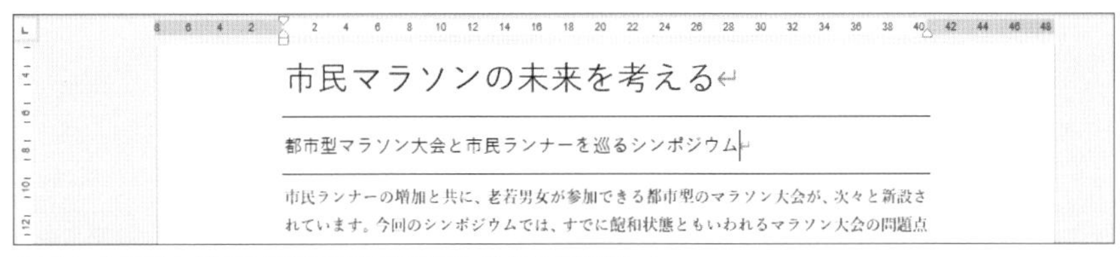

図6 文字列と上下の段落罫線の間隔が8ポイントに広がった

スタイル違いの罫線を組み合わせる

背景色は、ダイアログボックスの「網かけ」タブで選択する（**図7**）。背景色に濃い色を選ぶと、黒い文字列は見づらくなるので気を付けよう。ワードが自動的に文字色を白に変えてくれる場合もあるが、変わらないときは自分で設定する（**図8**）。背景色と文字列の位置のバランスにも気を配りたい。この例では行末に半角スペースを入力して、文字列の右側に適度な空きを作った。

罫線のスタイルや表示位置を細かく指定するときは、ダイアログボックスの「罫線」タブを開く（**図9〜図11**）。なお、罫線や背景色の幅は、左右のインデントで調節できる。マイナス値で幅が広がり、プラス値で幅が狭まる。この例では、左インデントを「1字」にして、行頭を字下げした（**図12**）。

● 段落全体に背景色を付ける

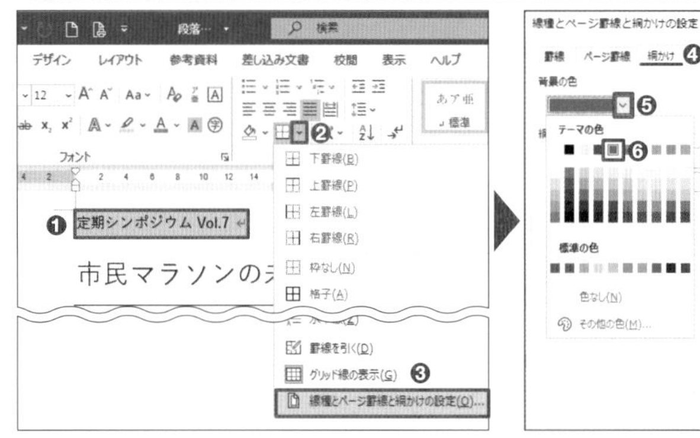

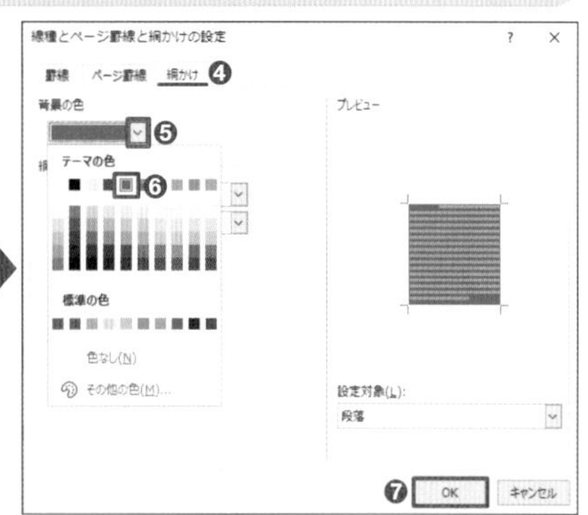

図7 背景色を付ける段落全体を選択し、「ホーム」タブの「罫線」メニューから「線種とページ罫線と網かけの設定」を選ぶ（❶〜❸）。表示される画面の「網かけ」タブを開き（❹）、「背景の色」メニューのパレットから背景色を選ぶ（❺❻）。「OK」ボタンをクリックする（❼）

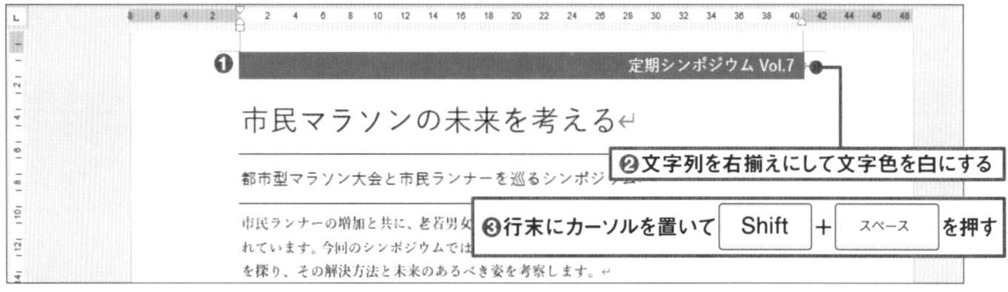

図8 段落に選択した背景色が付く（❶）。必要に応じて文字や段落の書式を変更する。ここでは段落を右揃えにして、文字色を白に変えた（❷）。さらに行末に半角スペースを入力し、右端を少し空けた（❸）

●線のスタイルや表示位置を指定して引く

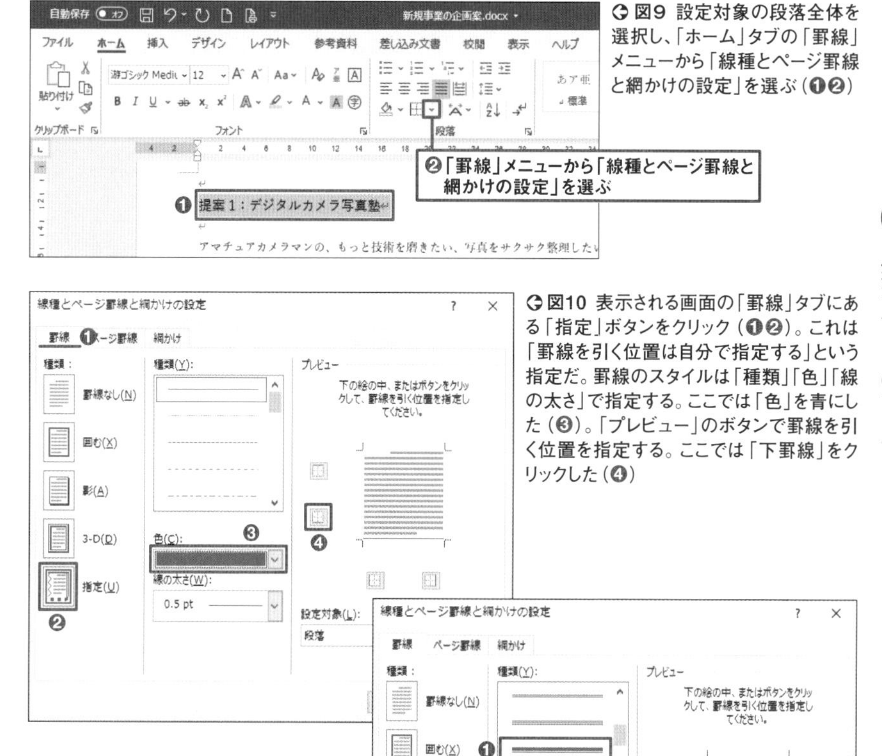

⊖図9 設定対象の段落全体を選択し、「ホーム」タブの「罫線」メニューから「線種とページ罫線と網かけの設定」を選ぶ（❶❷）

⊖図10 表示される画面の「罫線」タブにある「指定」ボタンをクリック（❶❷）。これは「罫線を引く位置は自分で指定する」という指定だ。罫線のスタイルは「種類」「色」「線の太さ」で指定する。ここでは「色」を青にした（❸）。「プレビュー」のボタンで罫線を引く位置を指定する。ここでは「下罫線」をクリックした（❹）

⊖図11 「種類」に太さの異なる二重線を選び、「線の太さ」を「6pt」にする（❶❷）。「プレビュー」の「左罫線」ボタンをクリックし（❸）、「OK」ボタンをクリックする（❹）

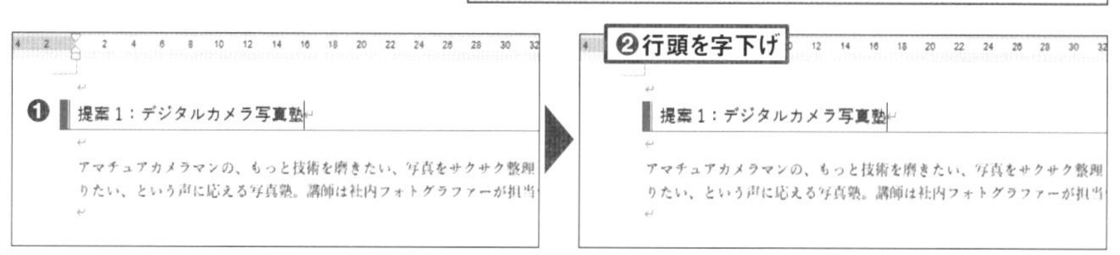

⊖図12 段落の左と下に選択したスタイルの罫線が引かれる（❶）。行頭が余白部分にはみ出しているので、ここでは左インデント（→71ページ図3）で行頭を1文字分字下げした（❷）

文字列をちょっと動かしてバランスを整える

文字サイズを一部分だけ変えると、ほかの文字列と上下の位置がずれることがある。そんなときは、垂直方向の位置を「中央揃え」にしよう（**図1**）。文字位置はこのように、微妙な位置調整が可能。マイナス値のインデントで行幅を広げるワザも、タイトルを1行に収めたいときなどに便利だ（**図2**）。

サイズ違いの文字列を上下の中央で揃える

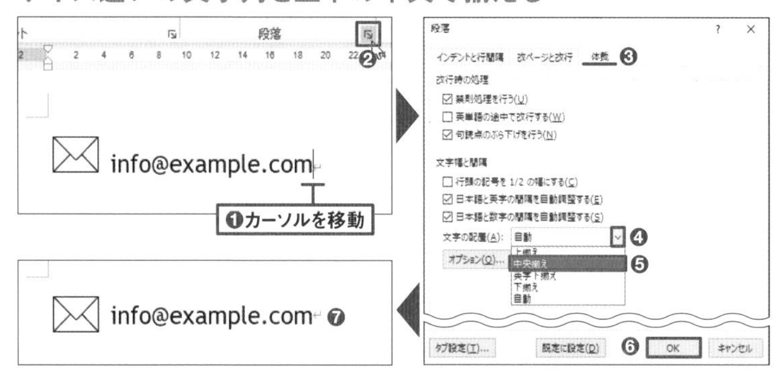

図1 位置を揃える段落にカーソルを移動し、「ホーム」タブの「段落の設定」ボタンをクリック（❶❷）。表示される画面の「体裁」タブを開き、「文字の配置」メニューから「中央揃え」を選んで「OK」ボタンをクリック（❸～❻）。段落内の文字列が上下の中央に揃う（❼）

マイナス値のインデントで行幅を広げる

図2 行幅を広げる段落内にカーソルを移動（❶）。「レイアウト」タブでインデントをマイナス値にする（❷）。ここでは「左インデント」に「-3.5字」、「右インデント」に「-2字」を指定（❸）。これで行幅が広がり、1文字だけ2行目にあふれていたタイトルが1行に収まる。このタイトルは行頭の文字が記号なので、左インデントの値を多めにしてバランスを取った

色使いで印象は変わる

配色のテクニック

色の使い方を間違えると、文字が見づらくなったり文書のイメージが損なわれたり、と逆効果になる。色の選び方や調整方法はしっかり覚えておこう。ワードでは、色の設定に使うパレットの配色を、文書に合わせて変えることもできる。

- 文書内で使う色は絞り込む
- モニターと印刷の色の違いに注意
- 透かしやグラデーションで変化を付ける
- 適切なコントラストで見やすく　ほか

まずは基本

パレットの表示と色の設定方法を確認しよう

ワードでは、文書内の文字、罫線、図形、表など、さまざまな要素に色を付けられる。色を設定するメニューは「フォントの色」「図形の塗りつぶし」など、要素によって名前や場所が異なるが、メニュー内の表示はほぼ同じだ。上部にカラーパレットが表示され、その下にパレット以外の色を設定するコマンドが表示される（**図1**）。メニューによっては、さらにグラデーションや、線の太さといった色以外の設定コマンドが表示される場合もある。

色設定メニューにはパレットとコマンドが並ぶ

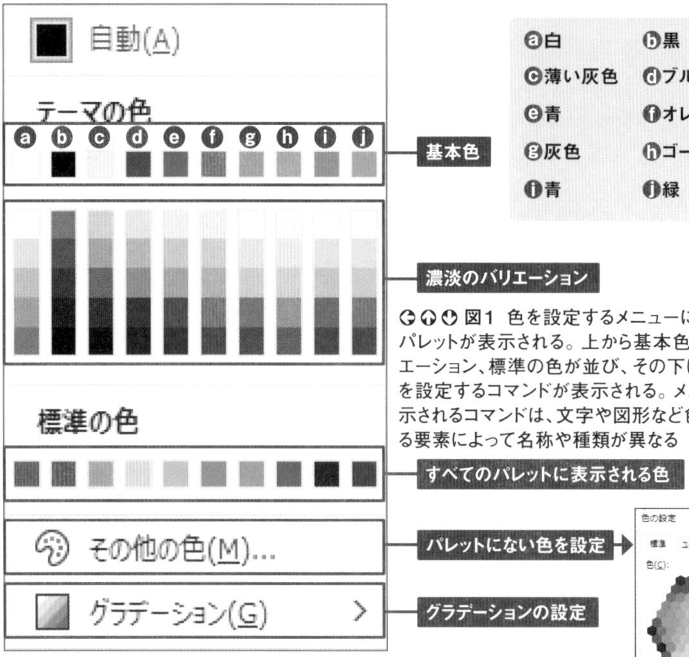

自動(A)

テーマの色

a b c d e f g h i j

基本色

濃淡のバリエーション

標準の色

すべてのパレットに表示される色

その他の色(M)...

パレットにない色を設定

グラデーション(G)

グラデーションの設定

ⓐ白　ⓑ黒
ⓒ薄い灰色　ⓓブルーグレー
ⓔ青　ⓕオレンジ
ⓖ灰色　ⓗゴールド
ⓘ青　ⓙ緑

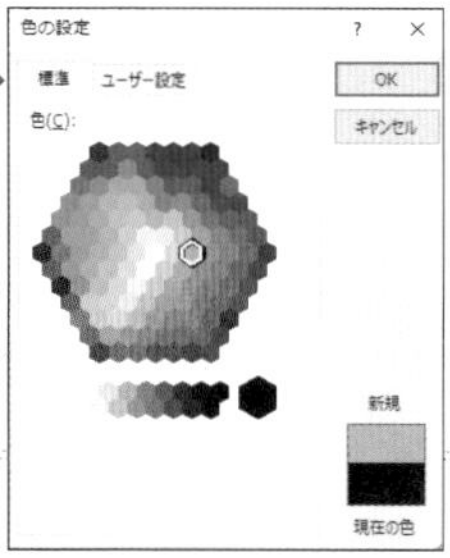

色の設定

標準　ユーザー設定

色(C):

OK

キャンセル

新規

現在の色

図1　色を設定するメニューには、カラーパレットが表示される。上から基本色とそのバリエーション、標準の色が並び、その下にほかの色を設定するコマンドが表示される。メニューに表示されるコマンドは、文字や図形など色を設定する要素によって名称や種類が異なる

カラーパレットには10色の基本色（テーマの色）と、基本色の濃淡を5段階に変えたバリエーションが並んでいる。この基本色は、文書ごとに変更することも可能だ（→106ページ）。初期設定の基本色は落ち着きのある配色で、一般的なビジネス文書に適している。安定感があり、使いやすい「青」が2色と「ブルーグレー」があるのも便利だ。通常はこのまま利用すればよいだろう。

基本色の下には「標準の色」として、赤、オレンジ、黄、緑、青、紫などの色が並んでいる。標準の色はすべてのパレットに表示され、基本色に比べると鮮やかな色が多い。安易に設定すると、文字列が読みづらくなったり、図が派手になったりすることがあるので気を付けよう。

色を設定するときは、対象を選択してメニューを開き、パレットから色を選ぶ。例えば、テキストボックス（文字枠）の内部に色を付けるときは、テキストボックスを選択して「図形の書式」タブの「図形の塗りつぶし」メニューを開き、色を選ぶ（**図2**）。選択した色は、メニュー横のボタンにセットされることも覚えておこう。

● パレットの色を設定する

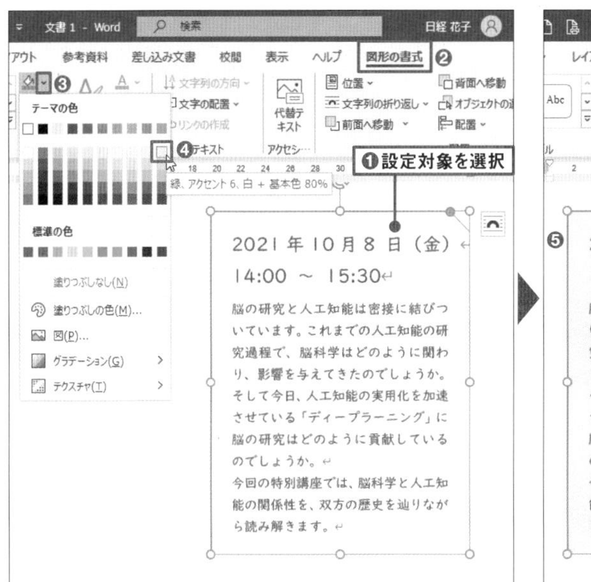

文書 1 - Word
検索
日経 花子
参考資料
差し込み文書
校閲
表示
ヘルプ
図形の書式
❷
❸
テーマの色
❹
緑、アクセント 6、白 + 基本色 80%
標準の色
塗りつぶしなし(N)
塗りつぶしの色(M)...
図(P)...
グラデーション(G)
テクスチャ(T)
文字列の方向
文字の配置
リンクの作成
代替テキスト
位置
文字列の折り返し
前面へ移動
背面へ移動
配置
❶設定対象を選択
2021 年 10 月 8 日（金）
14:00 ～ 15:30
脳の研究と人工知能は密接に結びついています。これまでの人工知能の研究過程で、脳科学はどのように関わり、影響を与えてきたのでしょうか。そして今日、人工知能の実用化を加速させている「ディープラーニング」に脳の研究はどのように貢献しているのでしょうか。
今回の特別講座では、脳科学と人工知能の関係性を、双方の歴史を辿りながら読み解きます。

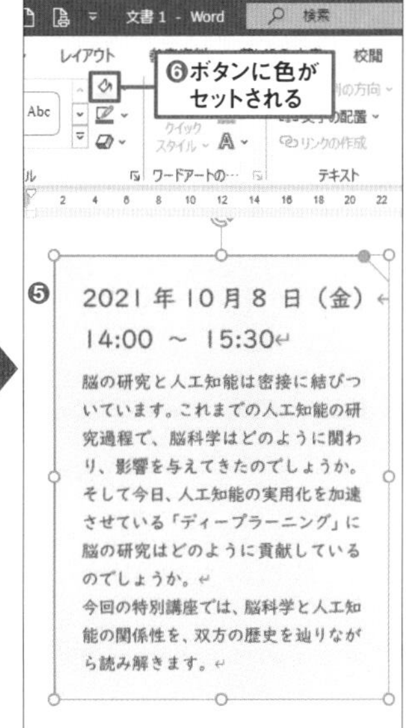

文書 1 - Word
検索
レイアウト
校閲
❻ボタンに色がセットされる
クイック スタイル
ワードアートの…
テキスト
リンクの作成
❺
2021 年 10 月 8 日（金）
14:00 ～ 15:30
脳の研究と人工知能は密接に結びついています。これまでの人工知能の研究過程で、脳科学はどのように関わり、影響を与えてきたのでしょうか。そして今日、人工知能の実用化を加速させている「ディープラーニング」に脳の研究はどのように貢献しているのでしょうか。
今回の特別講座では、脳科学と人工知能の関係性を、双方の歴史を辿りながら読み解きます。

図2 色を設定する対象（ここでは図形のテキストボックス）を選択して、設定を行うタブ（ここでは「図形の書式」タブ）を開く（❶❷）。色設定のメニュー（ここでは「図形の塗りつぶし」）を開き、パレットから色を選択する（❸❹）。選択した対象に色が設定される（❺）。直前に選んだ色はメニュー横のボタンにセットされるので、同じ色を別の場所に設定するときはボタンをクリックするだけでよい（❻）

● 色を微調整する／パレットにない色を設定する

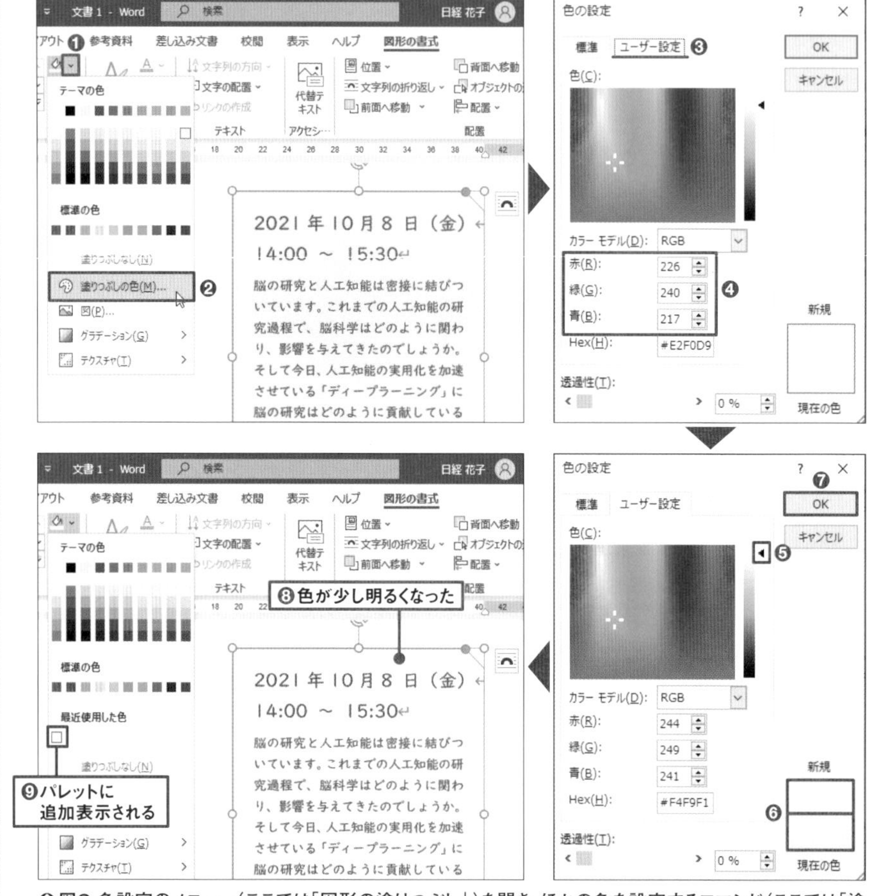

↑図3 色設定のメニュー（ここでは「図形の塗りつぶし」）を開き、ほかの色を設定するコマンド（ここでは「塗りつぶしの色」）選択する（❶❷）。表示される画面の「ユーザー設定」タブを開くと、現在の色が表示されるので（❸）、新しく設定する色を指定する。色は「RGB（赤、緑、青）」の数値で指定することも可能だ（❹）。ここでは明るさのツマミを上にドラッグして色を明るくした（❺）。指定した色と現在の色は画面右下で比較できる（❻）。「OK」ボタンをクリックすると、指定した色が設定される（❼❽）。指定した色は、ワードを終了するまでパレットに表示される（❾）

設定した色の明るさを微調整したり、パレットにない色を選んだりする場合は、「色の設定」ダイアログボックスの「ユーザー設定」タブを開き、必要な操作をする（**図3**）。なお、色は「色相」「彩度」「明度」という3つの属性で調整できる（**図4**）。「色相」は赤、青、黄、緑などの色合い（色味）の違い、「彩度」は鮮やかさの度合い、「明度」は明るさの度合いのことだ。

「ユーザー設定」タブには、色相と彩度を調節するカラーチャートと、明度を調節するバーが表示される。指定する色をクリックしたり、バーのツマミを上下にドラッグしたりして、色を調節しよう。「カラーモデル」を「HSL」にして、各属性を数値で指定することも可能だ。色相や彩度は、数値のほうが微調整しやすい。

● 色は3つの属性で調節できる

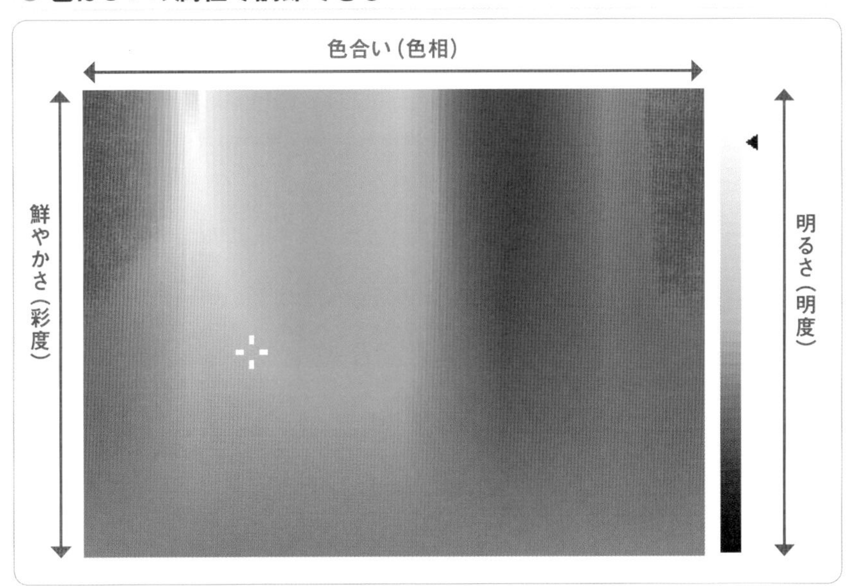

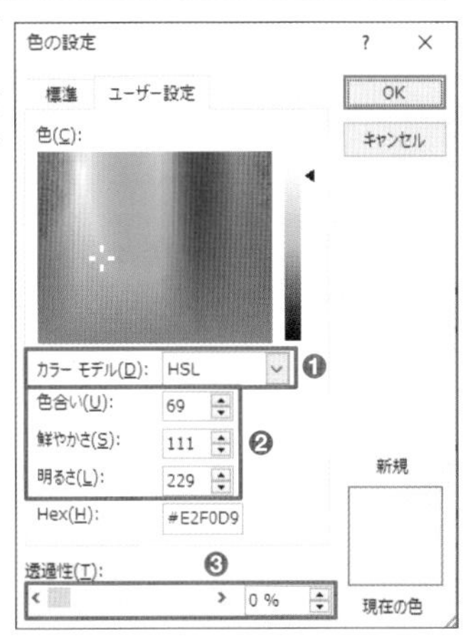

⬆⬅図4 「色の設定」ダイアログボックスの「ユーザー設定」タブでは、色を「色合い（色相）」「鮮やかさ（彩度）」「明るさ（明度）」の3つの属性で調節する（上）。「カラーモデル」を「HSL」に変更すると、各属性を数値で指定できる（❶❷）。なお、設定対象によっては色を透けさせる「透過度」を指定できる場合もある（❸）

まずはメインの色を決める 色の使いすぎには注意

色の決め方

配色によって文書のイメージが変わることは、「第1章04」(22ページ)で確認した。では、実際に使う色は、どのように選べばいいだろうか。見やすい文書にするには、色を使いすぎないことが大切だ。そこでまず、配色のベースになるメインカラーをカラーパレットの基本色から決めるとよい。色は、文書の内容や対象者を考えて選ぼう。文書内に写真などがある場合は、画像の色とメインカラーの相性も考慮する。

作例の案内チラシでは、メインカラーを落ち着いた色合いの青にした(**図1**)。青は誠実な印象を与えるため、ベースの色にお薦めだ。基本色には濃淡のバリエーショ

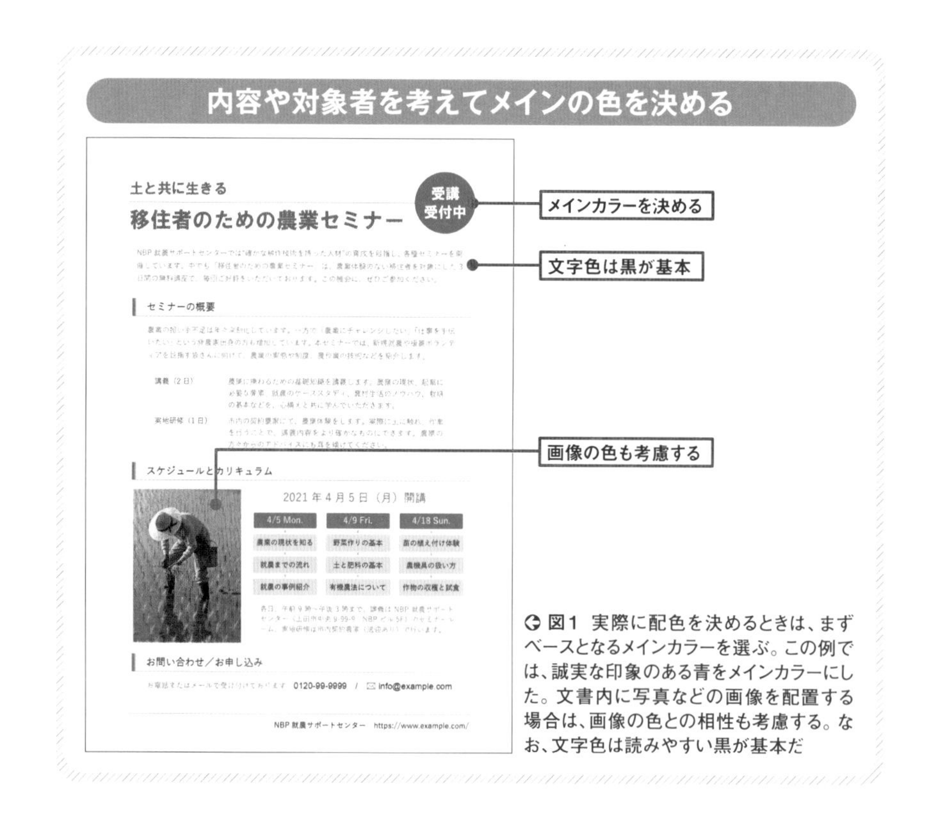

図1 実際に配色を決めるときは、まずベースとなるメインカラーを選ぶ。この例では、誠実な印象のある青をメインカラーにした。文書内に写真などの画像を配置する場合は、画像の色との相性も考慮する。なお、文字色は読みやすい黒が基本だ

ンがあるので、色の変化も付けやすい。

文字色は、読みやすい黒を基本にする。タイトルや見出しなど部分的に色を変えるのは問題ないが、本文のようにまとまった文章に色を付けるのは控える。見出しなどの色を変える場合も、光が拡散するような明るい色は避けよう。なお、目立たせたい文字列を白色にして背景色を付け、白抜きの表現にするのは効果的だ。作例でも「受講受付中」の文字列などを白抜きにして、周囲の文字列よりも強調した。

メインカラーに色を追加する場合は、色数を2〜3色に絞り込もう。色を使いすぎると印象が定まらず、落ち着かない感じの文書になる。例えば、農業セミナーのスケジュールに色を使いすぎると、どこか浮ついた印象になってしまう（**図2左**）。色を追加して変化を付けたい場合は、同系色が無難だ（**図2右**）。

もちろん、これらはあくまでも基本のルール。強調箇所は目立つ色がいいし、文書を楽しくにぎやかな雰囲気に仕上げたいならカラフルな配色もありだ。その場合でも、文字の読みやすさには留意しよう。

● 色を追加する場合は色数を絞り込む

✕ 色を使いすぎ

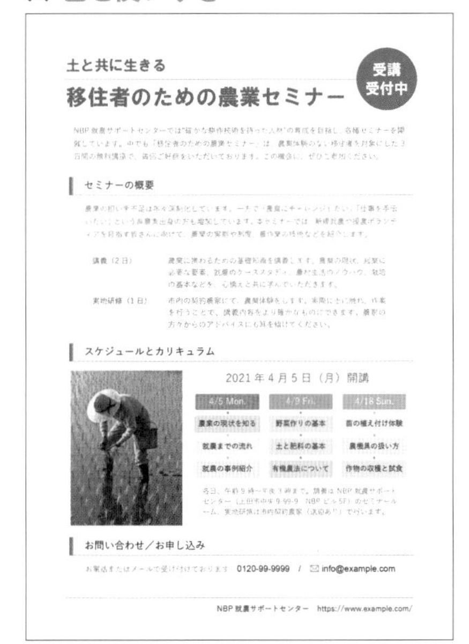

〇 同系色でまとめる

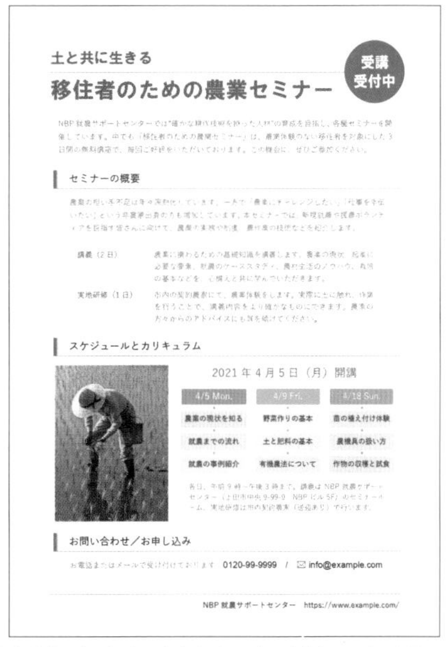

図2 色数が多かったり、内容にそぐわない色を追加したりすると、ちぐはぐな印象になる（左）。メインカラーの同系色でまとめるのがお勧めだ（右）

Section 02

モニターと印刷の色は違う 色がくすむのを見越しておく

印刷の色

色の設定で頭に入れておきたいのは、モニター画面と印刷の色は違う、ということだ。実際、印刷した文書の色がイメージ通りではなく、がっかりすることはよくある。これは、色を表現する方法「カラーモード」が、モニターと印刷で異なるため（**図1**）。

カラーモードには、赤（R）、緑（G）、青（B）を混ぜ合わせる「RGB」と、シアン（C）、マゼンタ（M）、イエロー（Y）を混ぜ合わせる「CMYK」があり、モニターにはRGB、印刷にはCMYKが使われている。RGBとCMYKを比べると、CMYKのほうが色の表現領域が狭い。そのため、CMYKでモニターの色をそのまま再現するのは難しく、印刷物はどうしても少しくすんだ色になってしまう（**図2**）。また、印刷にはインクを使うので、理論上は表現可能な色が再現できない場合もある。

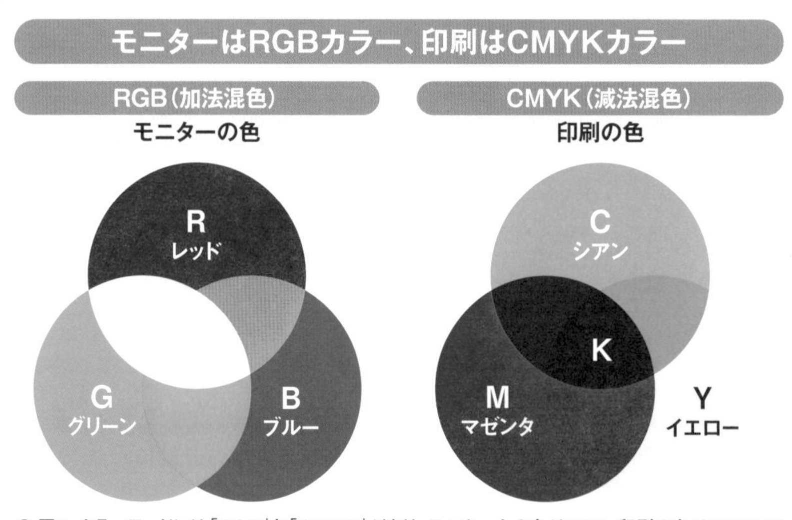

図1 カラーモードには「RGB」と「CMYK」があり、モニター上の色はRGB、印刷の色はCMYKで表示される。RGBの3色は「光の三原色」、CMYの3色は「色の三原色」といわれ、色の表現方法が異なる。RGBは色を混ぜ合わせるたびに明るくなって白に近づくことから「加法混色」と呼ばれる。一方、CMYKは色を混ぜ合わせるたびに暗くなって黒に近づくことから「減法混色」と呼ばれる

モニターと印刷の色をなるべく近づけるには、文書のカラーモードをCMYKに変換する方法がある。ただ、ワードの色はRGBで設定する仕様になっていて、CMYKには変換できない。文書内の色は、印刷でくすむのを見越して設定しよう。思い通りの色に印刷されないときは、明度や彩度を調整して（→91ページ図4）、イメージに近づける手もある。

なお、印刷の色はプリンターの機種、用紙の種類、印刷品質の設定などにも左右される。使用するプリンターの性能やクセを把握しておくことも大切だ。

● 印刷物はモニターよりもくすんだ色になる

モニター

印刷

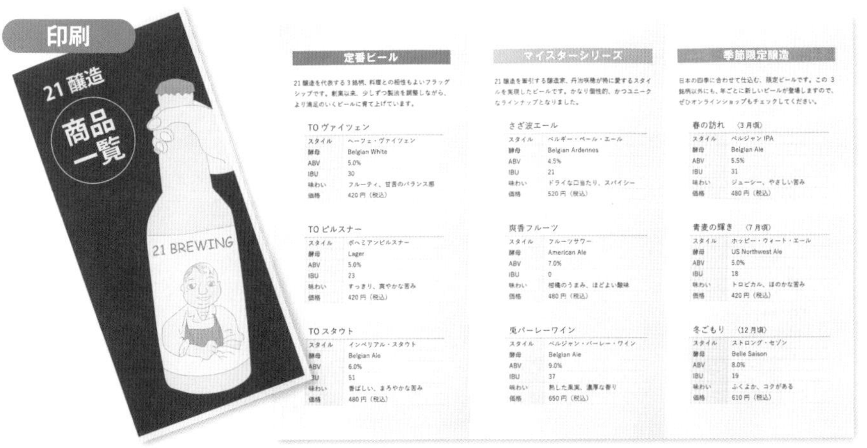

図2 パンフレットをモニターで見たときと、印刷したときの比較。印刷物は色がくすみ、色によっては明るくなりすぎる場合もある。気になるときは、明るさを落とすなど可能な調整を加えてみよう

Section 03

背景色とのコントラストは大事 白抜きの表現も効果的に

色の組み合わせ

文字やイラストなどに背景色を付けると、色の面積が増えてインパクトが強くなる（**図1**）。タイトルを強調したり、表の見出し行をデータ行と区別したり、囲み記事や図の範囲を示したりと、背景色の使いどころは多い。文字やイラストなどの要素を白色にして背景色を付ける「白抜き」の手法も、要素をより際立たせる効果がある。

明るさの近い色はNG、微調整でより見やすく

背景色を付けるときに大事なのは、要素の色とのコントラストだ。色選びを間違えると、文字などが途端に見づらくなる（**図2**）。特に、明るさが近い色を組み合わせると要素が目立たず、文書全体の印象も悪くなるので注意しよう。

文字やイラストに背景色を付ける

21 研究センター ＊ 特別講座

脳科学と
人工知能

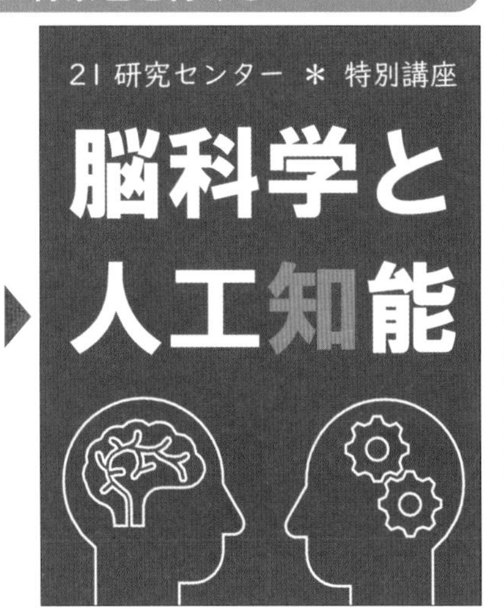

図1 文字やイラストに背景色を付けると色の存在感が増し、イメージも伝わりやすくなる。色の組み合わせによって読みやすさや印象が異なるので、使う色は慎重に選ぼう

色の明るさに差を付けると、同系色でもコントラストが強くなり、要素がくっきりと浮かび上がる（**図3左**）。面積が広いほど色を感じやすいので、文字には太めのフォントを使おう。細いフォントや小さい文字で表示する場合は、太い文字よりもやや濃い色にすると読みやすい（**図3中**）。イラストの色を背景色よりもやや濃くするなど、色に微妙な変化を付けると、より立体的な表現になる。シンプルに表現したい場合は、すっきりした白抜きがお勧めだ（**図3右**）。

なお、背景色を付ける方法には、段落の網かけ（→84ページ）、テキストボックス（→112ページ図6）、図形（→130ページ）などがある。状況に応じて使い分けよう。

● 色の組み合わせ次第で読みやすさが変わる

✕ コントラスが弱すぎたり強すぎたりする

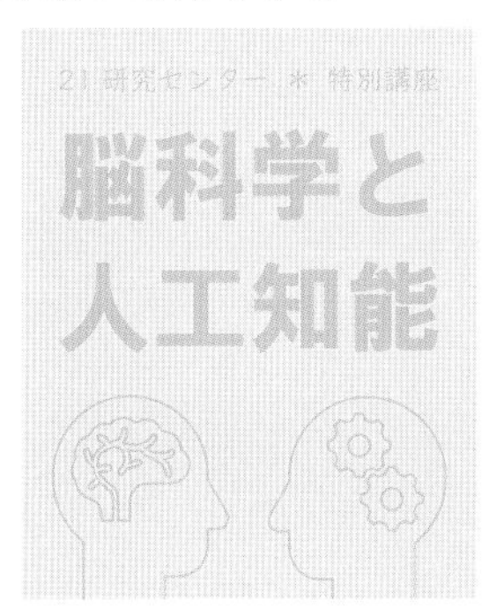

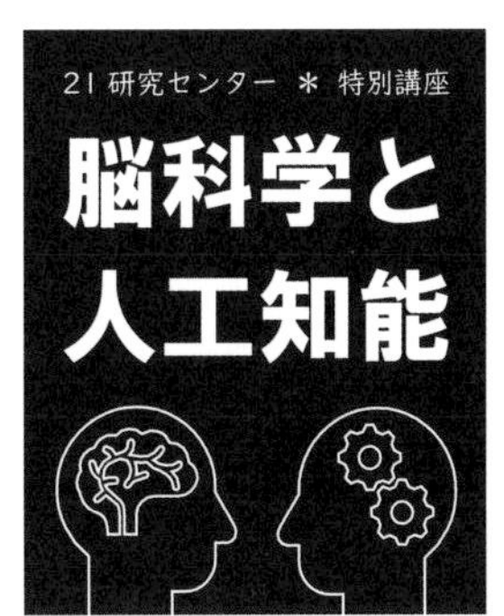

図2 色の相性が悪かったり、明るさが近かったりするとコントラストが付きにくい。また白と黒の組み合わせは逆にコントラストが強すぎる

○ 適度なコントラスト

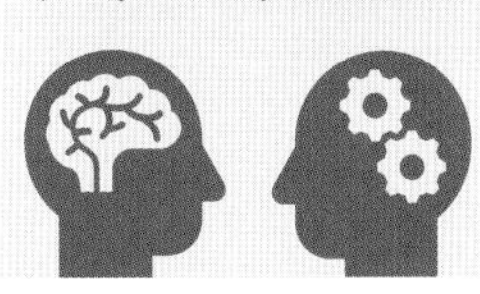

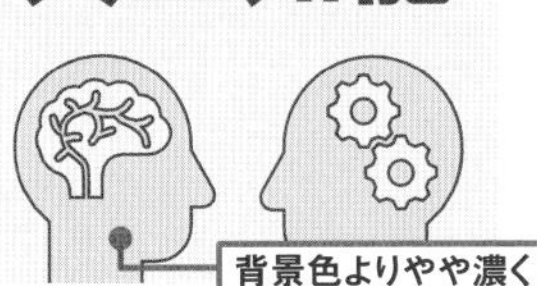

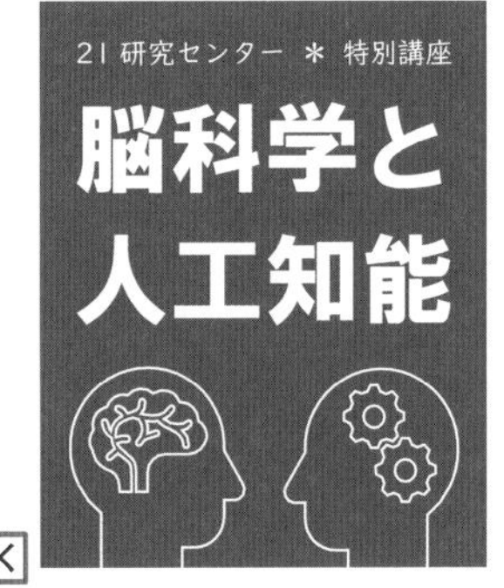

図3 色の明るさに差を付けると、適度なコントラストになる。小さい文字はタイトルより濃い色、イラストは背景色より濃い色にするなど、各要素がさりげなく際立つ工夫をしよう

Section 04

背景色に透かし効果を加えて洗練されたデザインに

色の透過性

背景色には「透かし効果」を加えることもできる。透かし効果は、図形や画像などのオブジェクトに透明度を設定する機能だ。オブジェクトの色を薄くしたり、半透明にしたりするときに利用する。例えば、画像に重ねた文字列が見にくいときは、文字列の背景色に透かし効果を設定するとよい(**図1**)。画像と文字列の間に、半透明の紙を挿し込むイメージだ。これによって文字列が読みやすくなり、下の画像も透けて見えるので、単に背景色を付けるよりも洗練されたデザインになる。

透かし効果は、「色の設定」ダイアログボックスの「透過性」にパーセンテージで指

透かしを設定して文字列を読みやすくする

図1 画像に重ねた文字列が読みにくい場合は、文字列の背景色に透かし効果を設定するのがお勧め。文字列が読みやすくなり、下の画像も透けて見えるようになる

定する（**図2**）。「0%」は透かしなし、「50%」で半透明、「100%」で完全に見えなくなる。ベースとなる背景色は、黒または白が基本。文字の読みやすさや、表現したいイメージを考えながら選ぼう。背景色が白の場合は、文字色を黒にする（**図3**）。

● 文字列の背景色に透かしを設定する

←↓ **図2** 塗りつぶしを黒、文字色を白に設定したテキストボックスを画像に重ねて選択する（❶）。「図形の書式」タブの「図形の塗りつぶし」メニューから「塗りつぶしの色」を選択（❷〜❹）。表示される画面で「透過性」の数値（ここでは「60%」）を設定する（❺）。「OK」ボタンをクリックすると、テキストボックスの塗りつぶしの色が半透明になる（❻❼）

→ **図3** テキストボックスの塗りつぶしを白、文字色を黒にして、透過性を60%に設定した例。この画像では、背景を黒にしたほうが読みやすいと感じる

グラデーションで変化を示す一部分をほんのり染める手も

グラデーション

色や明るさを段階的に変化させる「グラデーション」は、文字を装飾したり、図解で変化を示したりするのに便利（**図1**）。ただし、使いどころによっては文章が読みづらくなるので注意しよう。例えばコラムなど、まとまった文章の背景色は単色がよい。色の多用もなるべく控えよう。過剰な表現になったり、かえってチープな印象になったりする危険がある。グラデーションは、ワンポイント的に利用するのがお勧めだ。

ワードのグラデーションは、分岐点の数、色、位置によって決まる仕組みになっている（**図2**）。設定するときは、まずベースの色を選び、続いてグラデーションのスタイル（種類と方向）を指定する（**図3**）。その後、作業ウインドウを開いて分岐点の色などを指定する（102ページ**図4**、**図5**）。このように、メニューから選んだ既成スタイルを、細かく調整していくのがポイントだ。分岐点の数も自由に増減できる（**図6**）。

文字や図形にグラデーションをかける

森の環境フォーラム

海と森をつなぐプロジェクト

図1 グラデーションは装飾のほか、変化を視覚的に表現するのにも便利だ。ワードでは、文字や図形にグラデーションをかけることができ、色や方向なども自由に決められる

色の変化は分岐点で表現する

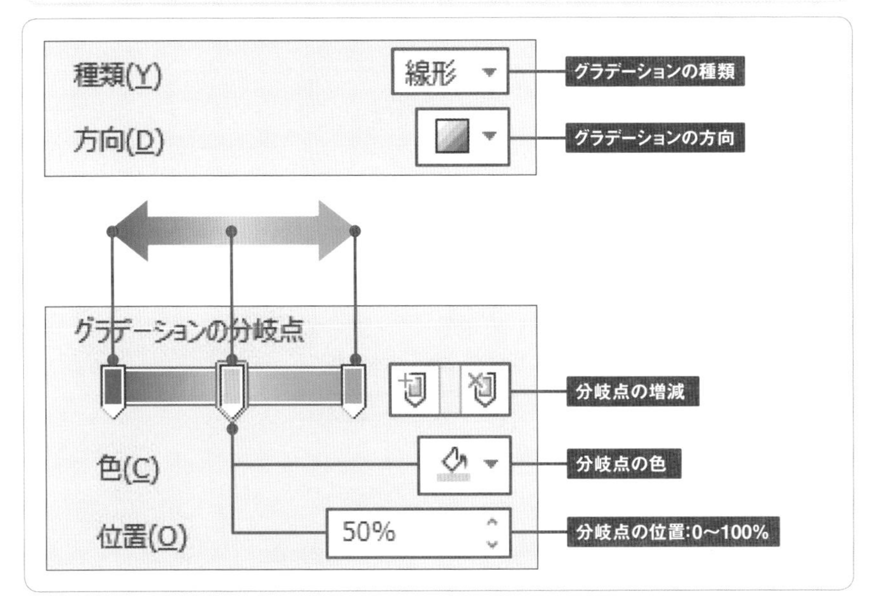

図2 グラデーションのスタイルはメニューから選び、詳細を「図形の書式設定」作業ウインドウで指定する。色の変化は「分岐点」の数、色、位置によって決まる。また、グラデーションの種類や方向も変更できる

グラデーションを設定する

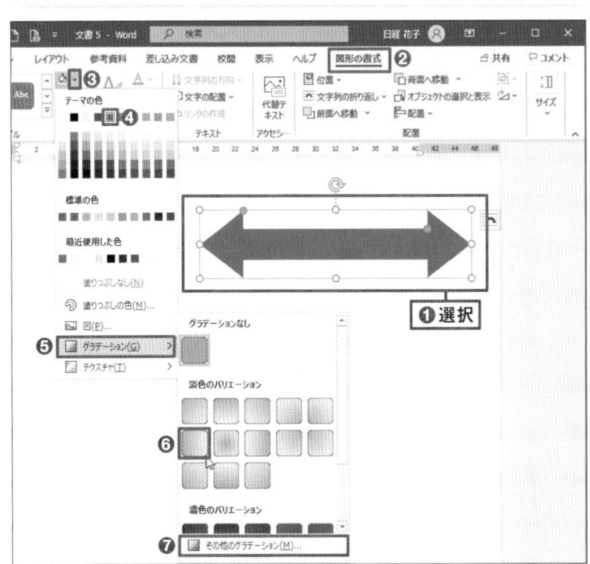

図3 設定対象（ここでは図形の左右矢印）を選択する（❶）。「図形の書式」タブにある「図形の塗りつぶし」メニューを開き、ベースの色（ここでは青）を選択（❷～❹）。続けて「グラデーション」サブメニューからグラデーションのスタイル（ここでは「淡色のバリエーション」の「右方向」）を選択する（❺❻）。これで種類が「線形」、方向が「右方向」のグラデーションが設定される。スタイルを細かく設定する場合は、「グラデーション」サブメニューから「その他のグラデーション」を選び（❼）、「図形の書式設定」作業ウインドウを開く

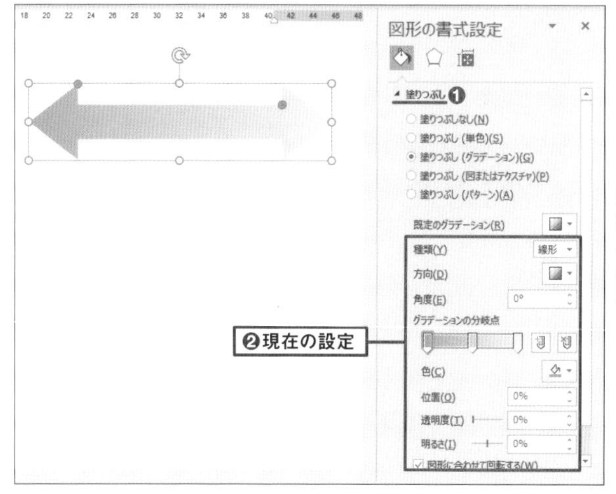

図4 「図形の書式設定」作業ウインドウの「塗りつぶし」グループが表示され、現在のグラデーションの色や位置などが表示される（❶❷）

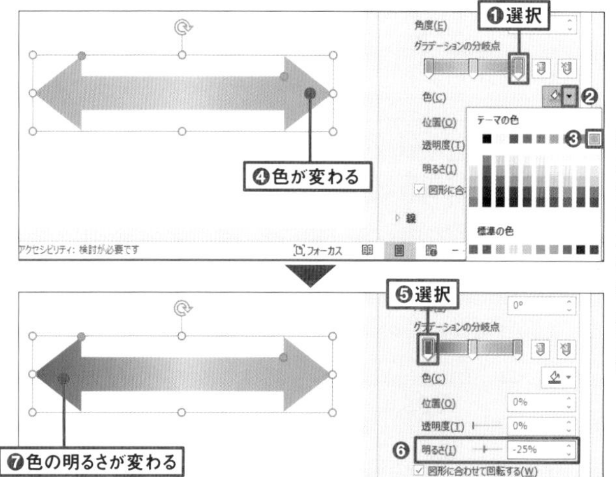

図5 グラデーションのスタイルを変更する。ここではまず「グラデーションの分岐点」で右端の分岐点を選択し、「色」メニューから「緑」選んだ（❶～❸）。これで右側の色が変更される（❹）。続いて左端の分岐点を選択し、「明るさ」欄に「-25%」を設定する（❺❻）。これで左側の色が暗くなる（❼）

分岐点の追加や削除をする

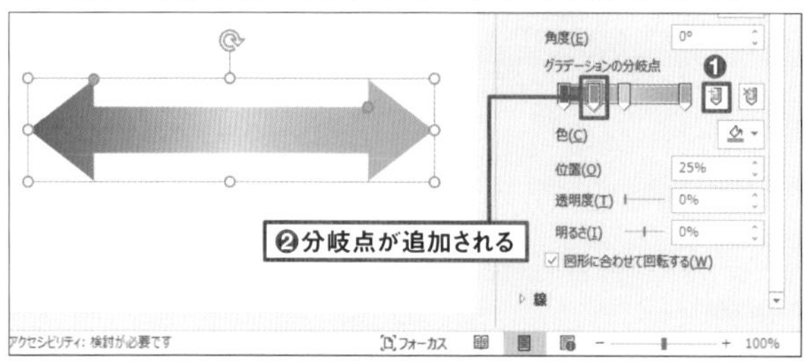

図6 分岐点はグラデーションの色数に応じて増減する。4色のグラデーションを作る場合は、「グラデーションの分岐点を追加します」ボタンをクリックして1つ増やせばよい（❶❷）。削除する場合は対象の分岐点を選択して、右側の「グラデーションの分岐点を削除します」ボタンをクリックする

文字にグラデーションをかける場合は、色が映えるように線の太いフォントを選ぼう(**図7**)。なお、複数の文字を選択して操作すると、1文字ずつではなく文字列全体を対象にグラデーションが設定される。

グラデーション機能を使わず、色の違いで変化を表現することもできる(**図8**)。この例では、カラーパレットの基本色と濃淡のバリエーションを利用して、矢印の濃さを段階的に変えてみた。全体を見るとグラデーション効果になっているのがわかる。

●グラデーションで文字を装飾する

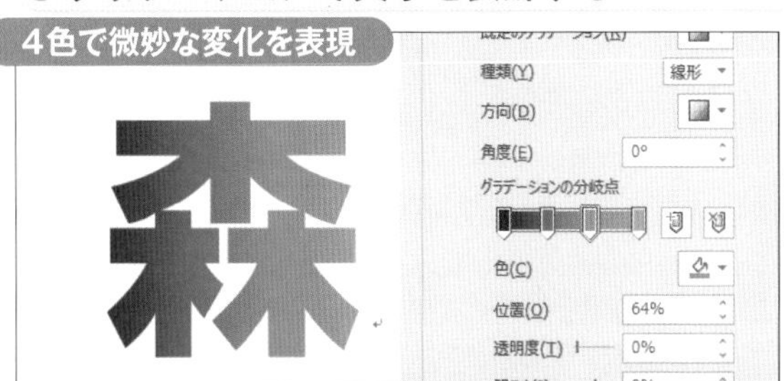

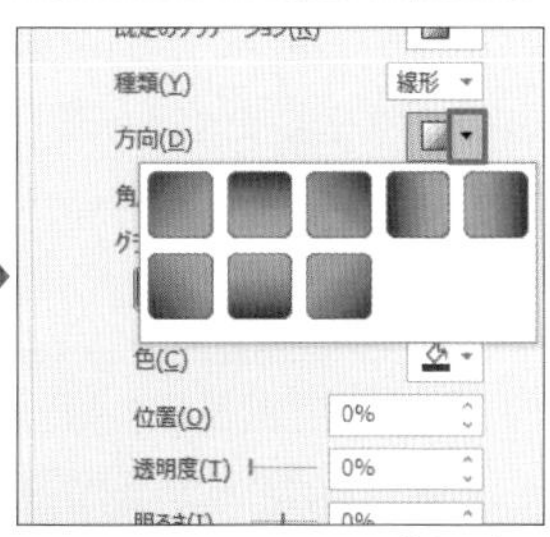

🅖図7 文字にも「ホーム」タブの「フォントの色」メニューでグラデーションを設定できる。作例では「線形」の「右方向」のグラデーションを4色で表現した(左)。方向を変えると印象も変わるので、いろいろな設定を試してみよう(右)

●濃さの違う色を組み合わせてグラデーションにする

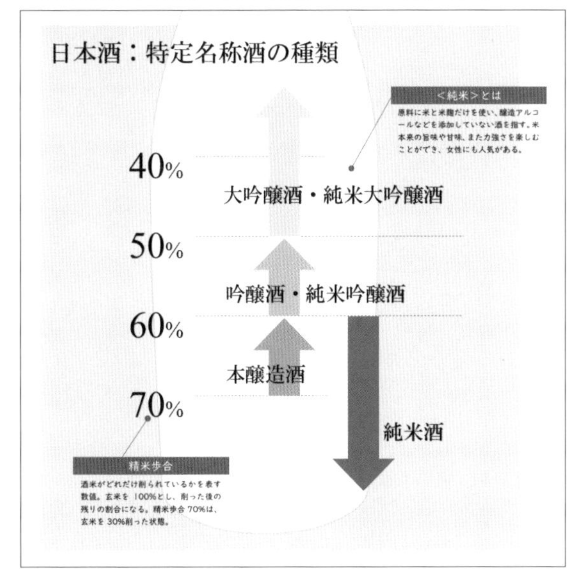

🅖図8 グラデーションの機能を使わなくても、濃さの違う色を組み合わせることでグラデーションの効果は出せる。この例では、パーセンテージに合わせて青い矢印の濃さを変えた

多色使いでも上品でカラフルな表現に

分岐点の色や間隔を工夫することで、グラデーションはさまざまに変化する。例えば、隣り合う分岐点を白にすると、その間には色が付かない。これを利用すると、対象の一部分だけにグラデーションをかけられる（**図9**）。この例では、文字の下半分だけにグラデーションをかけ、文字列を7色でほんのりと染めた。

このようなグラデーションも、既成スタイルを利用すると手際良く設定できる。この例ではまず、文字列全体を赤色にして既成スタイルの「下方向」を設定し、作業ウインドウで2つの分岐点を白に変更（**図10**）。続いて、1文字ずつ選択して分岐点の赤色を別の色を変更する（**図11**）。文字ごとに方向を変えても面白い（**図12**）。

一部分にグラデーションをかける

RAINBOW
無農薬栽培プロジェクト
文字列の下半分に
グラデーションを設定

図9 グラデーションを部分的に設定すると、優しい雰囲気に仕上がる。1文字ずつグラデーションの色を変えても、過剰な配色にならないので安心だ。なお、文字列の端を白色にすると、その部分が見えなくなる。影や文字の輪郭を付けたり、背景色や写真を下に置いたりして目立たせよう

● 範囲の半分にグラデーションをかけて色を変える

図10 赤色の文字列に「ホーム」タブの「フォントの色」メニューにある「グラデーション」サブメニューの「淡色のバリエーション」の「下方向」を設定する（❶）。「その他のグラデーション」で作業ウインドウを開き、「グラデーションの分岐点」で左端と中央の分岐点を「白」、右端の分岐点を「赤」に設定する（❷）

図11 色を変える1文字を選択（❶）。右端の分岐点を選択して色を変更する（❷❸）。この操作を必要なだけ繰り返して、文字ごとにグラデーションの色を変更する（❹）

● グラデーションの方向に変化を付ける

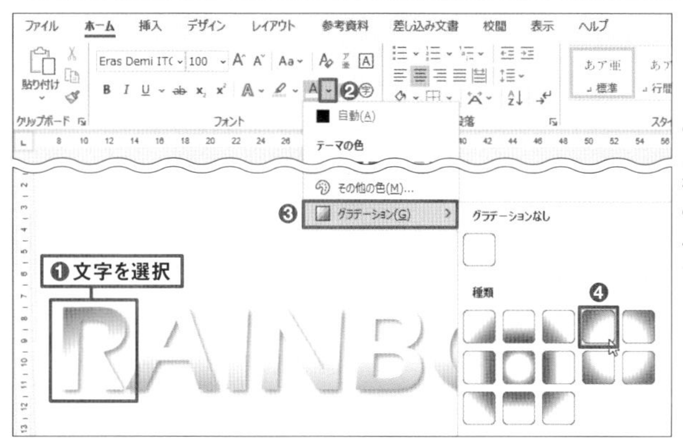

図12 グラデーションの方向を変える場合は、文字を選択して「フォントの色」メニューの「グラデーション」サブメニューを開き、方向を選ぶ（❶～❹）。または作業ウインドウで「種類」や「方向」などを変更してもよい

Section 06

全体の配色を一気に変更 文書のイメージチェンジを図る

テーマの色

文書のイメージをガラッと変えたいときは、「テーマの色」(基本色)を変更してパレットを切り替えるのがお勧めだ(**図1**)。テーマの色は、文書全体の配色をコントロールする機能で、ワードには20種類以上用意されている。

テーマの色は「デザイン」タブの「配色」メニューから自由に選べる(**図2**)。「暖かみのある青」など、テーマ名も参考にしよう。文書内の色はパレットの並びに対応して変更されるため、切り替え後は各部をよく確認する(**図3**)。選んだテーマがイメージと違っても、いつでも初期設定の「Office」に戻せるので安心だ。

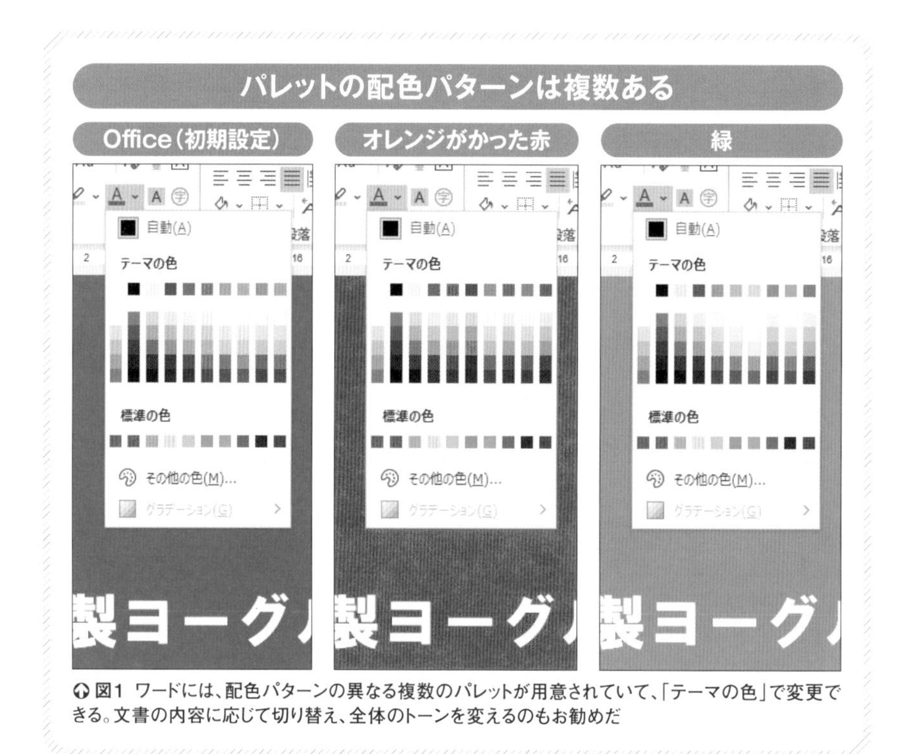

図1 ワードには、配色パターンの異なる複数のパレットが用意されていて、「テーマの色」で変更できる。文書の内容に応じて切り替え、全体のトーンを変えるのもお勧めだ

●「テーマの色」を変更する

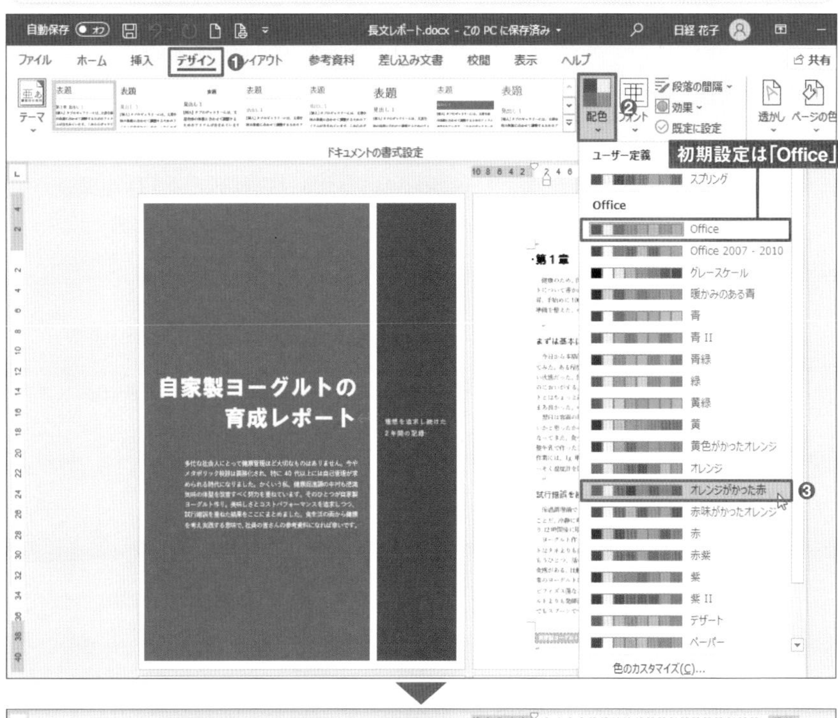

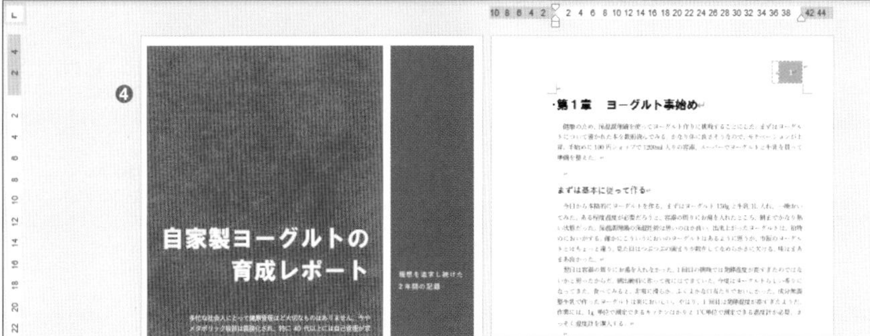

図2 「デザイン」タブの「配色」メニューを開き（❶❷）、一覧から使いたい色のテーマを選ぶ。ここでは「オレンジがかった赤」を選んだ（❸）。文書の「テーマの色」が変更され、全体の配色が変わる（❹）。パレットの配色も切り替わる

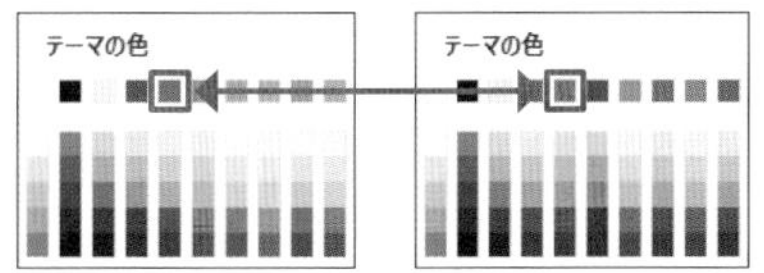

図3 文書内の各部の色は、パレットの同じ位置の色に置き換わる。メインの色はイメージ通りでも、ほかの色が適切に変わらない場合もある。その場合は、文書内の色を個別に変更しよう

色を決める参考になる「色相環」を覚えておこう

色の組み合わせに迷ったときは、色合いの変化をリング状にした「色相環」も参考になる（**図1**）。文書を同系色でシンプルにまとめたい場合は、位置の近い色を組み合わせる。逆に、色の違いで強弱を付けたい場合は、向かい合う位置にある「補色」を選ぶとよい（**図2**）。

ただし、文書内で「補色」の組み合わせを多用すると、落ち着きのない印象になる。また、強調の効果も薄れてしまうので気を付けよう。

色相環

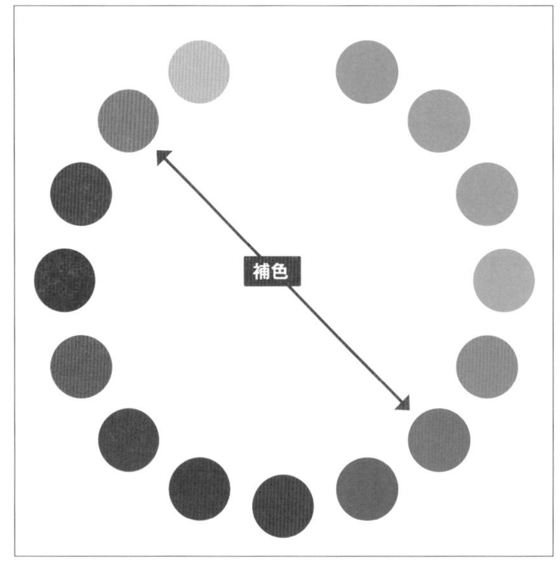

図1 色相環は「赤→橙→黄→緑→青→紫」のような色合いの変化をリング状に並べたもの。日本色彩研究所が作成した「PCCS色相環」がよく使われている。色相環の中で、対角に位置する色を「補色」という。色相の差が大きいため、組み合わせるとお互いを目立たせることができる

補色を設定するとコントラストが付く

✕ 同系色

贊成　反対

○ 適切なコントラスト

贊成　反対

図2 何かを強調する場合や、違いをはっきりさせたいときは、補色を参考に色を設定するとよい。同系色では目立たない差が、補色なら明確になる

レイアウトの万能選手

テキストボックスの活用術

テキストボックスは、使わないと損をするレイアウト機能の筆頭。ページ内の好きな場所に配置できる文字枠なので、とにかく便利だ。コラム作りなど凝ったレイアウトにも重宝する。基本から応用まで、活用のポイントを解説する。

- 「文字列の折り返し」で配置を決める
- 枠の存在を消したいときは「透明」に
- 図形との重ねワザで多彩な表現が可能
- 指し示す場合は「吹き出し」を使う　ほか

まずは基本

テキストボックスの構造と作成方法を確認しよう

「テキストボックス」は、本文から独立した文字枠（**図1**）。文字列をブロック単位で配置できるので、扱いを覚えるとレイアウトの幅は大きく広がる。文字枠は枠線で囲まれ、内部の上下左右には余白が設けられている。枠線のスタイルや内部の塗りつぶしの色は、用途に応じて自由に変更できる。

テキストボックスの作成は簡単だ。「挿入」タブの「図形」メニューから「テキストボックス」を選び、作成場所をドラッグすればよい（**図2**）。枠内にはカーソルが表示され、通常の行と同じように文字入力や書式設定ができる（**図3**）。文字枠のサイズや位置もドラッグで調節可能だ（**図4**）。

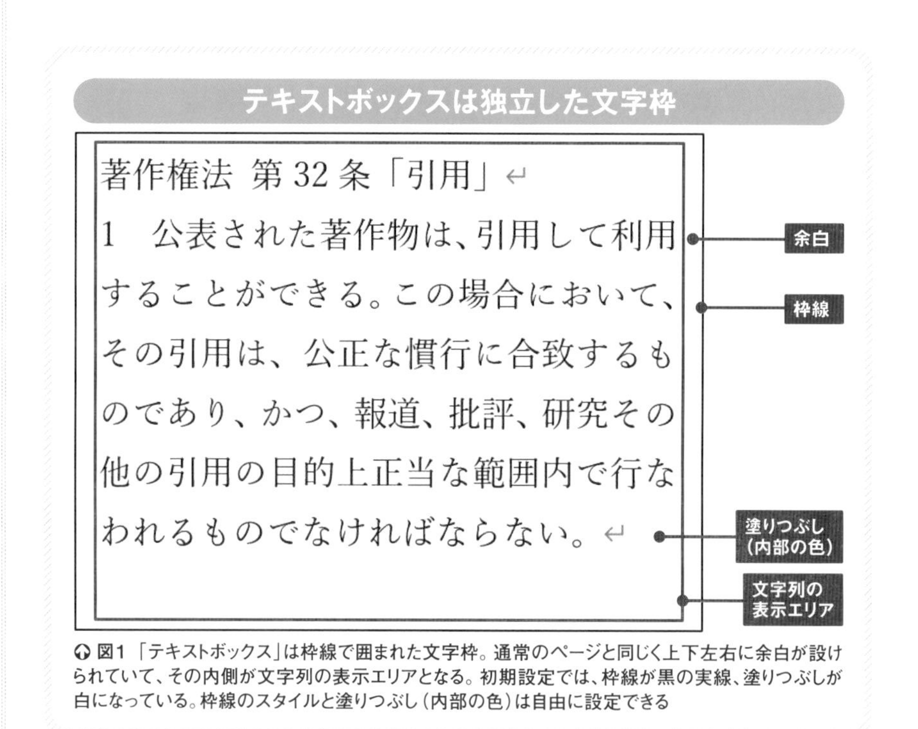

テキストボックスは独立した文字枠
著作権法 第32条「引用」
1 公表された著作物は、引用して利用することができる。この場合において、その引用は、公正な慣行に合致するものであり、かつ、報道、批評、研究その他の引用の目的上正当な範囲内で行なわれるものでなければならない。
余白
枠線
塗りつぶし（内部の色）
文字列の表示エリア

図1 「テキストボックス」は枠線で囲まれた文字枠。通常のページと同じく上下左右に余白が設けられていて、その内側が文字列の表示エリアとなる。初期設定では、枠線が黒の実線、塗りつぶしが白になっている。枠線のスタイルと塗りつぶし（内部の色）は自由に設定できる

テキストボックスを作成する

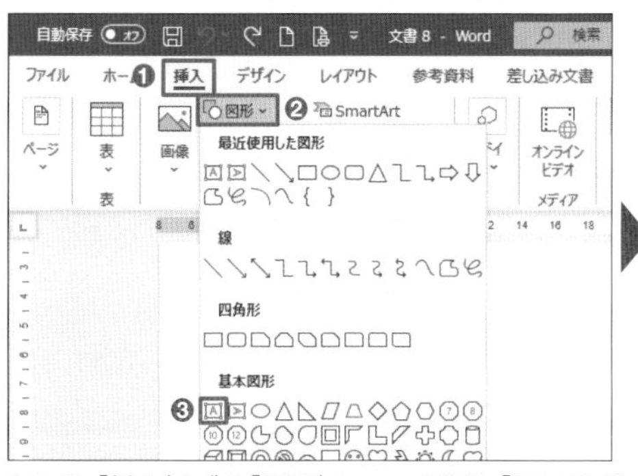

自動保存
文書 8 - Word
検索
ファイル
ホー❶
挿入
デザイン
レイアウト
参考資料
差し込み文書
図形
❷
SmartArt
ページ
表
画像
オンライン ビデオ
メディア
最近使用した図形
線
四角形
基本図形
❸

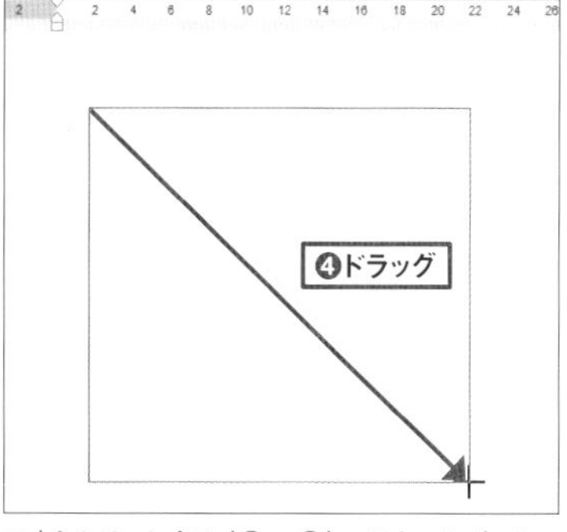

❹ドラッグ

図2 「挿入」タブの「図形」メニューを開き、「テキストボックス」をクリックする（❶～❸）。テキストボックスを作成する位置を斜めにドラッグし、枠の大きさを決める（❹）

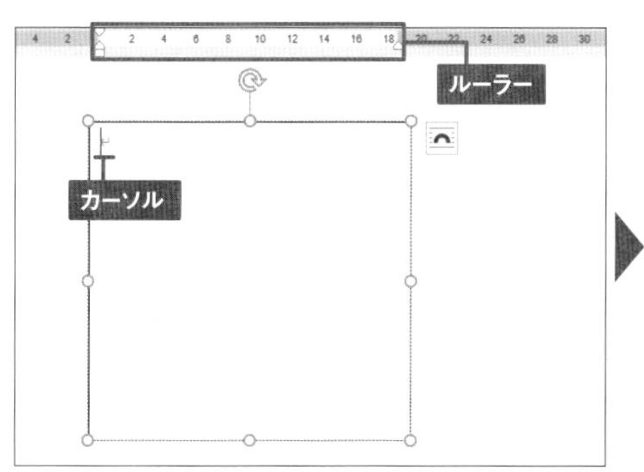

ルーラー
カーソル

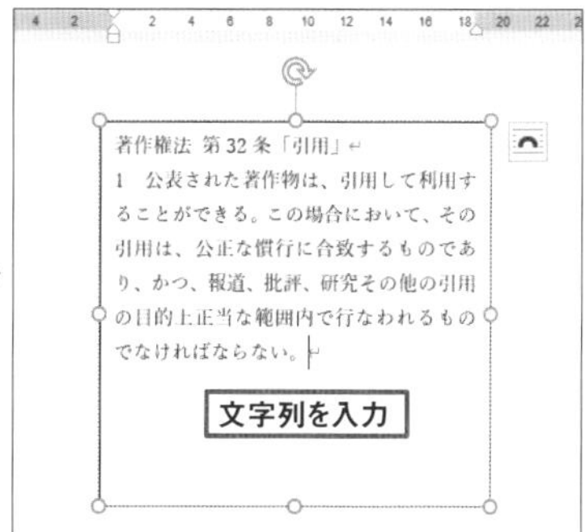

著作権法 第32条「引用」
1 公表された著作物は、引用して利用することができる。この場合において、その引用は、公正な慣行に合致するものであり、かつ、報道、批評、研究その他の引用の目的上正当な範囲内で行なわれるものでなければならない。
文字列を入力

図3 テキストボックスが作成され、枠内にカーソルが表示される。また、ルーラーも枠の幅に合わせた表示になる（左）。カーソル位置から文字列を入力する（右）

文字枠のサイズと位置を調節する

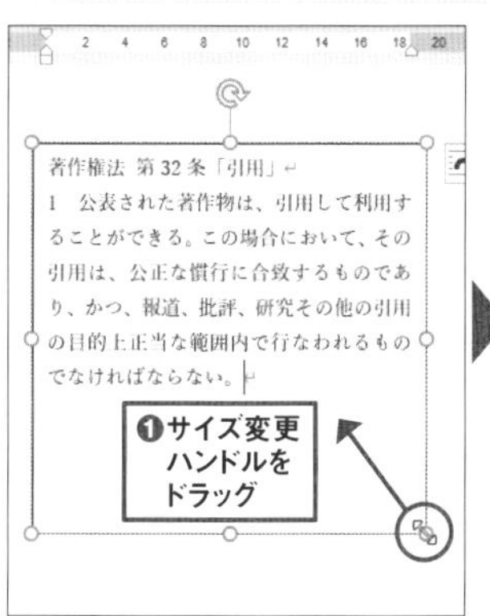

著作権法 第32条「引用」
1 公表された著作物は、引用して利用することができる。この場合において、その引用は、公正な慣行に合致するものであり、かつ、報道、批評、研究その他の引用の目的上正当な範囲内で行なわれるものでなければならない。
❶サイズ変更ハンドルをドラッグ

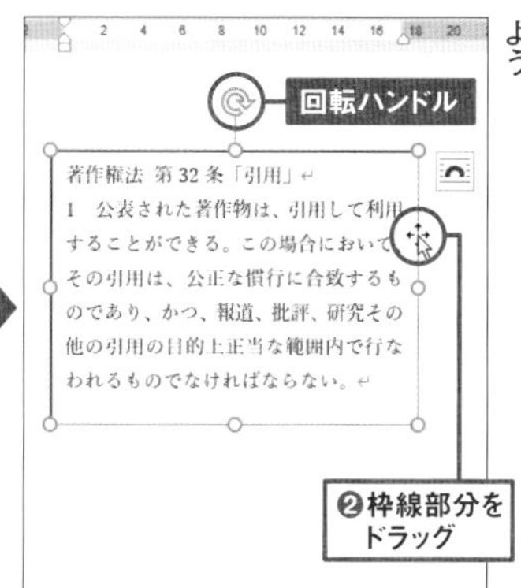

回転ハンドル
著作権法 第32条「引用」
1 公表された著作物は、引用して利用することができる。この場合において、その引用は、公正な慣行に合致するものであり、かつ、報道、批評、研究その他の引用の目的上正当な範囲内で行なわれるものでなければならない。
❷枠線部分をドラッグ

図4 文字枠のサイズは、枠線部分に表示されている「サイズ変更ハンドル」をドラッグして調節する（❶）。位置を変えるときは、枠線部分にポインターを合わせて移動先までドラッグする（❷）。キーボードの矢印キーで細かく動かすこともできる。なお、テキストボックスの角度は「回転ハンドル」のドラッグで変えられる。文字を斜めに表示したいときに利用しよう

内部の色や枠線のスタイル、文字列の方向や配置はメニューで変更

テキストボックスの選択中はリボンに「図形の書式」タブが表示され、メニューやボタンでテキストボックスのスタイルを変更できる（**図5**）。内部の色は「図形の塗りつぶし」メニュー、線のスタイルは「図形の枠線」メニューを開いて指定しよう（**図6、図7**）。横書きや縦書きの文字方向も、枠ごとに指定できる（**図8**）。ラベルの文字列などを、枠の中央に配置する操作も簡単だ（**図9**）。

なお、テキストボックスや図形、画像、スマートアートの図など、ページ内に配置するアイテムは「オブジェクト」と呼ばれ、配置方法など共通する操作も多い。

●「図形の書式」タブでスタイルなどを設定する

↑図5 テキストボックスの選択中は、「図形の書式」タブに色などを変更するコマンドが表示される。「サイズ」の各欄で、枠の高さと幅を数値で指定することも可能だ

● 塗りつぶしの色と枠線のスタイルを設定する

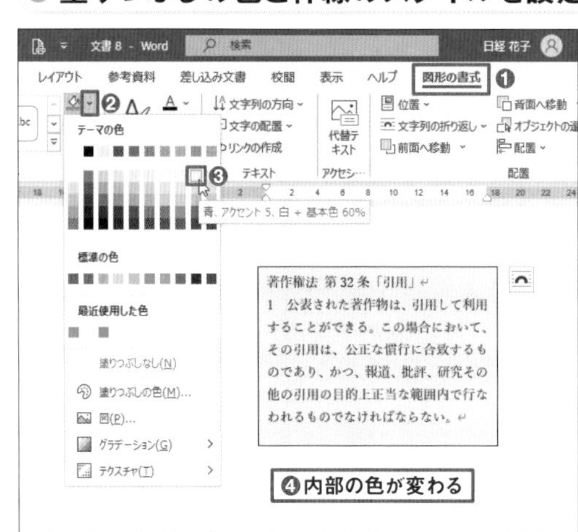

←図6 内部の色は、「図形の書式」タブの「図形の塗りつぶし」メニューから選んで設定する（❶〜❹）。「塗りつぶしなし」を選ぶと、枠内は透明になる

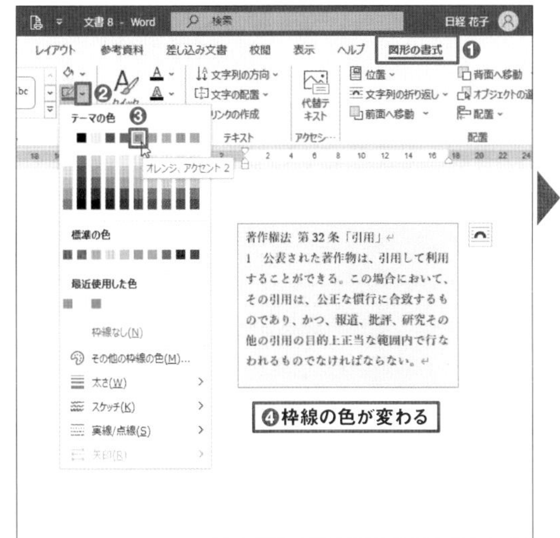

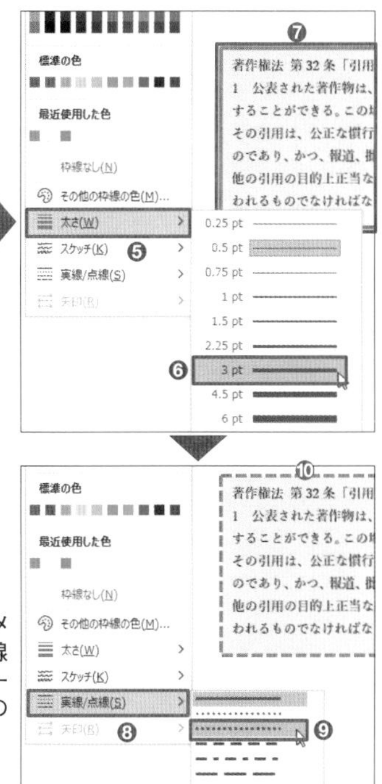

↑↗ 図7 枠線の色は、「図形の書式」タブの「図形の枠線」メニューから選んで設定する（❶～❹）。「枠線なし」を選ぶと、枠線は消去される。太さは「図形の枠線」メニューの「太さ」サブメニューから選んで変更（❺～❼）。線の種類は「図形の枠線」メニューの「実線／点線」サブメニューから選んで変更する（❽～❿）

文字列の方向や配置を変更する

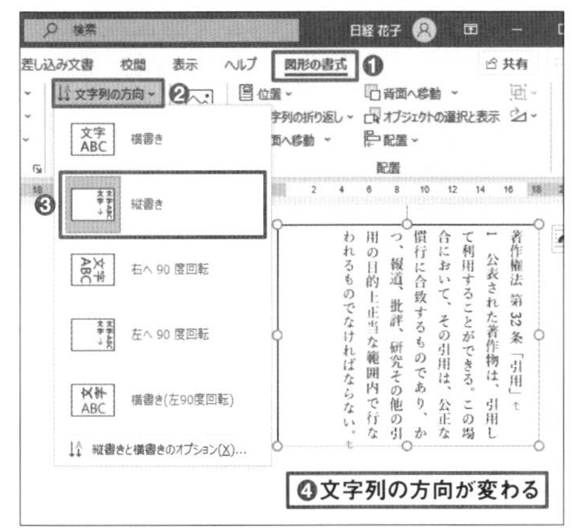

↑ 図8 文字列の方向は、「図形の書式」タブの「文字列の方向」メニューから選んで変更する（❶～❹）。横書きや縦書きだけでなく、「右へ90度回転」など柔軟な設定ができる

↑ 図9 文字列を枠の中央に配置するときは、まず「ホーム」タブの「中央揃え」ボタンで文字列を行の中央に配置する。続けて「図形の書式」タブの「文字の配置」メニューから「上下中央揃え」を選ぶ（❶～❸）。これで文字列が中央に配置される（❹）

Section 01

多様なレイアウトを実現 テキストボックスの使いどころ

テキストボックス

テキストボックスの魅力は、何といってもその自由さにある。枠ごとにサイズや色、文字列の方向などを設定でき、ページ内の好きな場所に置けるので、凝ったレイアウトに役立つ。ほかの要素と組み合わせるのも簡単。例えば、写真に重ねる文字列をテキストボックスで配置すれば、見やすい位置に難なくレイアウトできる（**図1**）。この例では枠線や内部の色を消去して、文字列だけを写真上にスッキリと表示した。

活用方法は、ほかにもいろいろある（**図2**）。文字枠の形には四角形以外も利用できるので、コラムや囲み文字、吹き出しなど用途に合わせたスタイル設定が可能だ。また、縦書きと横書きの文字列を組み合わせたレイアウトや、図解の文字表示にも重宝する。もちろん、写真のキャプション（説明文）のようなシンプルな使い方もできる。

この章では、テキストボックスの代表的な使い方を例にして、文字列をきれいに見せる配置方法や、図形などを組み合わせる際のテクニックなどを紹介していこう。

自由に配置でき、ほかの要素との組み合わせも簡単

写真に文字列を重ねる

図1 写真の上に文字列を重ねる場合も、文字列をテキストボックスで配置すれば簡単だ。写真と文字列とのバランスを調整しながら、レイアウトを決めることができる

テキストボックスの活用例

コラム作り

する際
参考に
ままに
特に、
使って

ら許可
代表が
の許可

れてい
いるだ
作権侵
ために
とが大
別性」
って、正しい引用方法を解説していこう。

著作権法 第 32 条「引用」

1　公表された著作物は、引用して利用することができる。この場合において、その引用は、公正な慣行に合致するものであり、かつ、報道、批評、研究その他の引用の目的上正当な範囲内で行なわれるものでなければならない。

2　国若しくは地方公共団体の機関、独立行政法人又は地方独立行政法人が一般に周知させることを目的として作成し、その著作の名義の下に公表する広報資料、調査統計資料、報告書その他これらに類する著作物は、説明の材料として新聞紙、雑誌その他の刊行物に転載することができる。ただし、これを禁止する旨の表示がある場合は、この限りでない。

横書きと縦書きの混在

Talk Live in Antique Market 2021

骨董を語る

アンティーク・マーケットのトーク・ライブ。今年は、かきつばた堂主人・柳原成彦氏の登壇です。古今東西の美術に通じ、確かな鑑定眼を持つ氏は、豪快かつ暖かなお人柄でも多くのファンを引きつけています。

今回は、柳原氏の考える骨董美学、さらに「骨董市」そのものを楽しむコツ、数ある店から掘り出し物を見つける秘策など、すぐに役立つ知識も伺います。

吹き出し

New

会員種類	月会費
正会員	12,960 円
平日会員	8,640 円
ナイト会員	8,640 円
ホリデー会員	7,560 円
シニア会員	6,480 円

囲み文字

応募締切
2021
6/15
必着

作図内の文字表示

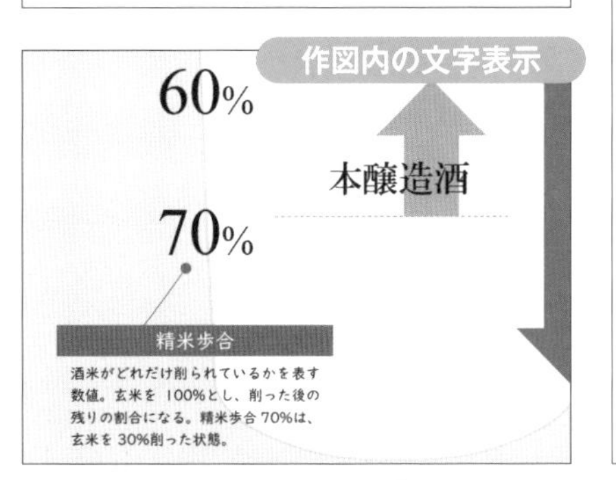

60%
本醸造酒
70%
精米歩合
酒米がどれだけ削られているかを表す数値。玄米を 100%とし、削った後の残りの割合になる。精米歩合 70%は、玄米を 30%削った状態。

写真のキャプション

保護犬ジョン 3 歳

図2 コラム作りから写真のキャプション表示まで、テキストボックスは多様な使い方ができる。枠ごとにサイズ、文字列の方向、位置、角度などを変えられるので、凝ったレイアウトが可能だ

Section 02

テキストボックスの配置は本文との関係を考えて決める

文字列の折り返し

テキストボックスをページ内にどう配置するかは、「文字列の折り返し」メニューで指定する（**図1**）。配置方法には「前面」「四角形」「上下」などがあるので、状況に応じて切り替えよう。「文字列の折り返し」メニューでは、テキストボックスを本文の文字列と一緒に動かすか、または配置場所に固定するか、という移動方法も指定できる。配置と移動の方法は、テキストボックスと周囲の本文との関係を考えて決める。

テキストボックスの配置方法は初期設定で「前面」になっているため、枠は本文に重なって表示される（**図2**）。下に隠れた本文をテキストボックスの周囲に回り込ませる場合は「四角形」に変更しよう（**図3**）。「上下」を選ぶと、本文はテキストボックスの上下に配置される（**図4**）。左右を空白にしたい場合などに指定するとよい。

「文字列の折り返し」メニューで配置方法などを指定

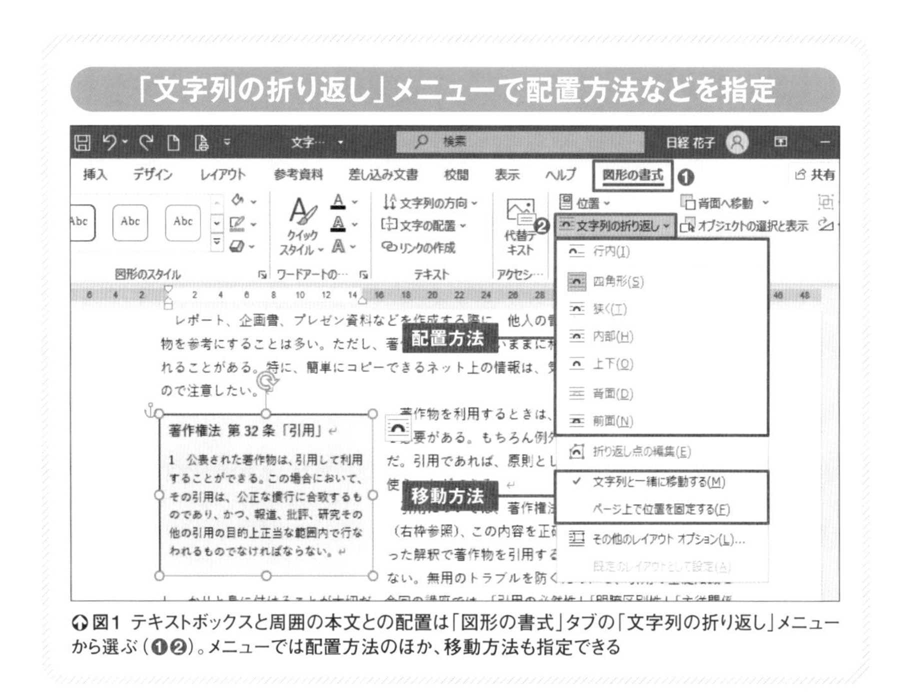

図1 テキストボックスと周囲の本文との配置は「図形の書式」タブの「文字列の折り返し」メニューから選ぶ（❶❷）。メニューでは配置方法のほか、移動方法も指定できる

● テキストボックスの配置方法を選ぶ

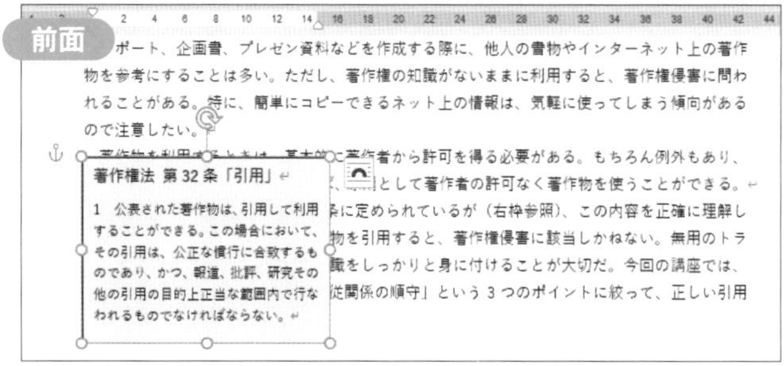
前面
レポート、企画書、プレゼン資料などを作成する際に、他人の書物やインターネット上の著作
物を参考にすることは多い。ただし、著作権の知識がないままに利用すると、著作権侵害に問わ
れることがある。特に、簡単にコピーできるネット上の情報は、気軽に使ってしまう傾向がある
ので注意したい。
に著作者から許可を得る必要がある。もちろん例外もあり、
則として著作者の許可なく著作物を使うことができる。
条に定められているが（右枠参照）、この内容を正確に理解し
物を引用すると、著作権侵害に該当しかねない。無用のトラ
識をしっかりと身に付けることが大切だ。今回の講座では、
従関係の順守」という3つのポイントに絞って、正しい引用
著作権法 第32条「引用」
1 公表された著作物は、引用して利用することができる。この場合において、その引用は、公正な慣行に合致するものであり、かつ、報道、批評、研究その他の引用の目的上正当な範囲内で行なわれるものでなければならない。

図2 ワードの初期設定ではテキストボックスが本文の「前面」に配置され、重なった部分の本文は見えなくなる。テキストボックスを本文のない場所に配置したり、ほかのオブジェクトと組み合わせたりする場合に選択する

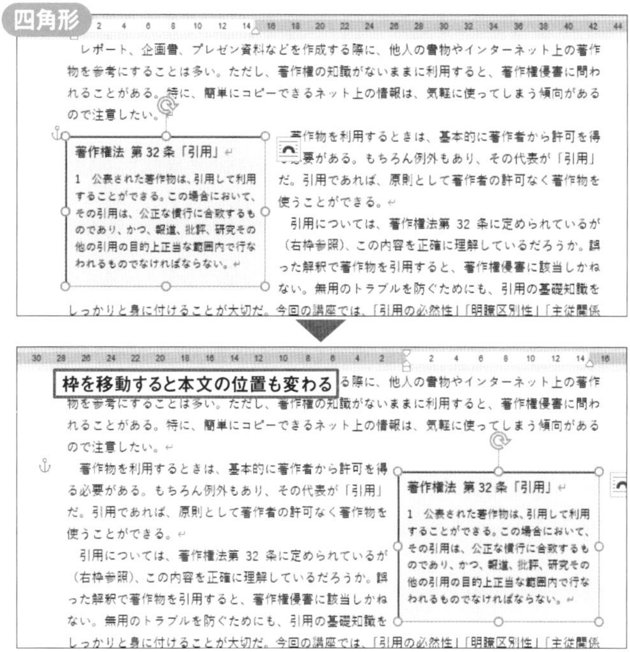
四角形
レポート、企画書、プレゼン資料などを作成する際に、他人の書物やインターネット上の著作
物を参考にすることは多い。ただし、著作権の知識がないままに利用すると、著作権侵害に問わ
れることがある。特に、簡単にコピーできるネット上の情報は、気軽に使ってしまう傾向がある
ので注意したい。
著作物を利用するときは、基本的に著作者から許可を得る必要がある。もちろん例外もあり、その代表が「引用」だ。引用であれば、原則として著作者の許可なく著作物を使うことができる。
引用については、著作権法第32条に定められているが（右枠参照）、この内容を正確に理解しているだろうか。誤った解釈で著作物を引用すると、著作権侵害に該当しかねない。無用のトラブルを防ぐためにも、引用の基礎知識を
しっかりと身に付けることが大切だ。今回の講座では、「引用の必然性」「明瞭区別性」「主従関係
著作権法 第32条「引用」
1 公表された著作物は、引用して利用することができる。この場合において、その引用は、公正な慣行に合致するものであり、かつ、報道、批評、研究その他の引用の目的上正当な範囲内で行なわれるものでなければならない。
枠を移動すると本文の位置も変わる

図3 本文をテキストボックスの周囲に折り返して配置する場合は「四角形」を選ぶ（上）。本文の位置は、テキストボックスの位置に応じて変化する（下）。行の中央付近に移動すると、本文が左右に分かれて表示される場合がある

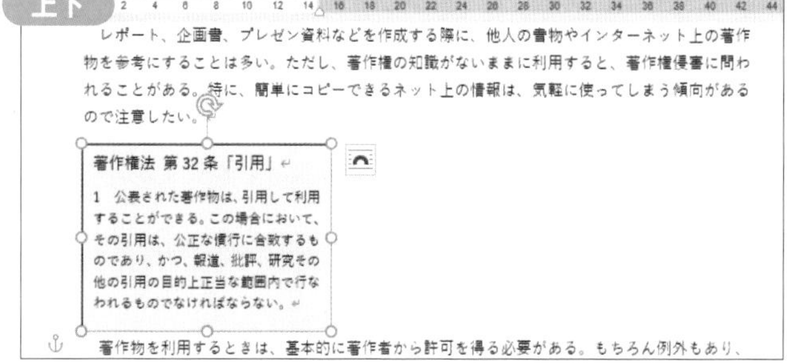
上下
レポート、企画書、プレゼン資料などを作成する際に、他人の書物やインターネット上の著作
物を参考にすることは多い。ただし、著作権の知識がないままに利用すると、著作権侵害に問わ
れることがある。特に、簡単にコピーできるネット上の情報は、気軽に使ってしまう傾向がある
ので注意したい。
著作権法 第32条「引用」
1 公表された著作物は、引用して利用することができる。この場合において、その引用は、公正な慣行に合致するものであり、かつ、報道、批評、研究その他の引用の目的上正当な範囲内で行なわれるものでなければならない。
著作物を利用するときは、基本的に著作者から許可を得る必要がある。もちろん例外もあり、

図4 本文をテキストボックスの上下に配置する場合は「上下」を選ぶ。テキストボックスを目立たせたり、左右にほかのオブジェクトを配置したりする場合に適している

ズレない配置方法をマスターしよう

テキストボックスは特定の段落に「アンカー」で連結されていて、その段落と一緒に移動する仕組みになっている（**図5**）。配置場所に固定したい場合は、「文字列の折り返し」メニューから「ページ上で位置を固定する」を選ぼう。これでテキストボックスが配置場所からずれる心配はなくなる（**図6**）。ただし、連結先の段落が別のページに移動すると、テキストボックスもそのページに移動する。また、段落を削除するとテキストボックスも削除される。なお、連結先の段落を変えることもできる。「アンカー」を連結したい段落にドラッグで移動すればよい。

テキストボックスの配置には、「位置」メニューのコマンドも利用できる（**図7**）。コラムなどをページ内の決まった位置に配置するのに便利だ。

● テキストボックスの移動方法を選ぶ

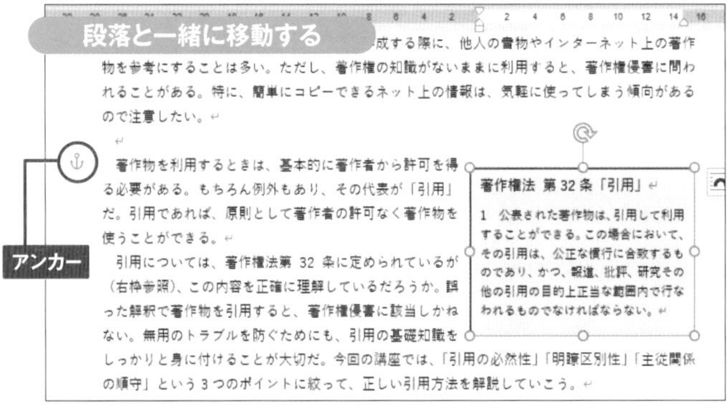

段落と一緒に移動する

成する際に、他人の書物やインターネット上の著作物を参考にすることは多い。ただし、著作権の知識がないままに利用すると、著作権侵害に問われることがある。特に、簡単にコピーできるネット上の情報は、気軽に使ってしまう傾向があるので注意したい。

著作物を利用するときは、基本的に著作者から許可を得る必要がある。もちろん例外もあり、その代表が「引用」だ。引用であれば、原則として著作者の許可なく著作物を使うことができる。

引用については、著作権法第 32 条に定められているが（右枠参照）、この内容を正確に理解しているだろうか。誤った解釈で著作物を引用すると、著作権侵害に該当しかねない。無用のトラブルを防ぐためにも、引用の基礎知識をしっかりと身に付けることが大切だ。今回の講座では、「引用の必然性」「明瞭区別性」「主従関係の順守」という 3 つのポイントに絞って、正しい引用方法を解説していこう。

著作権法 第 32 条「引用」

1 公表された著作物は、引用して利用することができる。この場合において、その引用は、公正な慣行に合致するものであり、かつ、報道、批評、研究その他の引用の目的上正当な範囲内で行なわれるものでなければならない。

アンカー

図5 テキストボックスは特定の段落につながっていて、その段落と一緒に移動する。連結先の段落には「アンカー」と呼ばれる記号が表示される

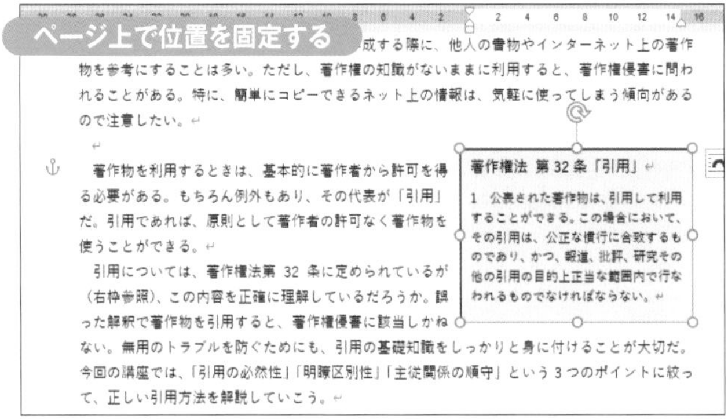

ページ上で位置を固定する

成する際に、他人の書物やインターネット上の著作物を参考にすることは多い。ただし、著作権の知識がないままに利用すると、著作権侵害に問われることがある。特に、簡単にコピーできるネット上の情報は、気軽に使ってしまう傾向があるので注意したい。

著作物を利用するときは、基本的に著作者から許可を得る必要がある。もちろん例外もあり、その代表が「引用」だ。引用であれば、原則として著作者の許可なく著作物を使うことができる。

引用については、著作権法第 32 条に定められているが（右枠参照）、この内容を正確に理解しているだろうか。誤った解釈で著作物を引用すると、著作権侵害に該当しかねない。無用のトラブルを防ぐためにも、引用の基礎知識をしっかりと身に付けることが大切だ。今回の講座では、「引用の必然性」「明瞭区別性」「主従関係の順守」という 3 つのポイントに絞って、正しい引用方法を解説していこう。

著作権法 第 32 条「引用」

1 公表された著作物は、引用して利用することができる。この場合において、その引用は、公正な慣行に合致するものであり、かつ、報道、批評、研究その他の引用の目的上正当な範囲内で行なわれるものでなければならない。

図6 テキストボックスを配置場所から動かしたくない場合は、「文字列の折り返し」メニューから「ページ上で位置を固定する」を選ぶ（116ページ図1参照）。これで連結先の段落が移動しても、テキストボックスは動かない。ただし、ドラッグで移動することはできる

ページの端や中央にきっちり配置する

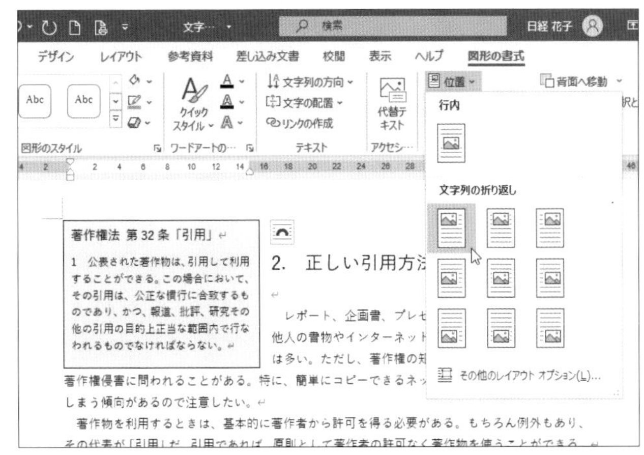

図7 「図形の書式」タブの「位置」メニューには、テキストボックスをページの端や中央に配置するコマンドがある。この例では「左上に配置し、四角の枠に沿って文字列を折り返す」を選んで、テキストボックスをページの左上に自動配置した。なお、配置方法は「四角形」になるが、配置後に変更しても構わない

補足説明 イラストなどを本文の背景に使うときは「背面」を選ぶ

テキストボックス以外のオブジェクトも、同様に「文字列の折り返し」メニューから配置方法や移動方法を指定する。イラストなどの画像は、本文の背景として使うこともあるだろう。その場合は、「文字列の折り返し」メニューから「背面」を選ぶ。これでオブジェクトが本文の背面に配置される（**図8**）。

なお、背面に配置されたオブジェクトはクリックで選べないことがある。その場合は「選択」作業ウインドウを表示して選択しよう（→159ページ）。

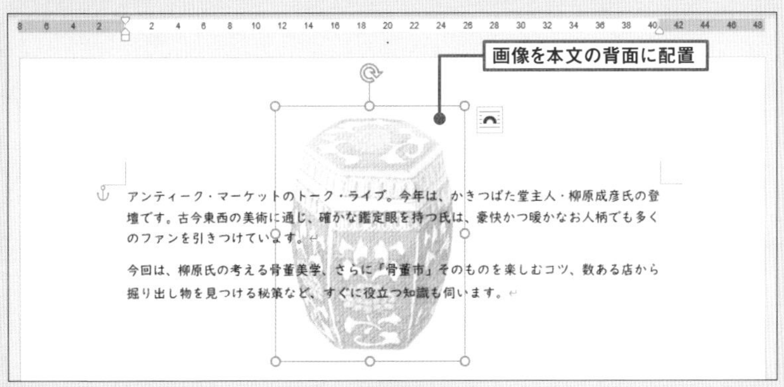

図8 「文字列の折り返し」メニューから「背面」を選ぶと、オブジェクトは本文の背面に配置される。イラストなどを背景として使う場合などに利用しよう

適度な空きで読みやすく枠線と文字列の密着を防ぐ

テキストボックスの余白／文字列との間隔

コラムのように、まとまった文章をテキストボックスで配置するときは、文字列と枠線の間に適度な空きを作ろう。ワードの初期設定では、枠内と枠外の文字列が枠線と密着しがちで、どうしても窮屈な感じになる（**図1左**）。これを解消するには、枠内の余白を広めに取り、さらに本文とテキストボックスの間隔を空ければよい（**図1右**）。

枠内と枠外の間隔は別々に指定

枠内の余白は、「図形の書式設定」作業ウインドウの「レイアウトとプロパティ」パネルで変更する（**図2**）。余白の初期設定は、左右が「2.54mm」、上下が「1.27mm」と

枠線と文字列の間隔を空ける

✕ 文字列と枠線が密着している

著作権法 第32条「引用」

1　公表された著作物は、引用して利用することができる。この場合において、その引用は、公正な慣行に合致するものであり、かつ、報道、批評、研究その他の引用の目的上正当な範囲内で行なわれるものでなければならない。

2　国若しくは地方公共団体の機関、独立行政法人又は地方独立行政法人が一般に周知させることを目的として作成し、その著作の名義の下に公表する広報資料、調査統計資料、報告書その他これらに類する著作物は、説明の材料として新聞紙、雑誌その他の刊行物に転載することができる。ただし、これを禁止する旨の表示がある場合は、この限りでない。

だ。今回の講座では、「引用の必然性」「明瞭区別性」
絞って、正しい引用方法を解説していこう。

○ 適度な間隔を設ける

著作権法 第32条「引用」

1　公表された著作物は、引用して利用することができる。この場合において、その引用は、公正な慣行に合致するものであり、かつ、報道、批評、研究その他の引用の目的上正当な範囲内で行なわれるものでなければならない。

2　国若しくは地方公共団体の機関、独立行政法人又は地方独立行政法人が一般に周知させることを目的として作成し、その著作の名義の下に公表する広報資料、調査統計資料、報告書その他これらに類する著作物は、説明の材料として新聞紙、雑誌その他の刊行物に転載することができる。ただし、これを禁止する旨の表示がある場合は、この限りでない。

瞭区別性」「主従関係の順守」という3つのポイント

本文との間隔　枠内の余白

図1　初期設定のテキストボックスは文字列と密着しているため（左）、読みやすいデザインに変更しよう（右）。枠内と枠外に適度な空間を設けて、枠と文字列をバランス良く配置する

狭いので、ここではすべて「4mm」にした（**図3**）。「テキストに合わせて図形のサイズを調整する」はオンにしておこう。枠のサイズが自動調整されるので、余白を広げても中の文字列が枠からはみ出す心配がなくなる。

これで枠線と枠内の文字列の間隔が広がり、枠内の文字列が読みやすくなる。なお、左右の空きはインデント（→71ページ）、上下の空きは段落の間隔（→69ページ）で設定する手もある。

● 枠内の余白を調節する

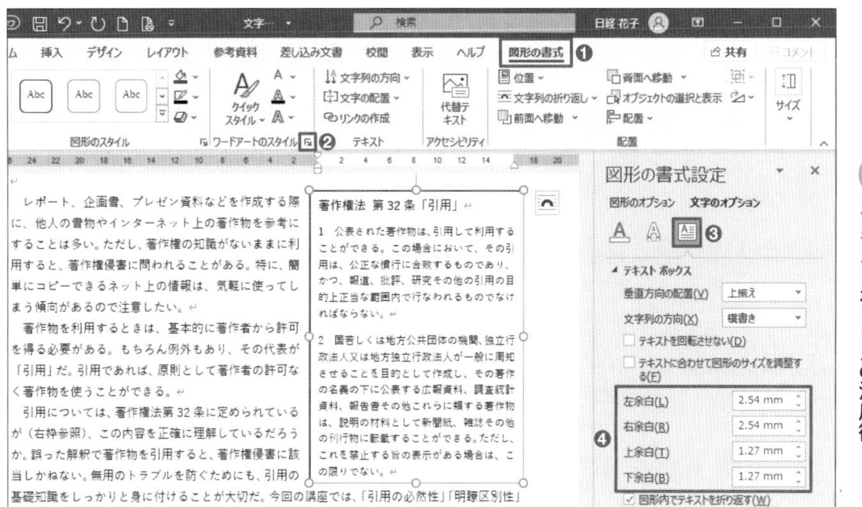

🡅 **図2 「図形の書式」タブの「ワードアートのスタイル」ボタンをクリック（❶❷）。画面右に「図形の書式設定」作業ウインドウが表示されるので、「レイアウトとプロパティ」パネルを開く（❸）。「余白」の値は、初期設定で左右が「2.54mm」、上下が「1.27mm」になっている（❹）**

🡆 **図3 「テキストに合わせて図形のサイズを調整する」をオンにして、余白の値を指定する（❶❷）。ここでは上下左右を「4mm」にした。これで枠内の上下左右に4ミリの空きができる（❸）。枠のサイズは自動調整されるので、中の文字列が枠からはみ出す心配はない**

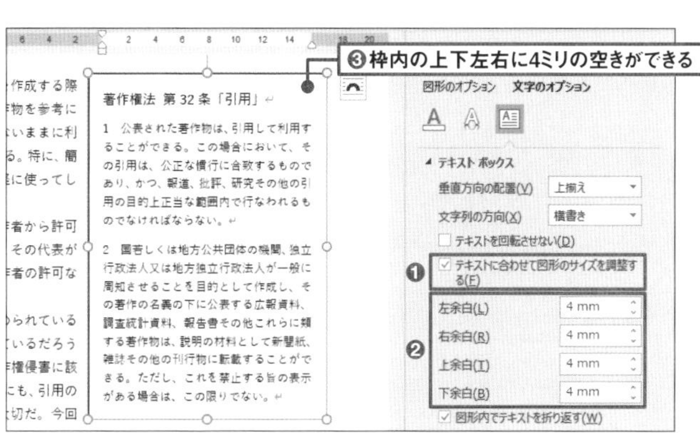

テキストボックスと外側の文字列の間隔は、「レイアウト」ダイアログボックスの「文字列の折り返し」タブで指定する（**図4**）。初期設定では上下が「0mm」、左右が「3.2mm」になっているので、状況に応じて変更しよう。この例では、テキストボックスと左側の本文との間を空けたいので、左の間隔を「6mm」にした（**図5**）。

なお、テキストボックスと上下の本文との間隔は、枠の位置によって広がったり狭まったりする。間隔の数値を変更しても、思い通りの空きにならないこともある。その場合は、テキストボックスの位置を上下に動かすか、枠の高さを調節してみよう。

● テキストボックスと本文の間隔を調節する

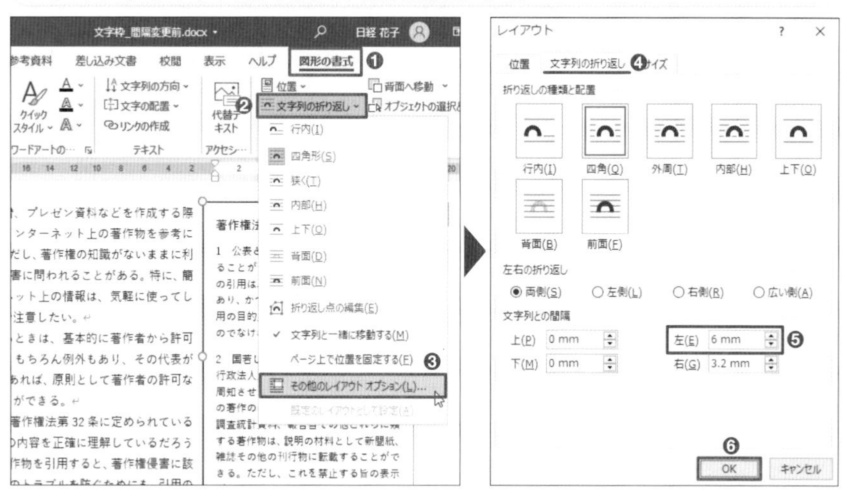

図4 「図形の書式」タブの「文字列の折り返し」メニューから「その他のレイアウトオプション」を選択する（❶～❸）。表示される画面の「文字列の折り返し」タブにある「文字列との間隔」を指定する（❹❺）。ここでは「左」を「3.2mm」から「6mm」に変更した。「OK」ボタンをクリックする（❻）

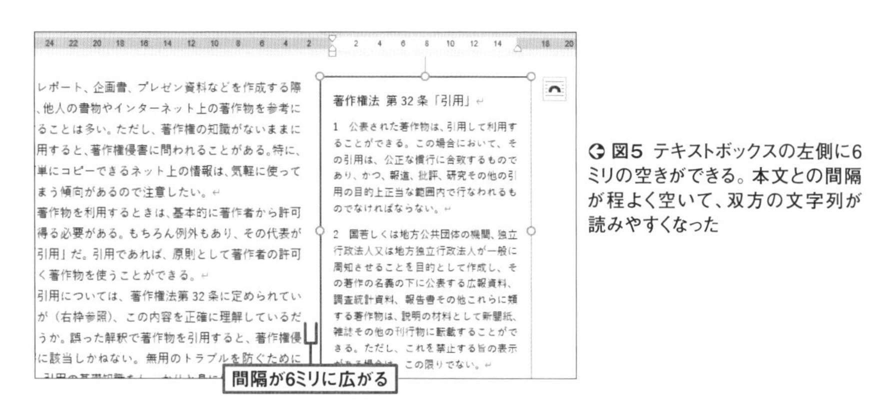

図5 テキストボックスの左側に6ミリの空きができる。本文との間隔が程よく空いて、双方の文字列が読みやすくなった

ただの四角形じゃつまらない 文字枠を自在にデザインする

図形の変更

黒い枠線だけのシンプルなテキストボックスは、正直パッとしない。枠の形や色を工夫して、読み手の興味を引くデザインにしよう（**図1**）。作例のテキストボックスは、ビジネス講座の資料内に作成したコラムで、枠内には著作権法の第32条を表示している。やや固い内容なので、できるだけソフトなデザインにして、受講者が気軽に読めるようにしたい。そこで四角形の枠をメモ型の図形に変え、内部の色を薄い青にして枠線を消去した。このように、内部に色を付けて枠線を消すと、コラムは洗練されたデザインになる。例ではさらに、クリップ型のアイコンを上部に添えて、メモが資料にピン留めされているイメージを演出した。

デザインを工夫して目を引くコラムにする

レポート、企画書、プレゼン資料などを作成する際に、他人の書物やインターネット上の著作物を参考にすることは多い。ただし、著作権の知識がないままに利用すると、著作権侵害に問われることがある。特に、簡単にコピーできるネット上の情報は、気軽に使ってしまう傾向があるので注意したい。

著作物を利用するときは、基本的に著作者から許可を得る必要がある。もちろん例外もあり、その代表が「引用」だ。引用であれば、原則として著作者の許可なく著作物を使うことができる。

引用については、著作権法第32条に定められているが（右枠参照）、この内容を正確に理解しているだろうか。誤った解釈で著作物を引用すると、著作権侵害に該当しかねない。無用のトラブルを防ぐためにも、引用の基礎知識を[illegible]が大切だ。今回の講座では、[illegible]別性」「主従関係の順守」という3つのポイントに絞って、正しい引用方法を解説していこう。

著作権法 第32条「引用」

1 公表された著作物は、引用して利用することができる。この場合において、その引用は、公正な慣行に合致するものであり、かつ、報道、批評、研究その他の引用の目的上正当な範囲内で行なわれるものでなければならない。

2 国若しくは地方公共団体の機関、独立行政法人又は地方独立行政法人が一般に周知させることを目的として作成し、その著作の名義の下に公表する広報資料、調査統計資料、報告書その他これらに類する著作物は、説明の材料として新聞紙、雑誌その他の刊行物に転載することができる。ただし、これを禁止する旨の表示がある場合は、この限りでない。

メモ型の図形に変更

図1 テキストボックスは、いろいろなスタイル設定で自在にデザインできる。作例では、四角形の枠をメモ型の図形に変え、塗りつぶしの色を設定したり、アイコンを加えたりしながら、洗練されたコラムに仕上げた

図形を変えたときは表示エリアに注意

テキストボックスの形は、ワードのさまざまな図形に変更できる。メニューに表示される中から、使いたい形を選ぼう（**図2上**）。なお、図形の種類にかかわらず、文字列の表示エリアは四角形となる。メモ型でも、下部の折り返し部分には文字列を表示で

● テキストボックスの図形を変更する

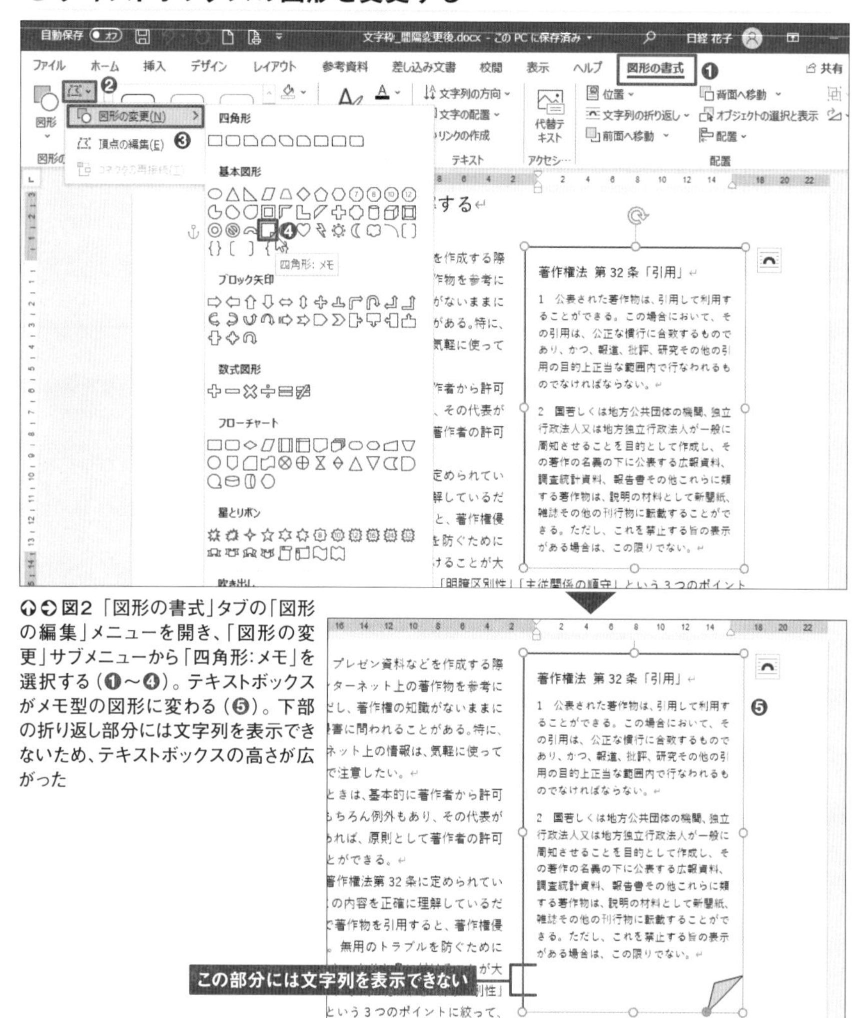

↑→図2 「図形の書式」タブの「図形の編集」メニューを開き、「図形の変更」サブメニューから「四角形:メモ」を選択する（❶〜❹）。テキストボックスがメモ型の図形に変わる（❺）。下部の折り返し部分には文字列を表示できないため、テキストボックスの高さが広がった

きず、下側が大きく空いてしまった（**図2下**）。図形によっては、表示エリアがかなり狭くなるので注意しよう（**図3**）。

文字列の表示エリアを広げたいときは、枠内の余白を狭めたり、図形の形を調整したりする。コラムの例では、下の余白を0ミリにして、メモの折り返し部分を小さくした（**図4**）。テキストボックスの高さを自動調整したいときは、「テキストに合わせて図形のサイズを調整する」をオンにしよう。

このように、文字列の表示エリアは多少広げられるが限界もある。図形の端まで文字列を表示したい場合は、図形を別に描き、その上に透明のテキストボックスを重ねる手もある。円の囲み文字を作る場合は、この方法がお勧めだ（→130ページ）。

●図形によって文字列の表示エリアが異なる

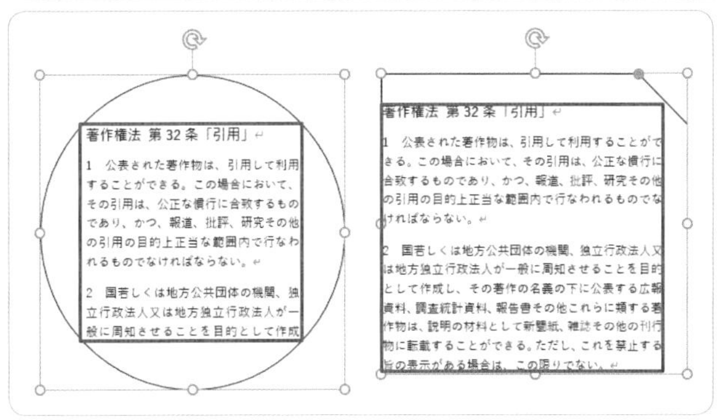

図3 図形の種類によって文字列の表示エリアは異なるので、図形を選ぶときは気を付けよう。円では表示エリアがかなり狭くなる

●文字列の表示エリアを広げる

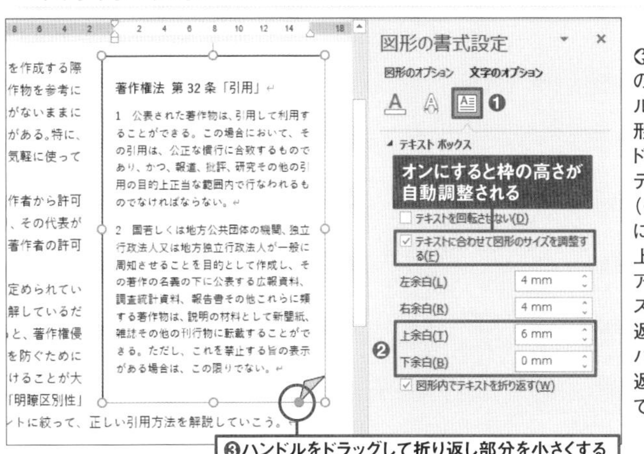

図4「図形の書式」タブの「ワードアートのスタイル」ボタンをクリックして「図形の書式設定」作業ウインドウの「レイアウトとプロパティ」を表示し、パネルを開く（❶）。下の余白を「0mm」にして表示エリアを広げ、上の余白を「6mm」にしてアイコンを表示するスペースを作る（❷）。メモの折り返し部分にあるオレンジのハンドルをドラッグして折り返しを小さくする（❸）。これで表示エリアが少し広がる

色を調整してアイコンを加えればカンペキ

図形が決まったら、内部の色や枠線のスタイルを設定する。コラムの場合は内部を薄い色にして、文字列を読みやすくしよう（**図5**）。カラーパレットの最も薄い青でも背景色としてはやや濃いので、ここでは「色の設定」ダイアログボックスを開いて色を調整した（**図6**）。折り返し部分をきれいな色にするため、明るさではなく「透過性」で色を薄くしている。このように、図形の特性に合わせてスタイルを設定しよう。

● テキストボックスの色を変更してアイコンを重ねる

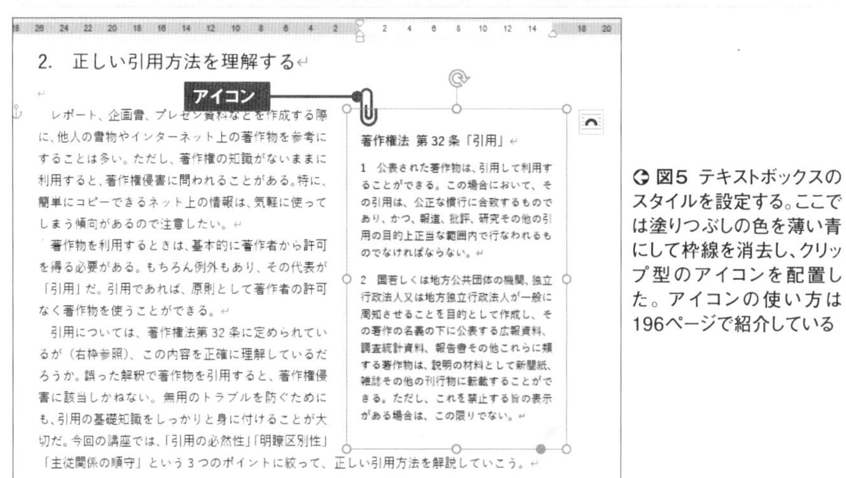

図5 テキストボックスのスタイルを設定する。ここでは塗りつぶしの色を薄い青にして枠線を消去し、クリップ型のアイコンを配置した。アイコンの使い方は196ページで紹介している

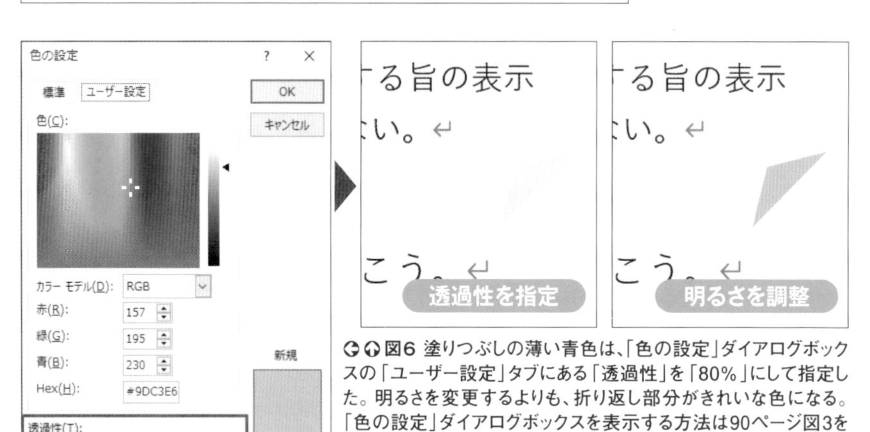

図6 塗りつぶしの薄い青色は、「色の設定」ダイアログボックスの「ユーザー設定」タブにある「透過性」を「80%」にして指定した。明るさを変更するよりも、折り返し部分がきれいな色になる。「色の設定」ダイアログボックスを表示する方法は90ページ図3を参照

補足説明 図形を描いて文字列を入力する

ワードでは、図形にも直接文字列を入力することができる。最初から文字枠として使う図形が決まっている場合は、図形を描いて利用するとよいだろう（**図7、図8**）。ただし、テキストボックスと図形とでは、初期設定の書式が異なる。図形は内部が青で塗りつぶされた状態で表示され、文字列は自動的に白になって枠の中央に表示される。見出しやラベルなど、短い文字列を表示するのには便利だ。もちろん、図形の色や文字列の配置場所は変更できるが、表示スタイルに近いほうを選べば変更の手間が省ける。

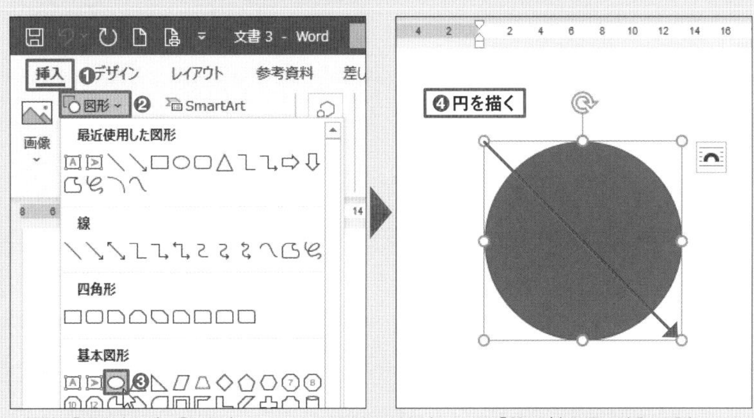

図7 「挿入」タブの「図形」メニューから図形の種類（ここでは「楕円」）を選ぶ（❶～❸）。ドラッグで図形を描く（❹）

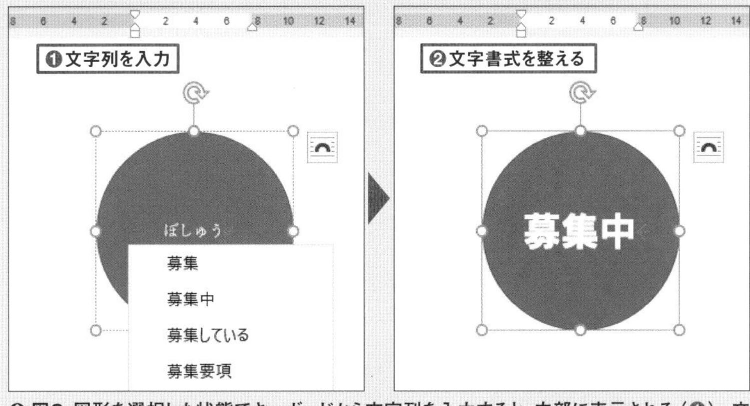

図8 図形を選択した状態でキーボードから文字列を入力すると、内部に表示される（❶）。文字列は白色で枠の中央に表示されるので、必要に応じて文字や段落の書式を整える（❷）

自由度ナンバーワン！透明のテキストボックスを使う

図形の塗りつぶし／図形の枠線

テキストボックスの中でも、特に便利なのが透明の文字枠だ。枠線も内部の塗りつぶしも消去したテキストボックスなので、図形や画像などに重ねても下のオブジェクトが隠れない。また、円のように文字列の表示エリアが狭い図形でも、文字列を図形の端まで表示できる（**図1**）。

設定も簡単（**図2**）。「図形の書式」タブの「図形の塗りつぶし」メニューから「塗りつぶしなし」を選ぶと、内部が透明になる。続けて「図形の枠線」メニューから「枠線なし」を選ぶと、枠線が消去される。

テキストボックスを透明にすると枠の存在が消え、文字列だけをすっきりとレイアウトできる（**図3、図4**）。ページの余白部分に文字列を表示したり、ほかの要素を配置するのに使ったりと、その柔軟性は最強だ。例えば、透明のテキストボックス内に表を作成すると、表をページ内の好きな場所に配置できる（**図5**）。表のタイトルや注釈などを同じテキストボックス内に入力しておけば、レイアウトはさらに楽になる。

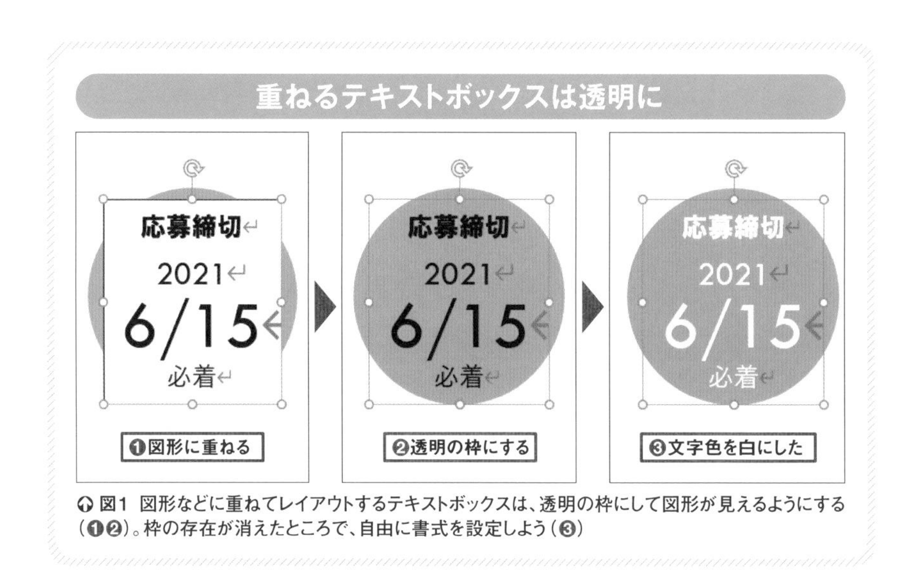

図1 図形などに重ねてレイアウトするテキストボックスは、透明の枠にして図形が見えるようにする（❶❷）。枠の存在が消えたところで、自由に書式を設定しよう（❸）

● 塗りつぶしと枠線を消して透明にする

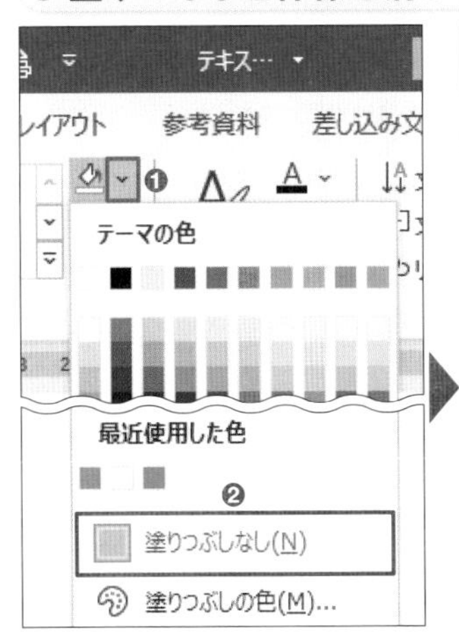

図2 テキストボックスを透明にするには、「図形の書式」タブで「図形の塗りつぶし」メニューから「塗りつぶしなし」を選び(❶❷)、続けて「図形の枠線」メニューから「枠線なし」を選ぶ(❸❹)

● 透明のテキストボックスを利用したレイアウト

図3 透明のテキストボックスを3つ配置して、チラシの文字列をレイアウトした例(❶〜❸)。枠線を消しているので、すっきりとしたレイアウトになる

図4 こちらも透明のテキストボックスを3つ配置した例。はがき内の文字列をブロックごとに作成して、レイアウトした。写真や背景色に重ねた部分もきれいに表示されている

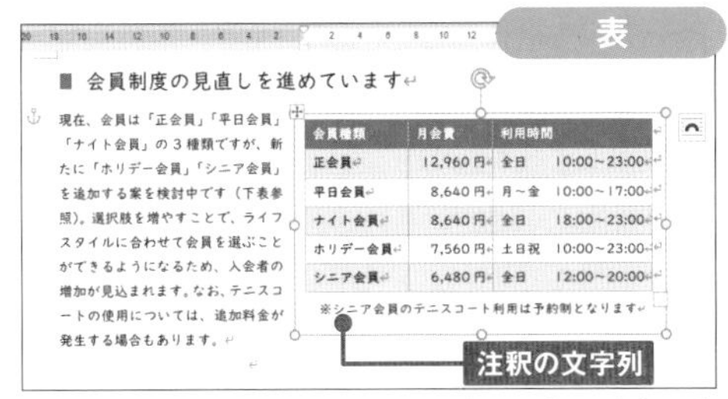

会員種類	月会費	利用時間	
正会員	12,960 円	全日	10:00～23:00
平日会員	8,640 円	月～金	10:00～17:00
ナイト会員	8,640 円	全日	18:00～23:00
ホリデー会員	7,560 円	土日祝	10:00～23:00
シニア会員	6,480 円	全日	12:00～20:00

図5 透明のテキストボックス内に表を作成し、注釈の文字列を入力した例。表はテキストボックスのドラッグで好きな場所に配置でき、本文との間隔なども調整しやすい

囲み文字や作図に必須 図形と文字枠の重ねワザ

図形の配置／グループ化

文書内で特に目立たせたい文字列は、本文から切り離して囲み文字にするのが効果的だ。囲み文字は1つの図形でも作成できるが、テキストボックスと図形を組み合わせるとデザインの幅が広がる。文字列を別枠にすることで、位置の調節もしやすい。ここでは、「楕円」「弦」「テキストボックス」の3つのオブジェクトを重ねて、2色の囲み文字を作ってみよう（**図1**）。

複数のオブジェクトを組み合わせるときは、オブジェクトのサイズや位置を揃えたり、グループ化して1つにまとめたりする操作が欠かせない。作図をする際にも役立つテクニックなので、しっかり覚えよう。

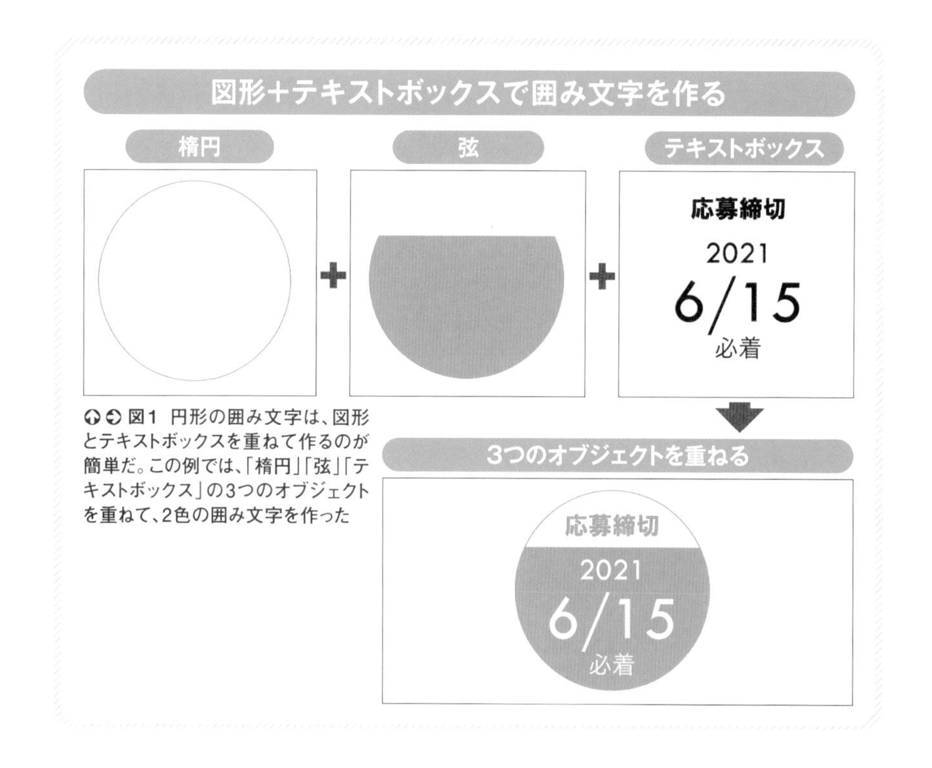

図1 円形の囲み文字は、図形とテキストボックスを重ねて作るのが簡単だ。この例では、「楕円」「弦」「テキストボックス」の3つのオブジェクトを重ねて、2色の囲み文字を作った

図形のサイズを数値で揃える

まず、囲み文字の土台となる円を作成し、色やサイズを設定する（**図2**）。図形はテキストボックスと同じ要領で操作できる。サイズは「図形の書式」タブの「サイズ」で正確に指定しよう。設定後に半端な数値になっても気にしなくてよい。続いて、弦の図形を描き、色やサイズを設定する（**図3**）。弦は円とぴったり重ねたいので、サイズを円と同じにする。このように、図形のサイズを揃えるのが第一のテクニックだ。

● 囲み文字の土台になる図形を描く

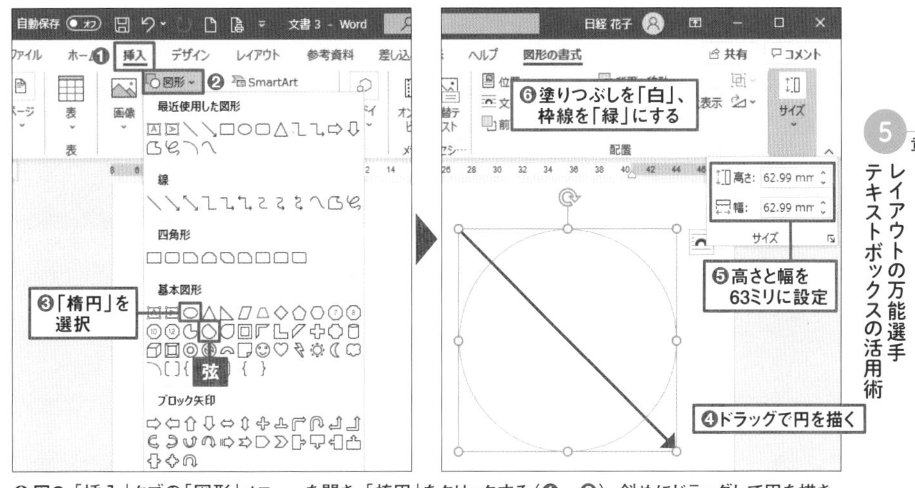

図2 「挿入」タブの「図形」メニューを開き、「楕円」をクリックする（❶～❸）。斜めにドラッグして円を描き、高さと幅を63ミリに設定し、塗りつぶしと枠線の色を指定する（❹～❻）

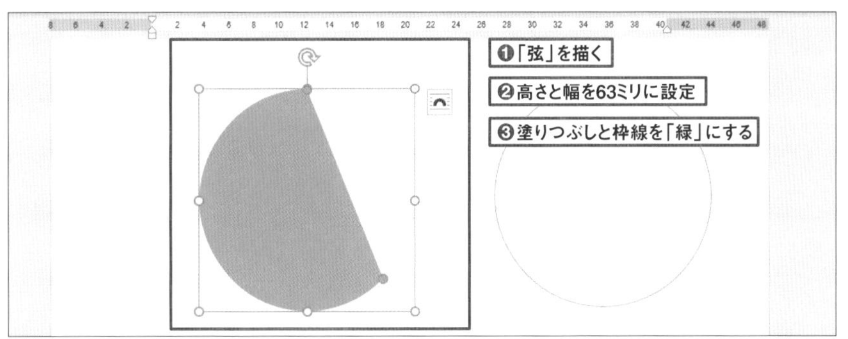

図3 「挿入」タブの「図形」メニューから「弦」を選び、ドラッグで弦を描く（❶）。高さと幅を63ミリに設定し、塗りつぶしと枠線の色を指定する（❷❸）

弦の図形には、サイズ変更ハンドルや回転ハンドルのほか、オレンジ色のハンドルが表示される。これは形状を調節するハンドルで、図形によって表示数は異なる。弦の場合は両端に1つずつ表示され、左右の位置を調節できるようになっている。作例ではハンドルを順番にドラッグして、弦を水平に整えた（**図4**）。これで、土台となる2つの図形が用意できた。

図形の形状を変更する

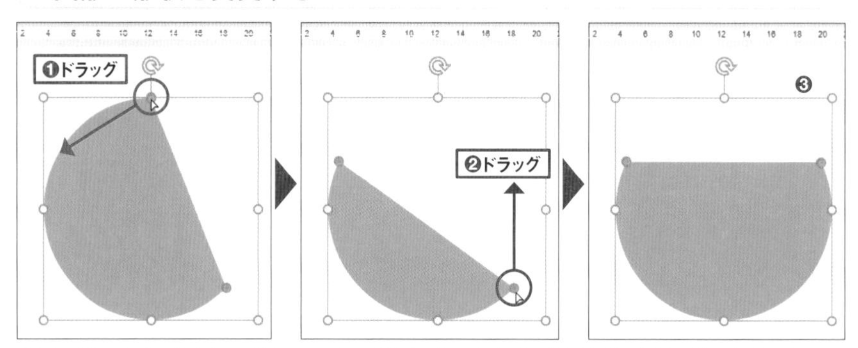

図4　弦の左端にあるオレンジ色のハンドルをドラッグして、左端の位置を変更（❶）。弦の右端にあるオレンジ色のハンドルをドラッグして、右端の位置を変更する（❷）。ここでは弦が水平になるように、位置を調節した（❸）

複数の図形を配置機能で揃える

弦のスタイルが決まったら、円と重ねよう。図形はドラッグで移動できるが、複数の図形は、配置機能で揃えると楽だ。弦と円を同時に選択して、「図形の書式」タブの「配置」メニューを開き、揃える位置を選ぶ。ここではまず「左右中央揃え」を選んだ（**図5上**）。これで2つの図形は、左右の中央できれいに揃う。

文書内のオブジェクトは、同時に選択して操作できる。1つめはクリックで選択し、2つめ以降は「Shift」キー+クリックで選択する。なお、選択中の図形を「Shift」キー+クリックすると、その図形だけ選択が解除される。

2つの図形を選択したまま、続けて「配置」メニューから「上下中央揃え」を選ぶ（**図5左下**）。これで2つの図形は上下の中央でも揃い、ぴったり重なる（**図5右下**）。このように、図形の位置を配置機能で揃えるのが第二のテクニックだ。

「配置」メニューには「上揃え」などのコマンドも用意されているので、揃える位置に応じて選択しよう。オブジェクトを等間隔で並べることもできる（→153ページ）。

●複数の図形を「配置」機能でぴったり重ねる

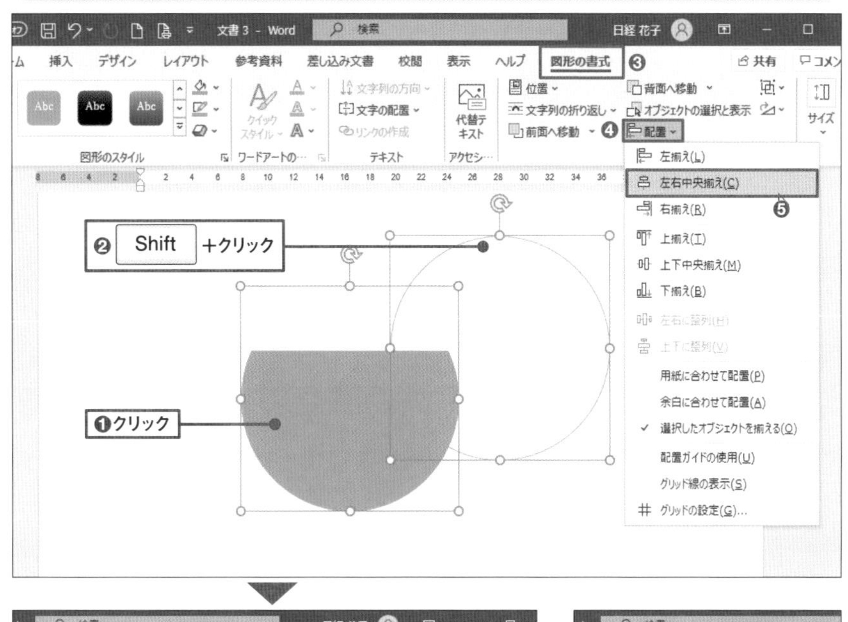

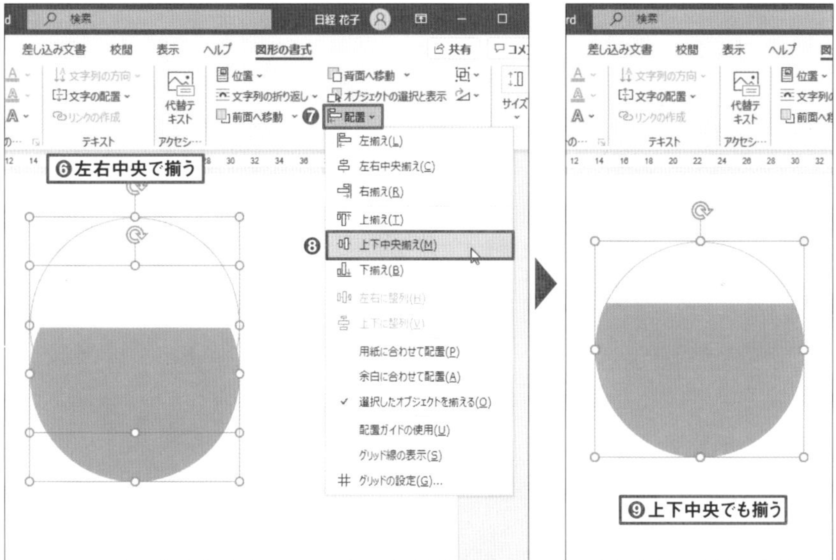

図5 弦をクリックで選択し、円を「Shift」キーを押しながらクリックして選択する（❶❷）。複数の図形を同時に選択するときは、このように2つめ以降で「Shift」キーを組み合わせる。「図形の書式」タブの「配置」メニューから「左右中央揃え」を選ぶ（❸～❺）。2つの図形が左右の中央で揃う（❻）。続けて「配置」メニューから「上下中央揃え」を選ぶ（❼❽）。2つの図形が上下の中央でも揃い、きれいに重なる（❾）

グループ化で扱いやすくする

ぴったり重ねた2つの図形はグループ化して、1つのオブジェクトにする（**図6**）。グループ化すると1クリックで選択でき、移動も簡単だ。個々の位置関係も崩れにくくなる。このように、揃えた図形をグループ化するのが第三のテクニックだ。なお、グループ化していても、個々の図形を選択して色などを変更することはできる。

あとは透明のテキストボックスに文字列を入力し、土台の図形に重ねればよい（**図7左**）。スタイルや位置が決まったら、全体をグループ化して完成させる（**図7右**）。

● 複数の図形をグループ化して1つのオブジェクトにする

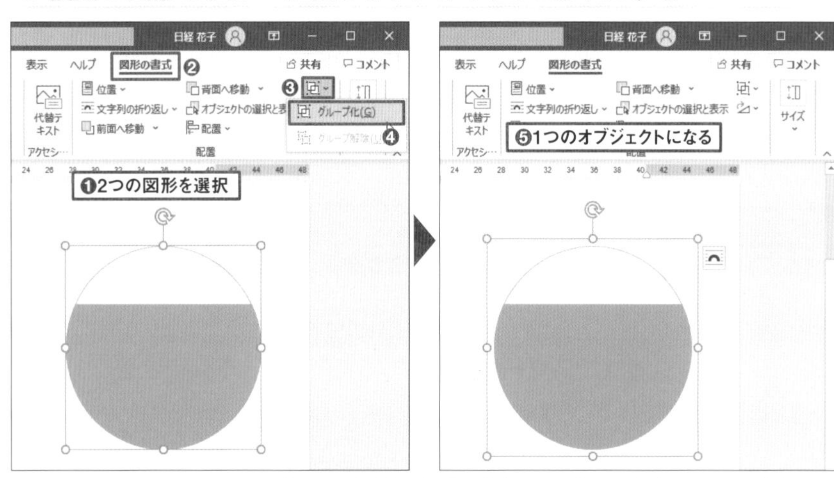

図6 2つの図形を選択したまま、「図形の書式」タブの「オブジェクトのグループ化」メニューから「グループ化」を選ぶ（❶～❹）。2つの図形が1つのオブジェクトになり、扱いやすくなる（❺）

● 図形にテキストボックスを重ねて仕上げる

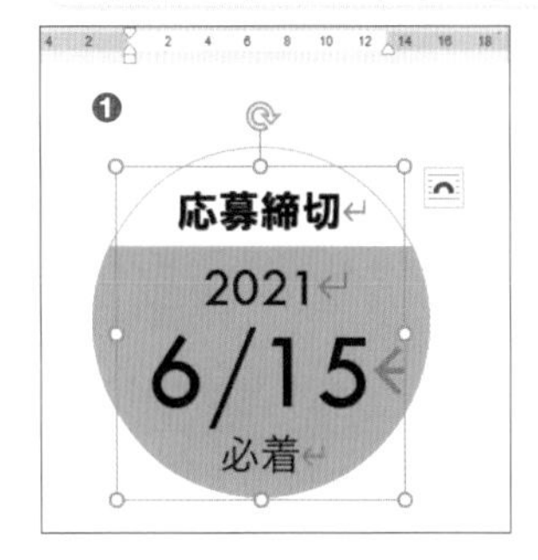

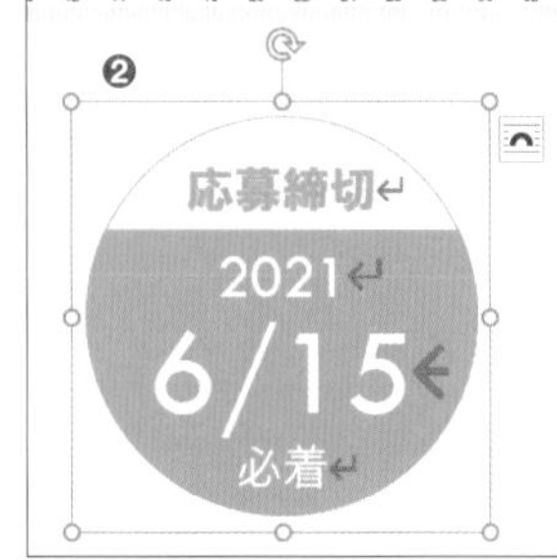

図7 図形に透明のテキストボックスを重ねて、バランスを見ながら文字や段落の書式を設定する（❶）。位置が決まったら、図形とテキストボックスをグループ化する（❷）。なお、グループ化を解除するときは「オブジェクトのグループ化」メニューから「グループ解除」を選ぶ。グループ化は操作した順番に1段階ずつ解除される

補足説明 オブジェクトの重ね順を変える

図形、テキストボックス、画像などのオブジェクトは、文書内に作成した順に重なっていく（**図8左上**）。上にしたいオブジェクトが下に隠れてしまったときは、重ね順を変更しよう。オブジェクトの重ね順は、「図形の書式」タブにある「前面へ移動」ボタンや「背面へ移動」ボタンで1段階ずつ変更できる（**図8右上**）。メニューを開いて、一気に最前面や最背面に移動することも可能（**図8下**）。なお、「テキストの前面へ移動」や「テキストの背面へ移動」は、「文字列の折り返し」メニューの「前面」や「背面」と同じだ。

オブジェクトの数が多いと、重ね順がはっきりわからず、ボタンやメニューでは操作しにくい場合がある。そんなときは「選択」作業ウインドウを表示して、順番を入れ替えよう（→159ページ）。

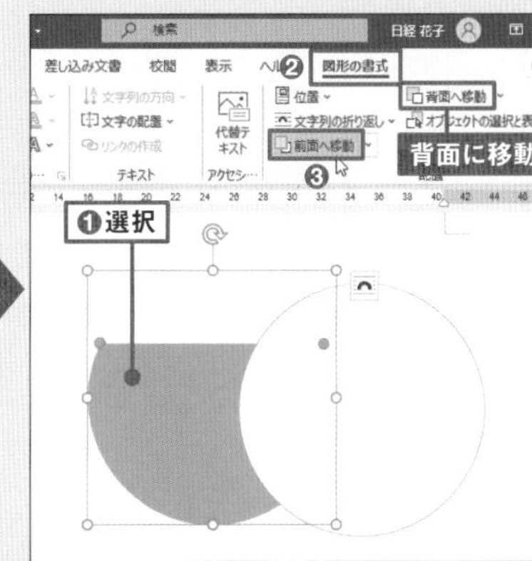

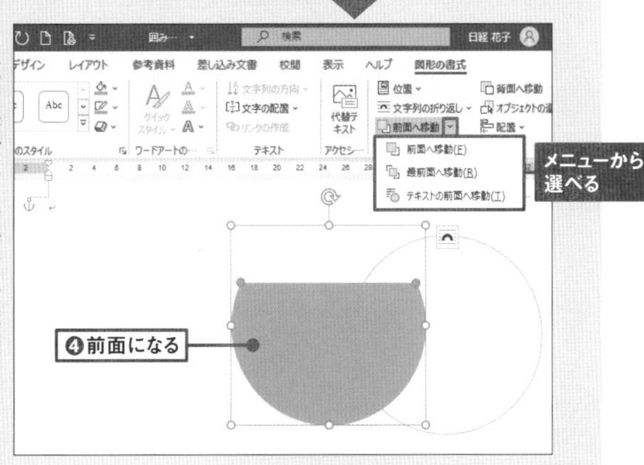

⬆➡ **図8** 図形、テキストボックス、画像などのオブジェクトは、作成した順番に重なっていく。重ね順を変更する場合は対象のオブジェクトを選択し、「図形の書式」タブにある「前面へ移動」ボタン（または「背面へ移動」ボタン）をクリックする（❶～❸）。ここでは円の背面にある弦を選択して「前面に移動」ボタンをクリックしたので、弦が円の上に重なった（❹）。なお、オブジェクトの数が多いときは、「前面へ移動」メニューを開いて「最前面へ移動」を選んでもよい

Section 07

もう1つの文字枠「吹き出し」を使いこなす

吹き出し

特定の部分を指し示して説明するときは、「吹き出し」の文字枠が便利だ（**図1**）。ワードには、突起の付いた「四角形」や「円形」、引き出し線の付いた「線」など、さまざまなタイプの吹き出しが用意されている（**図2**）。突起や引き出し線の長さや位置は、状況に応じて変更できる。

引き出し線が付いた吹き出しは、バリエーションも豊富。引き出し線が2つ折りだったり、強調線が付いていたり、文字枠の線がないタイプもある。引き出し線の両端には矢印も付けられるので、対象を明快に指し示せる。

工夫次第で、面白い表現になるのも魅力だ。「雲形」の吹き出しで心の叫びを示したり、強調線付きの吹き出しで説明文を装飾したりと、いろいろな場面で重宝する（**図3**）。引き出し線の上に別のテキストボックスを重ねたり、透明のテキストボックスを並べたりと、ほかのオブジェクトと組み合わせるのも面白い。なぜかあまり注目されていない文字枠だが、使わないと損をする。基本の使い方を紹介しよう。

「吹き出し」で注目箇所を指し示す

New

会員種類	月会費	利用時間	
正会員	12,960円	全日	10:00～23:00
平日会員	8,640円	月～金	10:00～17:00
ナイト会員	8,640円	全日	18:00～23:00
ホリデー会員	7,560円	土日祝	10:00～23:00
シニア会員	6,480円	全日	12:00～20:00

図1 吹き出しは、突起や引き出し線の付いたテキストボックス。文字列を指し示したり、セリフを表現したりするのに重宝する。突起や引き出し線の長さや位置も自由に変えられる。何かと便利なので、使い方を覚えておこう

多彩な吹き出しが用意されている

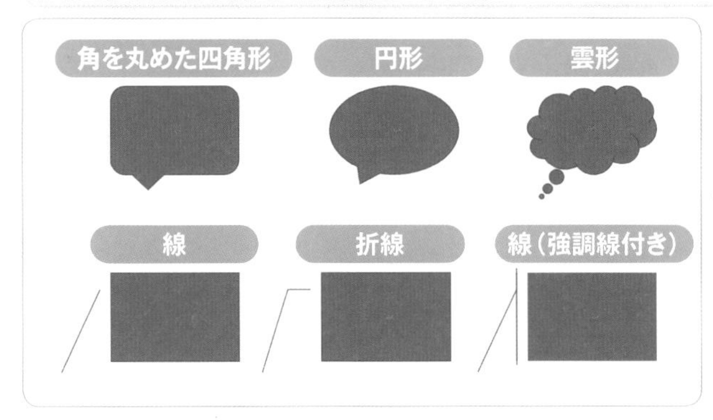

図2 吹き出しには16種類のデザインが用意されていて、用途に応じて使い分けができる

目的に合った吹き出しで表現する

心の叫び
プレゼン資料
間に合わない

説明文の装飾

周年記念の大演奏会

PC21 フィルハーモニー管弦楽団は、クラシック愛好家で構成されたアマチュアオーケストラです。年一回の定期演奏会を重ねながら、腕を磨いてきました。

この8月でめでたく結成10周年。さらなる飛躍を目指して、周年記念の大演奏会を開催します。

引き出し線と項目

70%

精米歩合

酒米がどれだけ削られているかを表す数値。玄米を100%とし、削った後の残りの割合になる。精米歩合70%は、玄米を30%削った状態。

図3 吹き出しは画像や図形など、ほかのオブジェクトと組み合わせて使うことが多い。どのような表現をしたいかを考えて、適切な吹き出しを選ぼう

引き出し線の両端には矢印も付けられる

吹き出しの文字枠は、「図形」メニューの「吹き出し」グループにまとまっている。ここから使用するタイプを選んで、テキストボックスと同じようにドラッグで描く（**図4**）。吹き出しの内部にカーソルが表示されるので、そのまま文字列を入力していこう。初期設定の枠のスタイルは図形と同じく、内部の色は青、文字列は白で枠の中央に表示される。内容に合わせて適宜変更しよう。突起部分の位置や長さは、先端に表示さ

● 吹き出しの種類を選んで描く

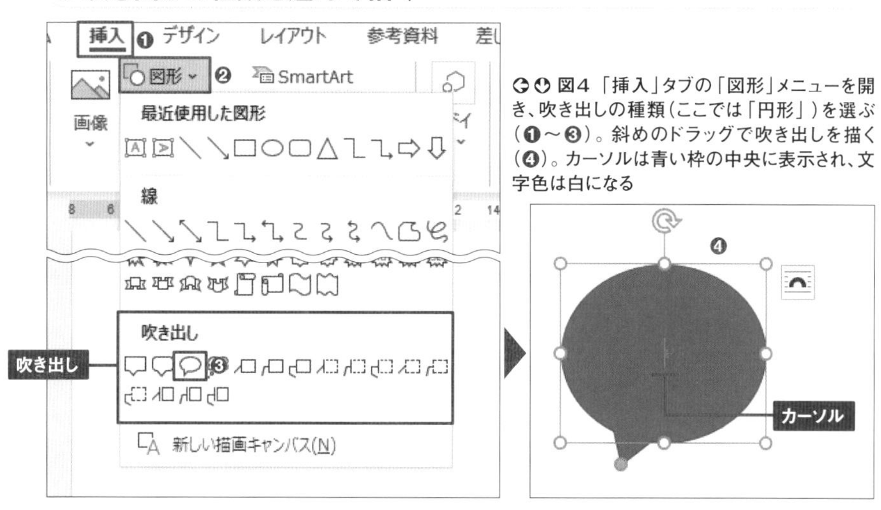

⬅⬇ 図4 「挿入」タブの「図形」メニューを開き、吹き出しの種類（ここでは「円形」）を選ぶ（❶〜❸）。斜めのドラッグで吹き出しを描く（❹）。カーソルは青い枠の中央に表示され、文字色は白になる

● 吹き出しの突起部分はドラッグで動かせる

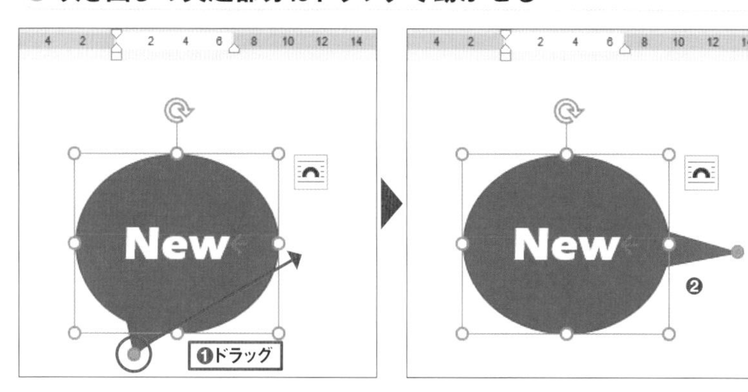

⬅ 図5 吹き出しの突起部分は、位置や長さを変更できる。先端にあるオレンジのハンドルをドラッグすればよい（❶❷）

れるオレンジのハンドルをドラッグして変更する（**図5**）。位置によって太さも変わるので、ドラッグしながら見栄えの良い形状に調整しよう。

引き出し線の付いた吹き出しも、同様に作成できる（**図6**）。「図形」メニューのアイコンにポインターを合わせると、「強調線付き」「2つ折線」「枠なし」などの特徴が表示されるので参考にしよう。引き出し線に矢印を付けるときは、「図形の枠線」メニューにある「矢印」サブメニューから矢印の種類を選ぶ（次ページ**図7左**）。

矢印のサイズやスタイルを変更する場合は、「矢印」サブメニューから「その他の矢印」を選ぶ。「図形の書式設定」作業ウインドウが開くので、始点と終点の矢印を個別に設定しよう（→157ページ）。引き出し線の位置と長さは、始点や終点に表示されるオレンジのハンドルをドラッグして変更する（**図7下**）。ほかのオブジェクトと組み合わせれば、読み手の目を引くレイアウトになる（**図8**）。

● 引き出し線付きの吹き出しを利用する

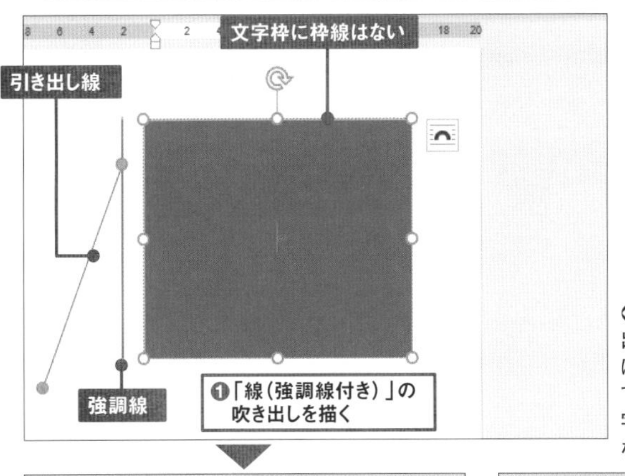

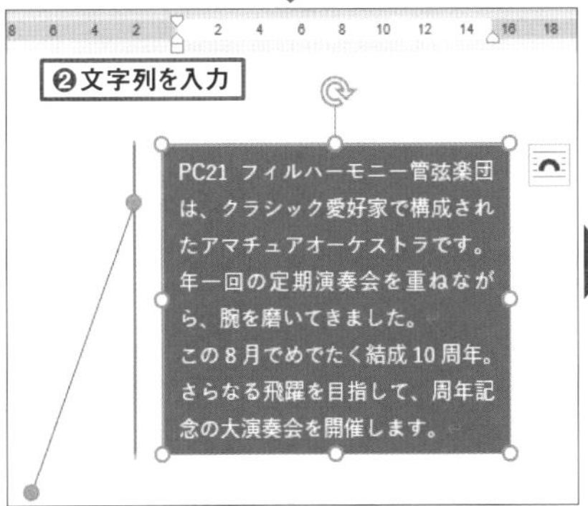

❷文字列を入力
PC21 フィルハーモニー管弦楽団は、クラシック愛好家で構成されたアマチュアオーケストラです。年一回の定期演奏会を重ねながら、腕を磨いてきました。
この8月でめでたく結成10周年。さらなる飛躍を目指して、周年記念の大演奏会を開催します。

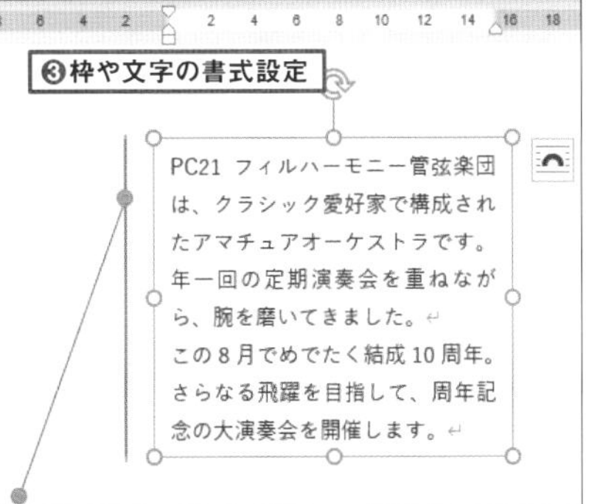

❸枠や文字の書式設定
PC21 フィルハーモニー管弦楽団は、クラシック愛好家で構成されたアマチュアオーケストラです。年一回の定期演奏会を重ねながら、腕を磨いてきました。
この8月でめでたく結成10周年。さらなる飛躍を目指して、周年記念の大演奏会を開催します。

図6 「線（強調線付き）」の吹き出し線を描く（❶）。この吹き出しには、引き出し線と強調線が付いていて、文字枠の枠線はない。枠内に文字列を入力する（❷）。枠や文字の色などは必要に応じて設定する（❸）

引き出し線のスタイルや位置を調節する

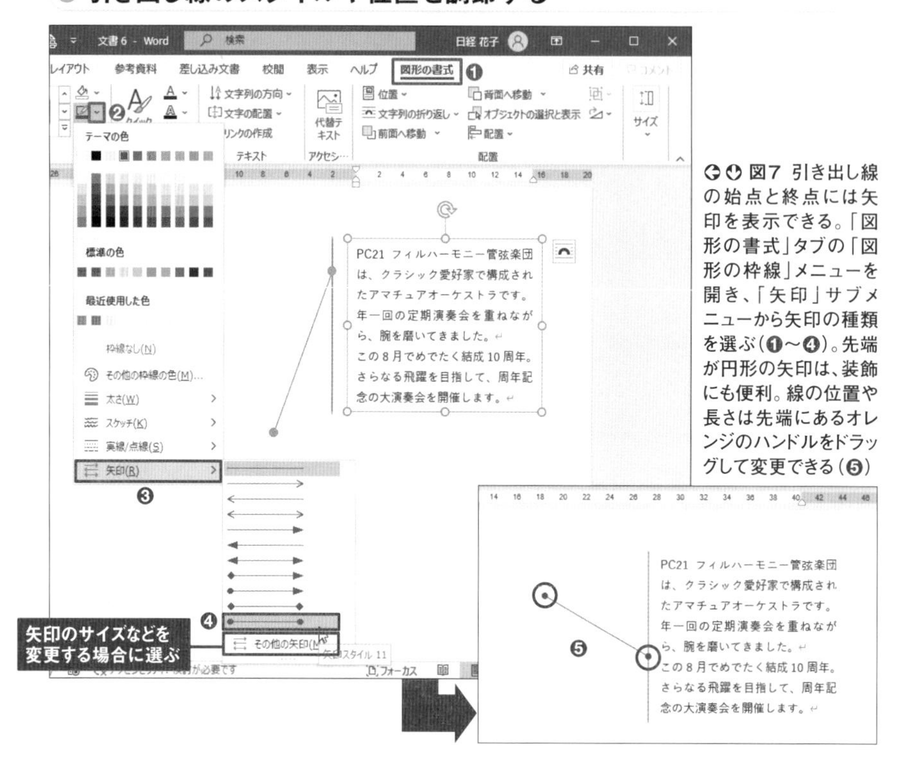

文書 6 - Word
検索
日経 花子
図形の書式
テーマの色
標準の色
最近使用した色
枠線なし(N)
その他の枠線の色(M)...
太さ(W)
スケッチ(K)
実線/点線(S)
矢印(R)
その他の矢印(M)...
矢印スタイル 11
矢印のサイズなどを変更する場合に選ぶ
PC21 フィルハーモニー管弦楽団は、クラシック愛好家で構成されたアマチュアオーケストラです。年一回の定期演奏会を重ねながら、腕を磨いてきました。
この 8 月でめでたく結成 10 周年。さらなる飛躍を目指して、周年記念の大演奏会を開催します。

↑↓ 図7 引き出し線の始点と終点には矢印を表示できる。「図形の書式」タブの「図形の枠線」メニューを開き、「矢印」サブメニューから矢印の種類を選ぶ(❶～❹)。先端が円形の矢印は、装飾にも便利。線の位置や長さは先端にあるオレンジのハンドルをドラッグして変更できる(❺)

ほかのテキストボックスと組み合わせる

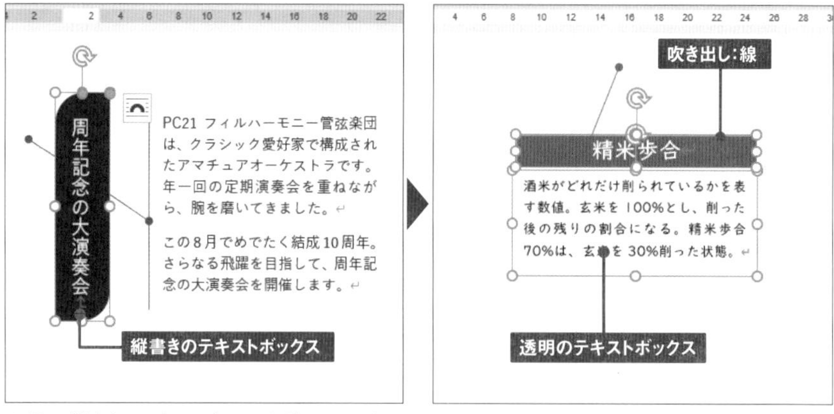

周年記念の大演奏会
PC21 フィルハーモニー管弦楽団は、クラシック愛好家で構成されたアマチュアオーケストラです。年一回の定期演奏会を重ねながら、腕を磨いてきました。
この8月でめでたく結成10周年。さらなる飛躍を目指して、周年記念の大演奏会を開催します。
縦書きのテキストボックス
吹き出し:線
精米歩合
酒米がどれだけ削られているかを表す数値。玄米を 100%とし、削った後の残りの割合になる。精米歩合 70%は、玄米を 30%削った状態。
透明のテキストボックス

↑ 図8 縦書きのテキストボックスを重ねたり、透明のテキストボックスを並べたりして、目を引くデザインにするのもお勧め。複数のテキストボックスはグループ化して、扱いやすくしよう

文字列を自由自在に変形する

プレゼン資料や広告チラシには、人の目を引き付ける仕掛けが必要だ。写真などの画像はもちろん効果的だが、文字列の見せ方もひと工夫したい。ワードにはテキストボックスの文字列を変形する機能があり、インパクトのあるタイトル作りなどに利用できる（**図1**）。変形の形状はメニューから選択する（**図2**）。緩やかな曲線に沿わせたいときは「カーブ：上」、シャープな印象を求めるなら「三角形：下向き」など、用途に応じた形状を設定しよう。

図1 テキストボックス内の文字列は、いろいろな形状に変形できる。チラシなどで凝ったタイトルを作るときに便利だ。緩やかな曲線に沿わせたいときは「カーブ：上」（左）、シャープな印象を求めるなら「三角形：下向き」（右）など、用途や状況に応じて選ぼう

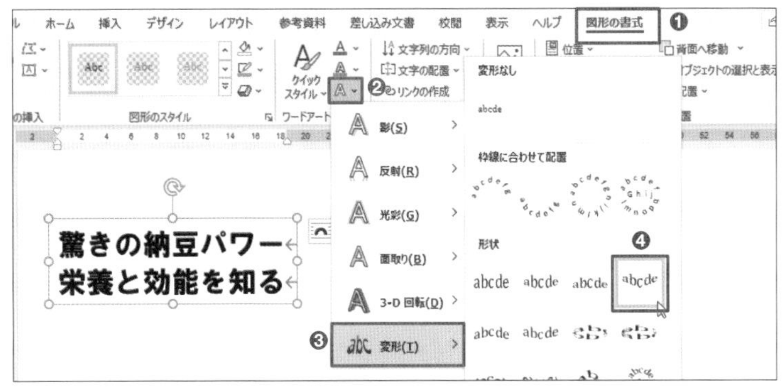

図2 「図形の書式」タブを開き、「文字の効果」メニューの「変形」サブメニューから文字列の形状を選ぶ（❶〜❹）。ここでは「三角形：下向き」を選んだ

変形した文字列のサイズは、ポイント数で変更すると乱れることがある。テキストボックスのサイズを変更して調節するのがお勧めだ（**図3**）。形状は、枠線上に表示されるオレンジのハンドルをドラッグして調整する（**図4**）。ハンドルの数や働きは形状によって異なるので、カーブを急にしたり三角形を鋭角にしたりと、いろいろ試してみよう。写真などほかのオブジェクトと組み合わせる場合は、双方のバランスを見ながら調整するとよい。

変形を取り消す場合は、「文字の効果」メニューの「変形」サブメニューから「変形なし」を選ぶ。文字サイズは変形前の大きさに戻るが、テキストボックスのサイズは戻らないので、適宜調整しよう。

変形した文字列のサイズを調節する

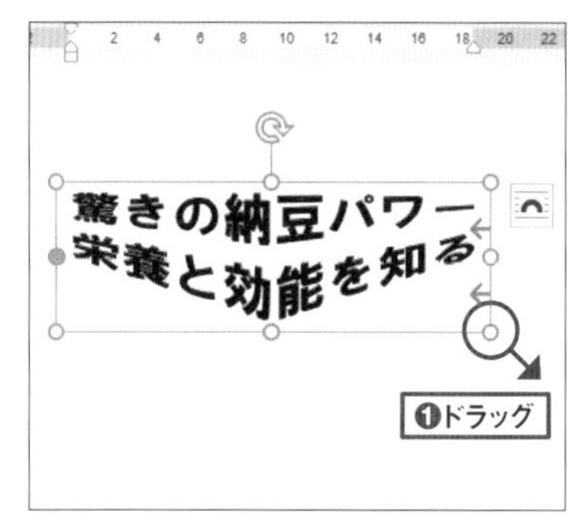

図3 枠の周囲にあるサイズ変更ハンドルをドラッグする（❶）。テキストボックスのサイズに合わせて、文字列の大きさが変わる（❷）

変形の形状は微調整できる

図4 オレンジのハンドルをドラッグすると、形状を微調整できる。ここでは上にドラッグして、三角形をより鋭角にした（❶❷）

ビジュアル表現で伝える

作図のテクニック

ビジネス文書には、概念図、組織図、リスト図、フローチャートなどの図解が欠かせない。ワードの作図は難しいと思われがちだが、図形を部品にして組み合わせるだけ。便利な作図機能「スマートアート」も積極的に活用しよう。

- 図形を徹底的に揃えて見やすい図に
- 図形のつなぎは「コネクタ線」が便利
- 「ひな型」が魅力のスマートアート
- 配色や視覚効果も一括変更　ほか

まずは基本

「図形」または「スマートアート」を利用 作図の方法を確認しよう

文章だけでは伝わりにくい説明も、図で視覚的に表現すると理解しやすくなる。ワードには作図の機能があり、用途に応じてさまざまなタイプの図を作成できる。レポート、企画書、報告書、説明書など、説得力が必要な文書では、図を積極的に使おう。

ワードで作図をする方法は2つある。1つは「図形」を組み合わせる方法（**図1**）、もう1つは「スマートアート」のひな型を使う方法だ（**図2**）。図1と図2はどちらもオンラインショップの利用手順を示した流れ図。同じ内容を異なる方法で作成した。

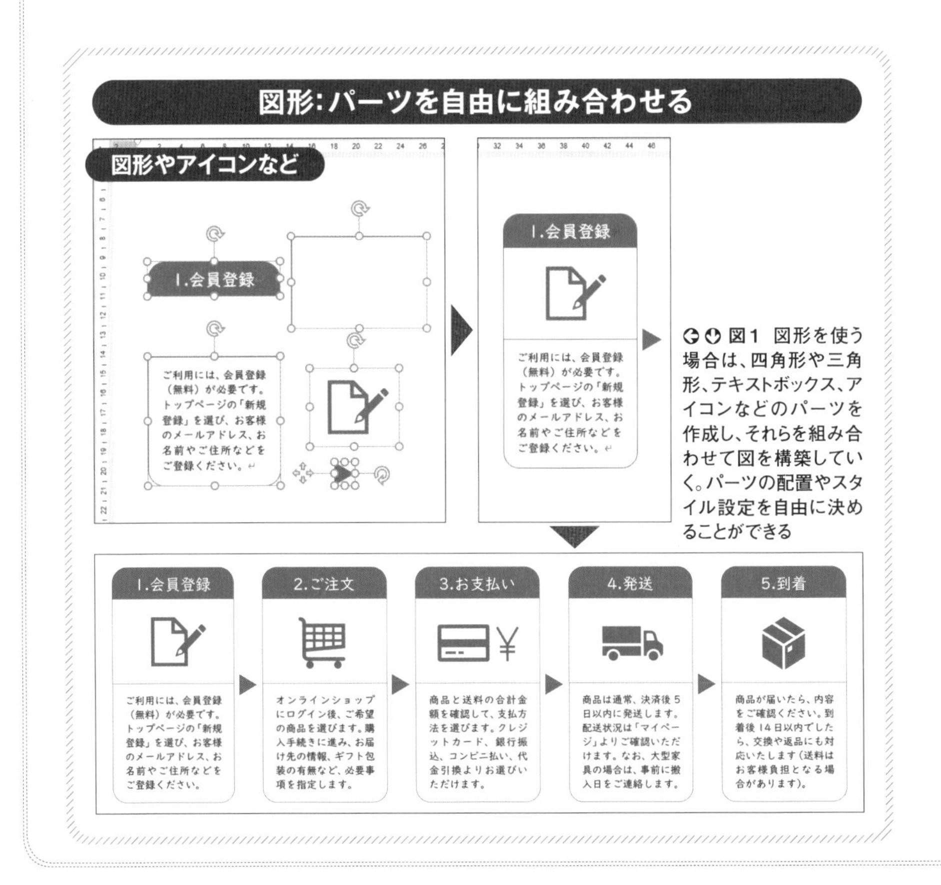

図1 図形を使う場合は、四角形や三角形、テキストボックス、アイコンなどのパーツを作成し、それらを組み合わせて図を構築していく。パーツの配置やスタイル設定を自由に決めることができる

自由にデザインできる「図形」、ひな型が魅力の「スマートアート」

図形を使う方法では、四角形、三角形、テキストボックスなどをパーツとして描き、それらを組み合わせて図を構築していく。アイコンなどの素材も自由に利用できる。作例では、まず複数のパーツを組み合わせて1つめの手順を作った（図1上）。それを4つコピーして並べ、5つの手順を流れ図に仕上げた（図1下）。ピクトグラムとして配置したアイコンは、各手順の内容に合わせて変更している。

スマートアートでは、用途に応じたひな型を使って図を作成する。ひな型のレイアウトは、入力内容に合わせて自動調整されるので、図形を描いたり並べたりする操作は不要。配色や視覚効果などのスタイルも、候補から選ぶだけで設定できる。作例では、手順のひな型「波型ステップ」を選び（図2上）、文字列を入力して色などのスタイルを自動設定した（図2下）。

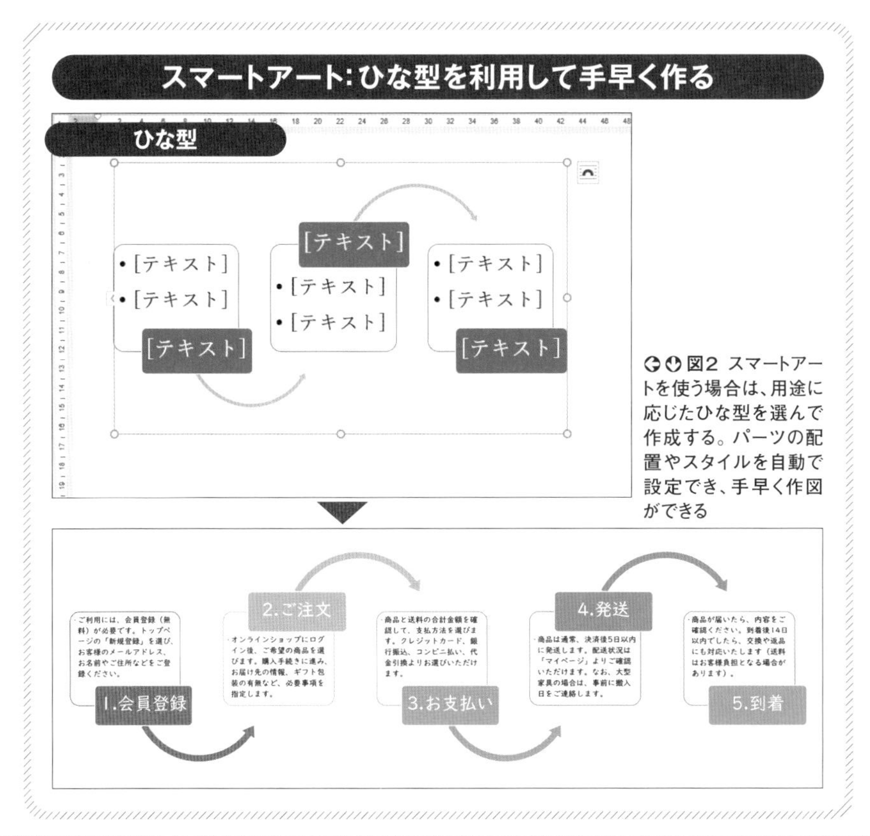

⬆⬇ 図2 スマートアートを使う場合は、用途に応じたひな型を選んで作成する。パーツの配置やスタイルを自動で設定でき、手早く作図ができる

どちらの方法を使うかは、図の内容やデザインによって考えよう。図形のメリットは、図のデザインを自由に決められるところ。型にはまらない変則的な図も作成でき、操作もコツをつかめばそれほど難しくない（**図3**）。スマートアートのメリットは、とにかく作図が簡単なこと。ひな型には定型的なレイアウトが多いので、内容に合うものがあるかどうか、まずは探してみるといいだろう（**図4**）。

● 図形は変則的な図解に向いている

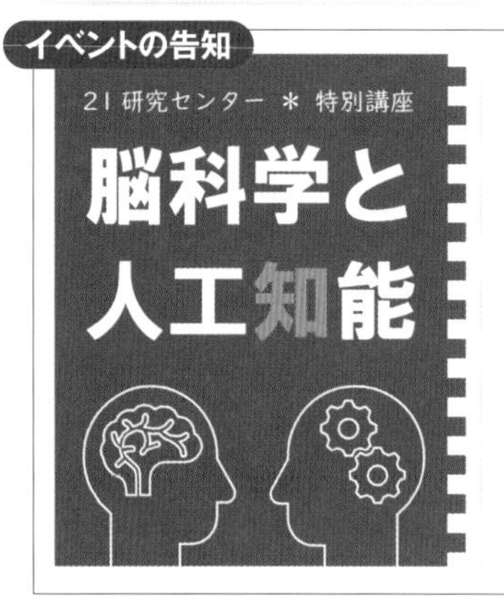

イベントの告知
21 研究センター ＊ 特別講座
脳科学と
人工知能
2021 年 10 月 8 日（金）
14:00 ～ 15:30
脳の研究と人工知能は密接に結びついています。これまでの人工知能の研究過程で、脳科学はどのように関わり、影響を与えてきたのでしょうか。
そして今日、人工知能の実用化を加速させている「ディープラーニング」に脳の研究はどのように貢献しているのでしょうか。
今回の特別講座では、脳科学と人工知能の関係性を、双方の歴史を辿りながら読み解きます。

◀▼ **図3** 図形を使うと、読み手にアピールしたい情報なども、内容に応じてビジュアル化できる（左）。ひな型に当てはまらない独自のチャートも、図形を組み合わせて自由に作図できる（下）

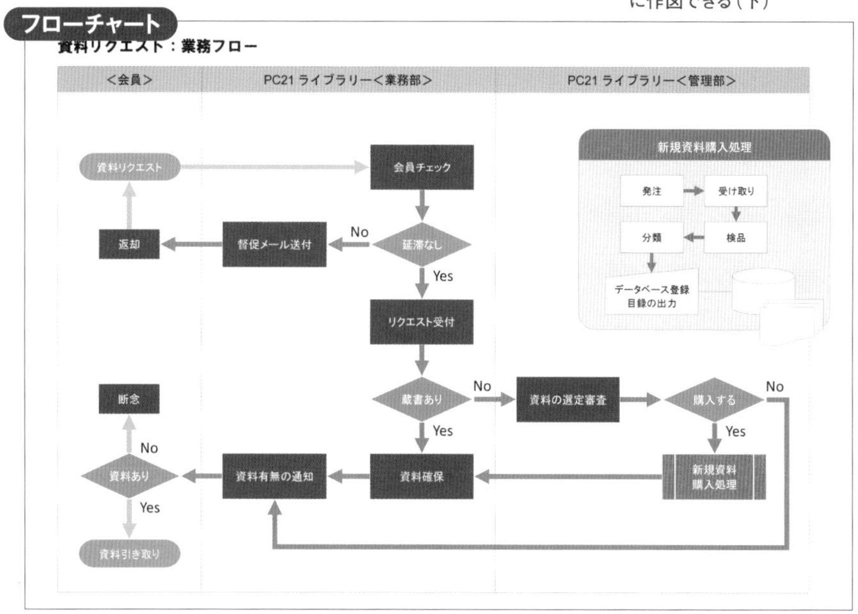

●スマートアートは定型的な図解に向いている

プロセスのチャート

スケジュールとカリキュラム

4/5 Mon.	4/9 Fri.	4/18 Sun.
農業の現状を知る	野菜作りの基本	苗の植え付け体験
就農までの流れ	土と肥料の基本	農機具の扱い方
就農の事例紹介	有機農法について	作物の収穫と試食

画像入りのリスト

海外進出の狙い

販路開拓

技術提携

人材確保

組織図

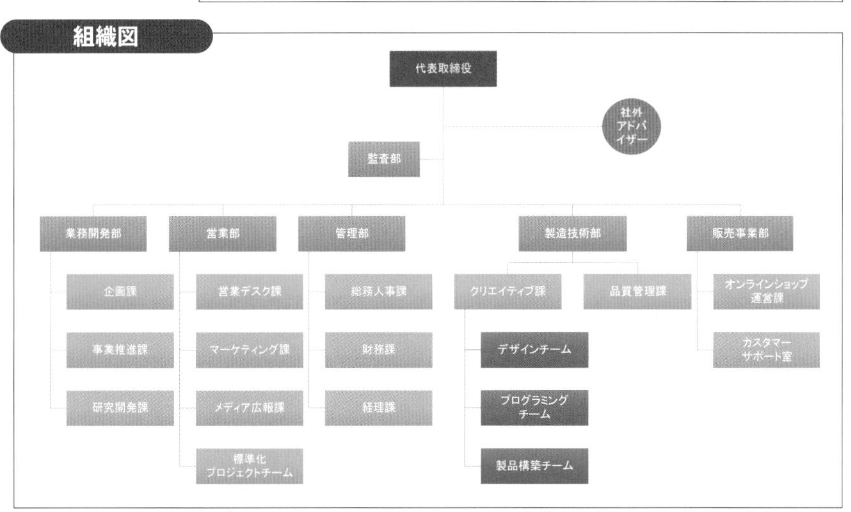

図4 スマートアートは、プロセスのチャートや画像入りのリスト、会社の組織図など、ビジネス文書でよく利用する定型的な図を作成するのに便利。タイトル文字などは、テキストボックスで追加できる

図形の操作はテキストボックスと同じ

図形の作成方法は、第5章のテキストボックスと同じだ。「挿入」タブの「図形」メニューから図形の種類を選び、ドラッグで描く（**図5**）。作図でよく使う正方形や正円などは、クリックまたは「Shift」キー+ドラッグで描ける。図形の種類は豊富なので、たいていの作図には困らない。フローチャートに使う専用の記号も用意されており、作業フローなども正確に作成できる。

スタイルの設定方法も、テキストボックスとほぼ同じ。塗りつぶしの色や枠線のスタイルなどは「図形の書式」タブで指定する（**図6**）。作業ウインドウを開くと、「図形の書式」タブのメニューにない線の太さや矢印のサイズなども指定できる。

作図では、図形の回転や反転をよく使う。角度は「オブジェクトの回転」メニューで90度単位に変えられ（**図7**）、反転も同じメニューで実行できる（**図8**）。なお、角度を数値で決める場合は、メニューから「その他の回転オプション」を選び、表示されるダイアログボックスで「回転角度」を指定する。

●「図形」メニューから種類を選んで描く

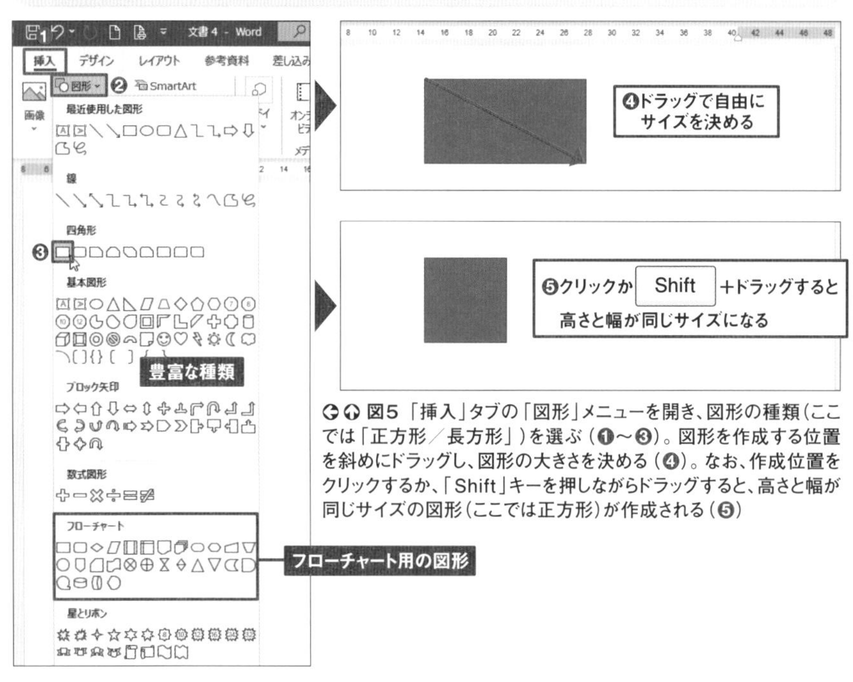

❸❹ 図5 「挿入」タブの「図形」メニューを開き、図形の種類（ここでは「正方形／長方形」）を選ぶ（❶〜❸）。図形を作成する位置を斜めにドラッグし、図形の大きさを決める（❹）。なお、作成位置をクリックするか、「Shift」キーを押しながらドラッグすると、高さと幅が同じサイズの図形（ここでは正方形）が作成される（❺）

●「図形の書式」タブや作業ウインドウでスタイルを設定する

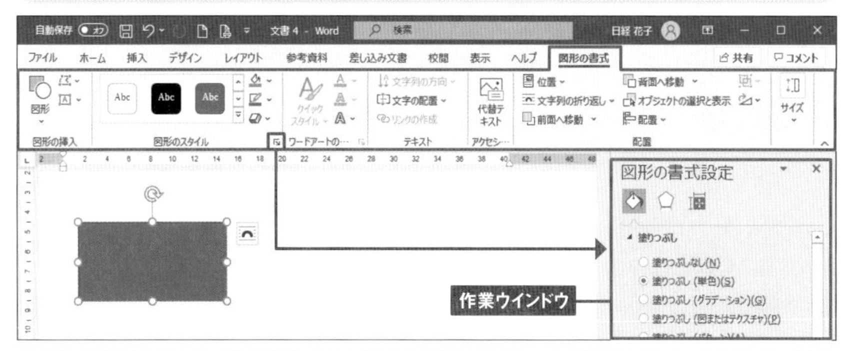

図6 図形の選択中は、「図形の書式」タブに色などを変更するコマンドが表示される。テキストボックスと同じように、サイズを数値で指定することも可能。また、「図形の書式設定」ボタンで「図形の書式設定」作業ウインドウを開き、線の太さや矢印のサイズなどを細かく変更することもできる

●「回転」や「反転」で向きを変える

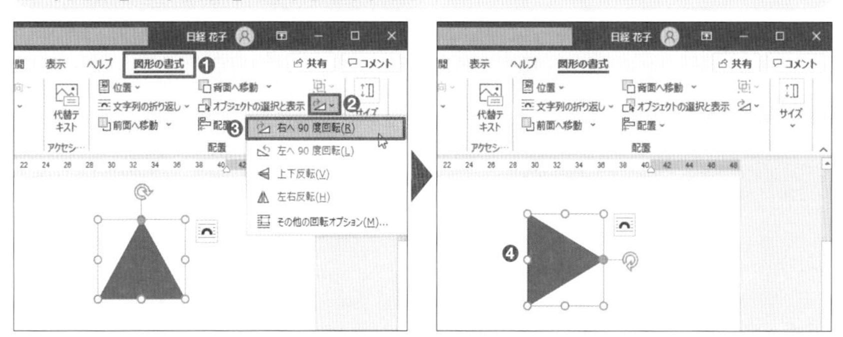

図7 図形の向きを変えるときは、「図形の書式」タブの「オブジェクトの回転」メニューから角度と方向を選ぶ（❶～❸）。ここでは右へ90度回転した（❹）。図形の上部の回転ハンドルをドラッグしてもよい

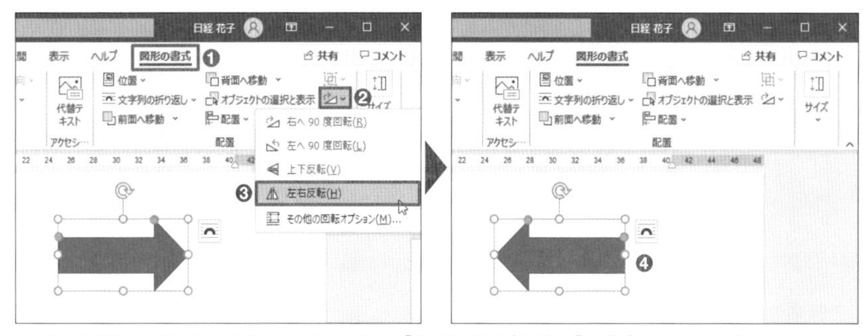

図8 反転で図形の向きを変えることもできる。「図形の書式」タブの「オブジェクトの回転」メニューから反転の方向を選ぶ（❶～❸）。ここでは左右の方向に反転した（❹）

見やすい図にする秘訣はこれ！並べて揃えてグループ化

オブジェクトの配置／グループ化

図形を使った作図はハードルが高そうに思えるが、コツをつかめば大丈夫。見やすい図にするポイントは、各パーツのサイズと位置を徹底的に揃えることだ（**図1**）。サイズや位置がバラバラだと、見るだけで疲れる図になってしまう。図形のサイズは、数値で簡単に揃えられる。また、ワードには、図形の位置をきれいに揃える配置機能も備わっている。ここでは流れ図の作成過程を例にして、具体的な操作を見ていこう。

サイズや位置を揃えると見やすい図になる

✕ パーツのサイズや位置がバラバラ

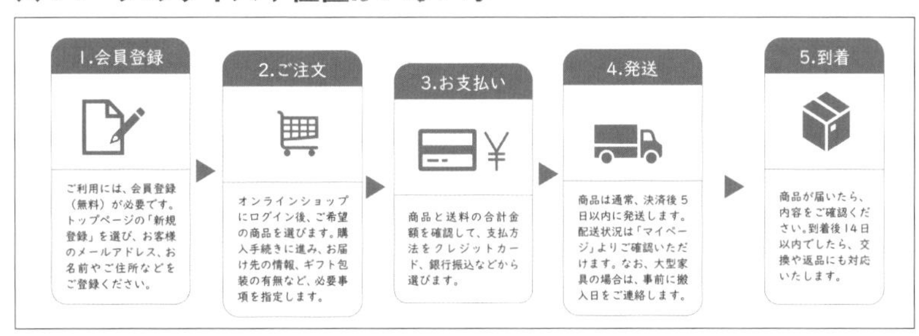

〇 サイズと位置がきれいに揃っている

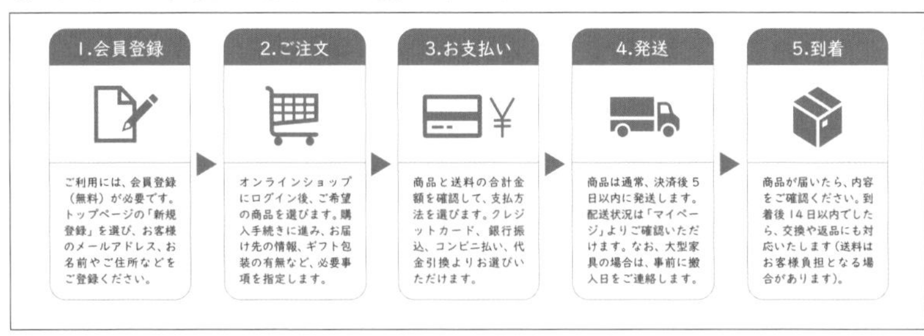

図1 複数のパーツで図を作るときは、各パーツのサイズと位置を揃えると見やすくなる。サイズは数値で、位置は配置機能を使って手早く整えよう

図形で独自のチャートを作るときは、完成形をイメージすることが大事だ。そのうえで必要なパーツを洗い出し、図形をどう組み合わせるかを考えよう。作例では、1つの手順を「四角形: 上の2つの角を丸める」「四角形」「テキストボックス」の3つで構成する。なお、手順によって異なるアイコンは、後で挿入することにした。

3つの図形は縦に並べるので、同じ幅に揃える（**図2**）。あとは図形を縦に並べて左右の中央で揃え、グループ化すればよい（**図3**）。この操作はすでに、囲み文字の作成で紹介した（→130ページ）。作図の基本操作なので、しっかり覚えておこう。

● 3つの図形を組み合わせて1つのパーツにする

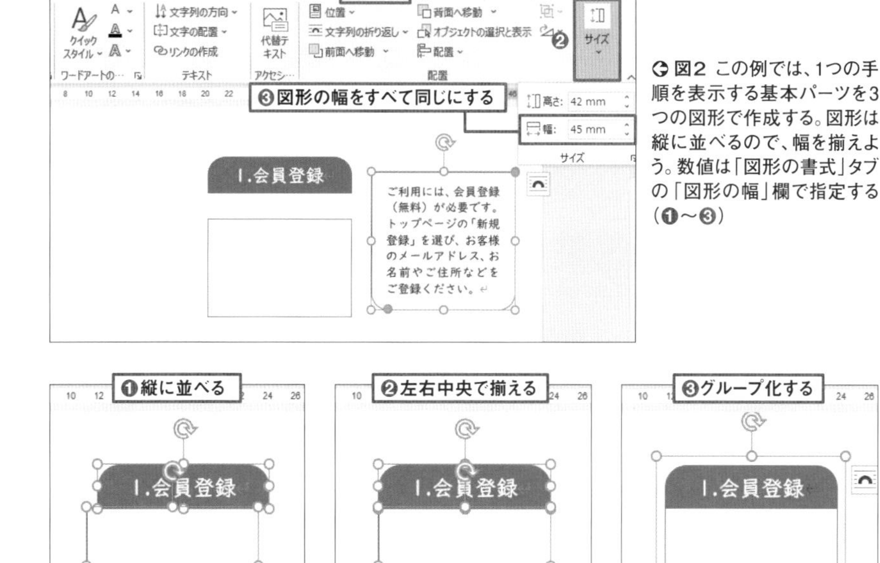

図2 この例では、1つの手順を表示する基本パーツを3つの図形で作成する。図形は縦に並べるので、幅を揃えよう。数値は「図形の書式」タブの「図形の幅」欄で指定する（❶～❸）

図3 3つの図形はまず、ドラッグで縦に隙間なく並べる（❶）。続いて3つを同時に選択し、「左右中央揃え」にする（❷）。そのままグループ化すれば基本パーツが出来上がる（❸）

基本のパーツができたら、必要な数だけコピーする。オブジェクトは「Ctrl」+「D」キーで複製するのが簡単（**図4**）。作例では4つ複製し、各手順の文字列に書き換えた。グループ化をしていても、個々のオブジェクトは選択して編集できる。

続いて、5つの基本パーツと間の三角形を等間隔に並べる。横に並べる場合は左端と右端の位置をきっちり決め、中間は大まか並べておく（**図5**）。全パーツは、まず「上下中央揃え」で上下の中央で揃え、さらに「左右に整列」で等間隔に並べる（**図6**）。位置が決まったら、そのまま全体をグループ化しよう。

● オブジェクトは「Ctrl」+「D」キーで複製できる

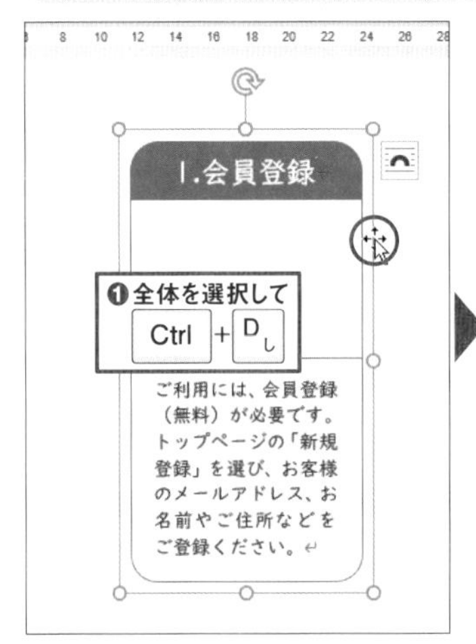

図4 図形などのオブジェクトは、「Ctrl」+「D」キーで簡単に複製できる（❶❷）。コピーして貼り付けるより簡単なので覚えておこう。ここでは4つ複製して、文字列をほかの手順のものに書き換える

● 左端と右端の位置を決めてパーツを大まかに並べる

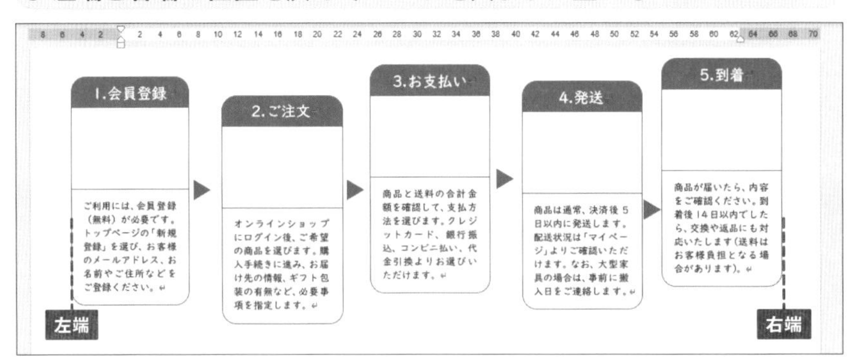

図5 パーツを横に並べるときは、まず全体の左端と右端の位置を決め、中間のパーツは順番に従って大まかに配置する。ここでは5つの基本パーツと、その間に4つの三角形を配置した

● 上下中央に揃えて等間隔に並べる

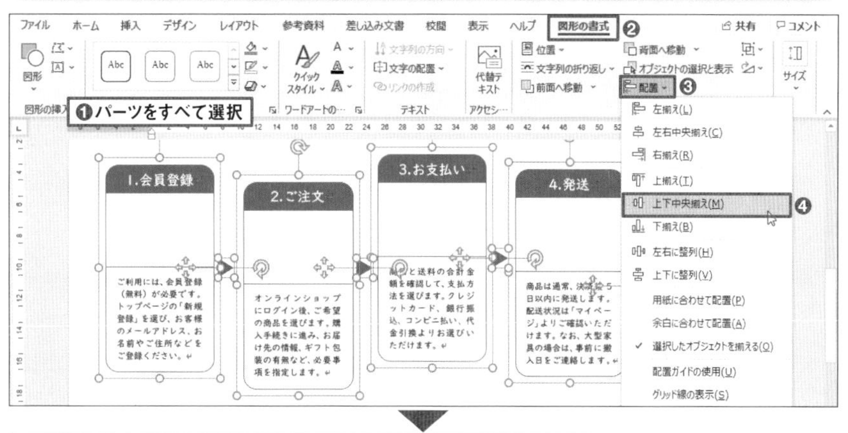

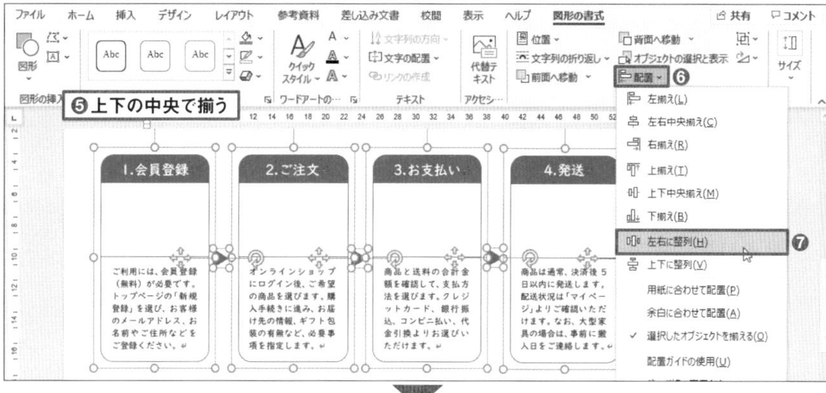

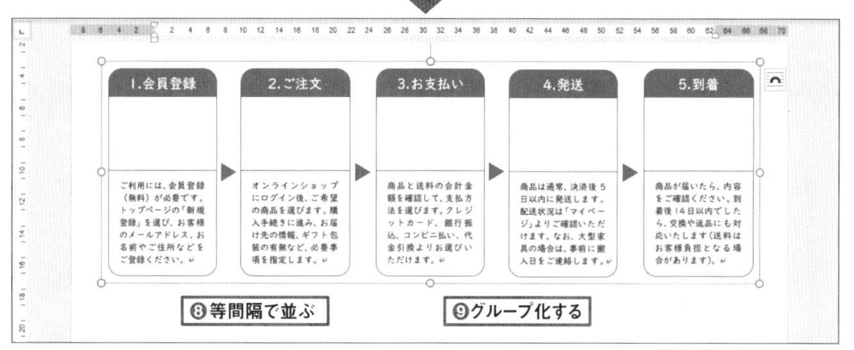

図6 配置するパーツ(5つの基本パーツと4つの三角形)をすべて選択する(❶)。「図形の書式」タブの「配置」メニューから「上下中央揃え」を選択(❷～❹)。9つのパーツが上下の中央で揃う(❺)。続けて「配置」メニューから「左右に整列」を選択(❻❼)。これでパーツが等間隔の横並びになる(❽)。最後に全体をグループ化する(❾)

補足説明 白色のオブジェクトは図の装飾に便利

図形を使うとパズル感覚で作図ができるので、いろいろな組み合わせを考えるのも楽しい。複数のパーツはきっちり揃えるのが基本だが、ときにはわざとバランスを崩してみるなど、遊び心をプラスするのも面白い。

オブジェクトを白色にして重ねると、思わぬ効果が得られる場合もある。イベント案内のタイトル部分をビジュアル化する例では、太めの点線を長方形の端に重ねることで、凹凸の表現ができた（**図7、図8**）。なお、線の種類は「図形の書式」タブにある「図形の枠線」メニューの「実線／点線」サブメニューで指定する。

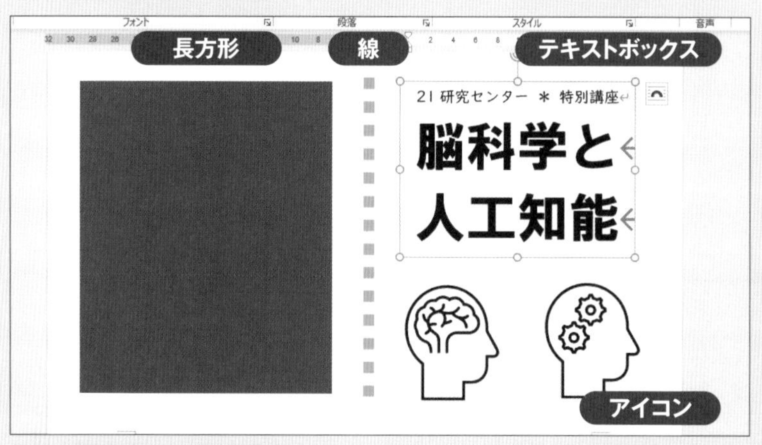

図7 長方形の上に各要素を配置して、イベント案内のタイトル部分をデザインする

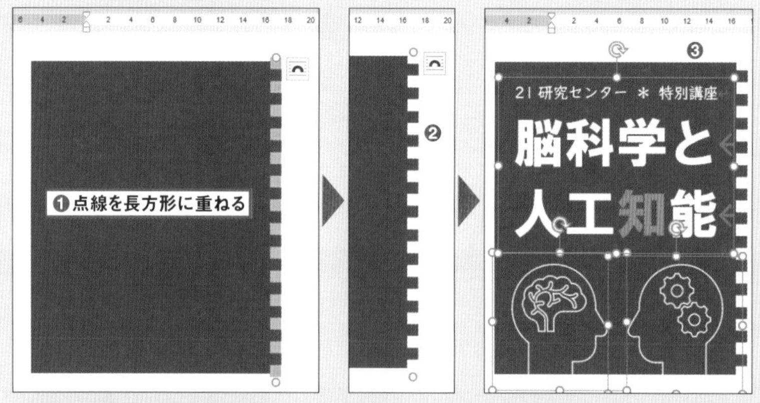

図8 点線を長方形の端に重ねて白色に変えると、長方形の端に凹凸ができる（❶❷）。文字やアイコンも白色にして重ねる（❸）。一部の文字色を変えるのも効果的だ

Section 02 フローチャートや説明図に便利 図形をつなぐ「コネクタ線」

コネクタ線

図形から線を引いたり、図形同士をつないだりするときは「コネクタ線」を利用しよう（**図1**）。コネクタ線は図形に連結して、一緒に動かすことができる。線をつなぎ直す手間が省けるので、フローチャートの作成などに重宝する。

なお、ワードの図形には「ブロック矢印」も用意されている。ブロック矢印は四角形などと同様、塗りつぶしの面と枠線から構成されるオブジェクト。ドラッグでサイズを変えられ、内部に文字列も入力できる。矢印を文字枠として利用したり、カーブした矢印を表示したりする場合に利用しよう。

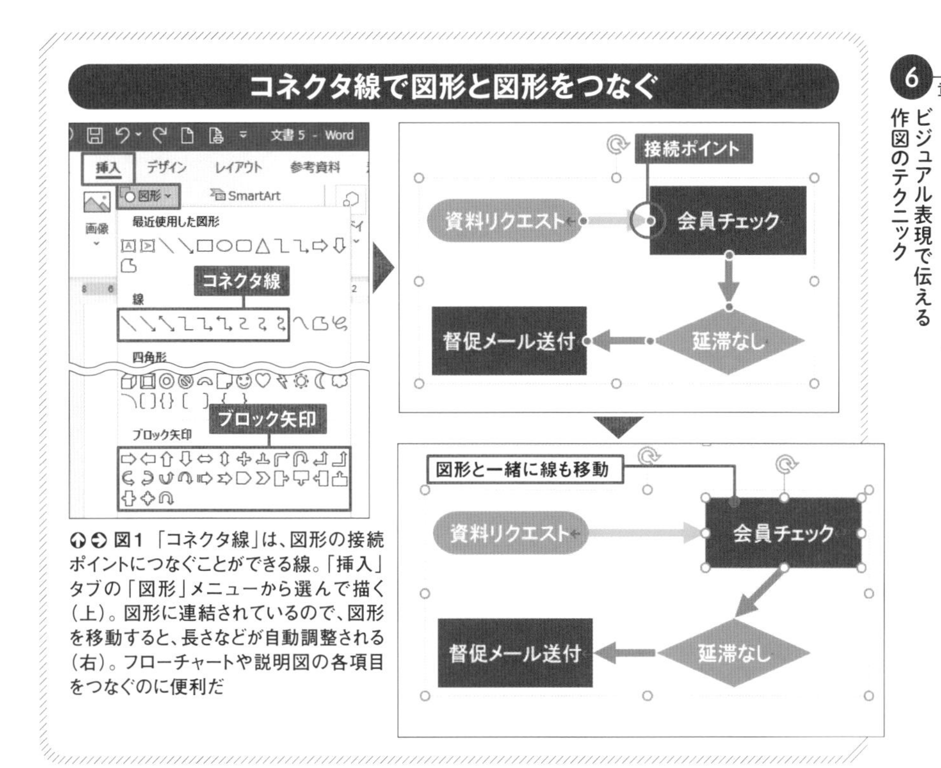

図1 「コネクタ線」は、図形の接続ポイントにつなぐことができる線。「挿入」タブの「図形」メニューから選んで描く（上）。図形に連結されているので、図形を移動すると、長さなどが自動調整される（右）。フローチャートや説明図の各項目をつなぐのに便利だ

コネクタ線の機能は、連結する図形とグループ化すると有効になる（**図2**）。対象の図形をすべて選択し、「図形の書式」タブにある「オブジェクトのグループ化」から「グループ化」を選べばよい。グループ内では、コネクタ線の始点や終点をドラッグして、図形に表示される接続ポイントにつないでいく（**図3**）。この例では、3つの図形を水平や垂直の方向に揃えてあるので、コネクタ線も水平線や垂直線になった。

● 接続ポイントはグループ化で有効になる

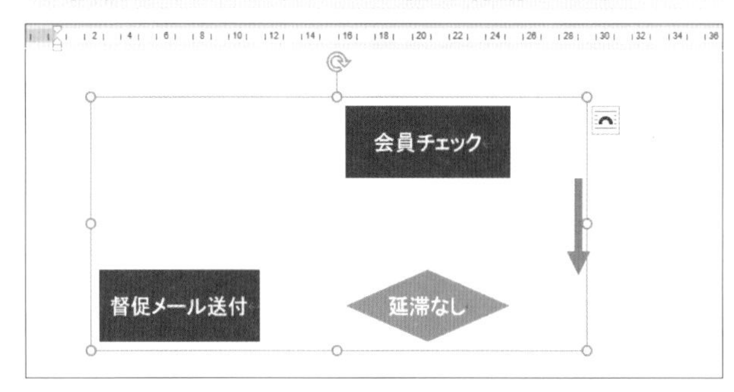

図2 コネクタ線と図形をつなぐときは、使用するオブジェクトをグループ化しておく。これで接続ポイントが有効になる。この例では、図形を「オブジェクトの配置」機能で水平や垂直の位置に揃えている

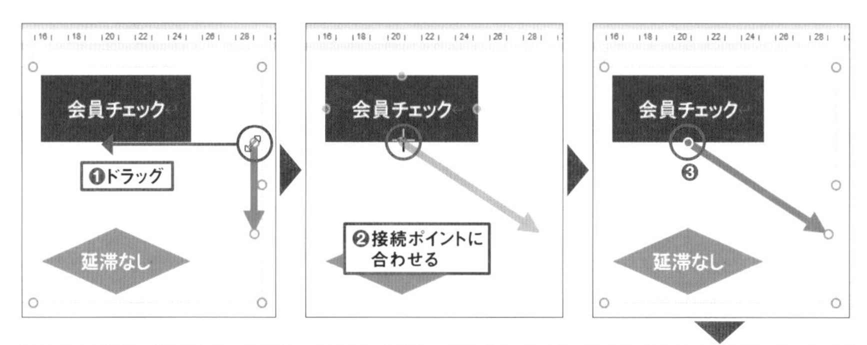

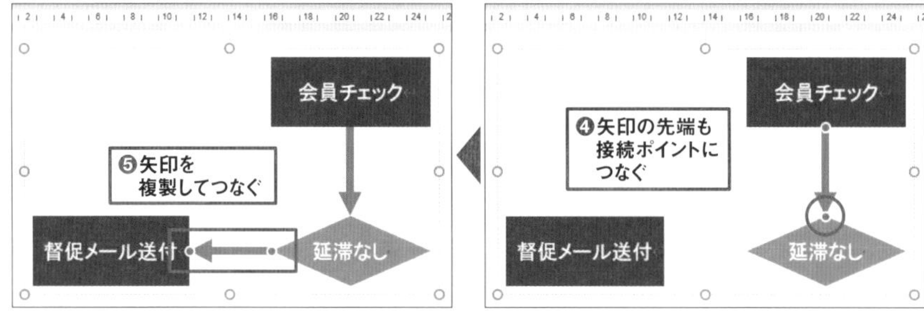

図3 コネクタ線の端を図形にドラッグする（❶）。図形に接続ポイントが表示されるので、線の端を合わせる（❷）。線が図形に接続され、ポイントの記号が表示される（❸）。同様に、反対側の端を別の図形の接続ポイントにつなぐ（❹）。コネクタ線を複製してほかの図形もつないでいく（❺）

補足説明 矢印の種類とサイズをカスタマイズする

コネクタ線の矢印は、種類とサイズを変更することもできる。「図形の書式設定」作業ウインドウを開いて操作しよう（**図4、図5**）。種類は矢印なしも含めて6種類、サイズは9種類用意されていて、始点と終点に別の矢印を付けることも可能だ。なお、矢印のサイズは線の太さに応じて変化する。作業ウインドウで指定したサイズが固定されるわけではないで注意しよう。

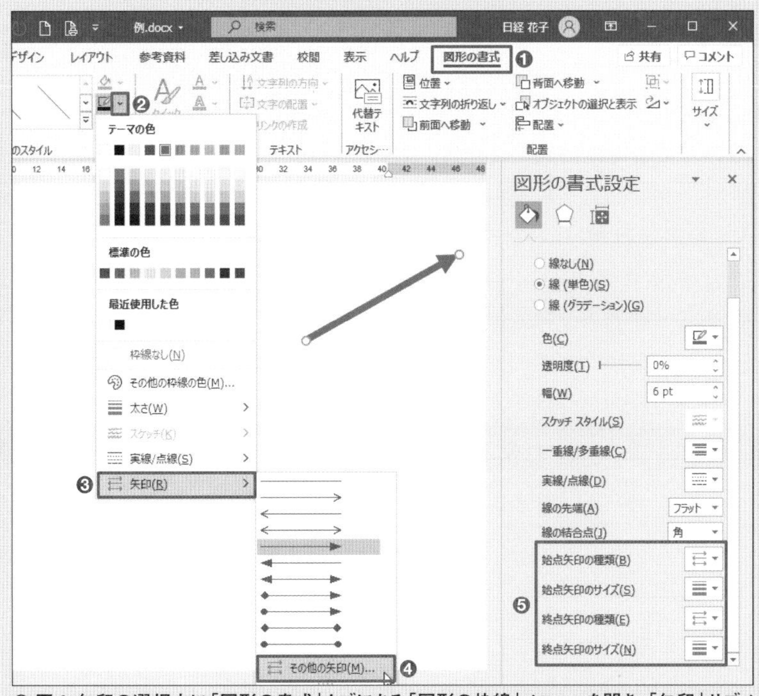

図4 矢印の選択中に「図形の書式」タブにある「図形の枠線」メニューを開き、「矢印」サブメニューから「その他の矢印」を選ぶ（❶～❹）。「図形の書式設定」作業ウインドウが開き、矢印のスタイルを設定するメニューが表示される（❺）

図5 矢印の種類やサイズを指定する。ここでは「終点矢印の種類」メニューから「●」を選び、矢印を円形に変えた（❶～❸）

図形を一覧表示して操作 グリッド線できっちり配置も

オブジェクトの表示と選択／グリッド線

作図中にオブジェクトの数が増えてくると、背面の画像を選択できないなど、操作が思い通りにいかないことがある。また直線のように、画面上では選択しにくい図形もある。そんなときに便利なのが、ページ内のオブジェクトを一覧表示する「選択」作業ウインドウ（**図1**）。オブジェクトの重ね順やグループ化の様子がひと目でわかり、ウインドウ内で選択や重ね順の変更もできる。

オブジェクトのレイアウトには、格子状のガイドライン「グリッド線」も便利だ。画面に表示しておくと、オブジェクトの位置やサイズがグリッド線に揃うので、サイズを数値で指定したり配置機能で揃えたりする手間が省ける。フローチャートのように、図形のサイズを揃えて整然と並べる作図に利用しよう。

グリッド線とオブジェクト一覧を表示して作業する

図1 「選択」作業ウインドウには、ページ内のオブジェクトが一覧表示される。クリックでオブジェクトを選択でき、重ね順の入れ替えなども可能だ。また、画面には格子状のグリッド線を表示でき、図形のサイズや位置の基準として重宝する

「選択」作業ウインドウでは、オブジェクトが重ね順の通りに表示され、オブジェクト名をクリックすると、ページ内の対応するオブジェクトが選択される（**図2**）。複数のオブジェクトは「Ctrl」キー+クリックで選択でき、重ね順も右上のボタンなどで変更可能（**図3**）。グループ化してあるオブジェクト全体は、グループ名をクリックして選択する。オブジェクトを一時的に非表示にするなど、編集作業のサポートもしてくれる（**図4**）。

●「選択」作業ウインドウを使う

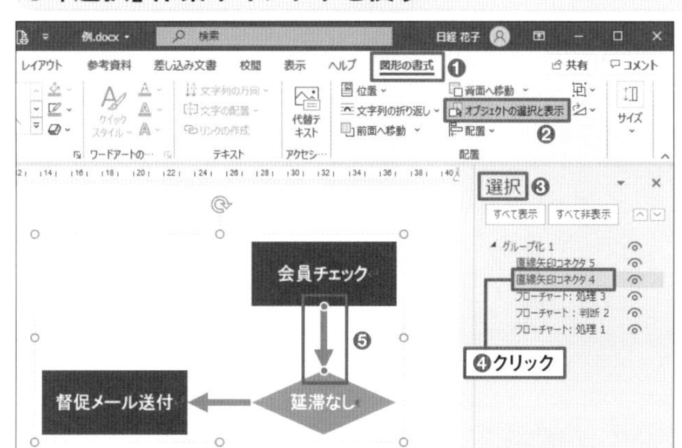

図2 「図形の書式」タブ（または「レイアウト」タブ）にある「オブジェクトの選択と表示」ボタンをクリックすると、「選択」作業ウインドウが表示される（❶～❸）。オブジェクトは重ね順に並んでいて、グループ化の様子もわかる。オブジェクト名をクリックすると（❹）、画面上で当該オブジェクトが選択される（❺）

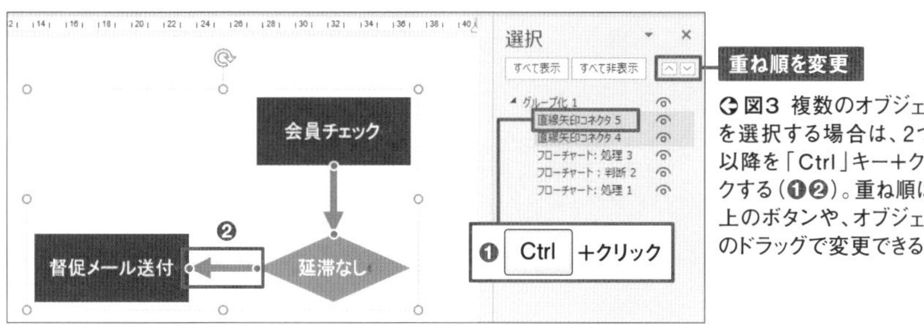

図3 複数のオブジェクトを選択する場合は、2つめ以降を「Ctrl」キー+クリックする（❶❷）。重ね順は右上のボタンや、オブジェクトのドラッグで変更できる

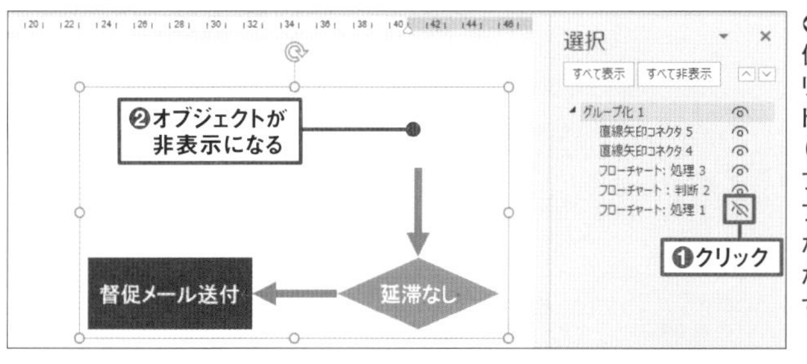

図4 オブジェクト名の右側にある目のアイコンをクリックすると、そのオブジェクトが一時的に非表示になる（❶❷）。下に隠れているオブジェクトを確認したり、オブジェクトが操作の邪魔だったりする場合に便利だ。再度アイコンをクリックすると表示される

グリッド線は、横線と縦線の間隔を指定して表示する(**図5**)。標準では、横線(行グリッド線)の間隔を行単位、縦線(文字グリッド線)の間隔を文字単位で指定するが、作図のグリッド線はミリ単位での設定がお勧め。「5mm」のように単位まで入力して指定しよう。グリッド線を表示すると、オブジェクトが1マス分ずつ移動するなど操作が楽になる(**図6**)。なお、自由に動かしたい場合は「Alt」キー+ドラッグで操作する。

● グリッド線を表示して位置やサイズの基準にする

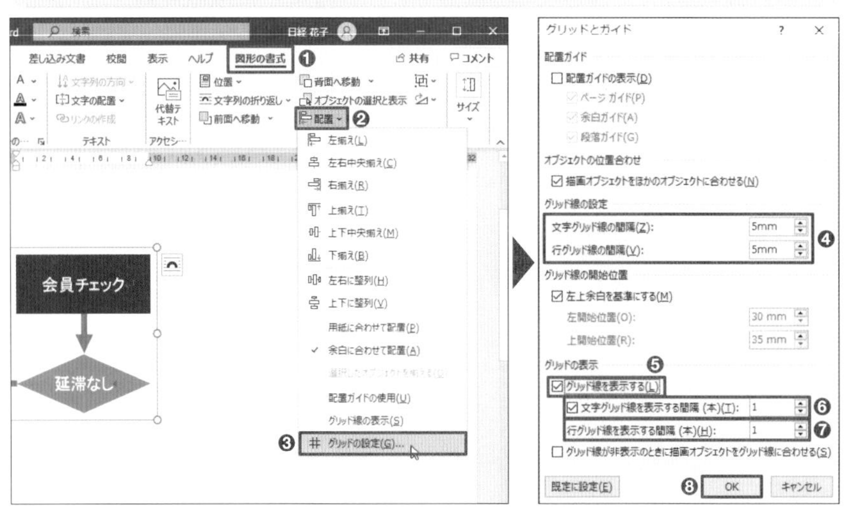

図5 「図形の書式」タブ(または「レイアウト」タブ)の「配置」メニューから「グリッドの設定」を選択(❶〜❸)。表示される画面の「文字グリッド線の間隔」欄と「行グリッド線の間隔」欄にマス目のサイズを指定する。ここでは「5mm」とした(❹)。「グリッド線を表示する」と「文字グリッド線を表示する間隔」をチェックして、本数欄に「1」を指定する(❺❻)。「行グリッド線を表示する間隔」欄にも「1」を指定して「OK」ボタンをクリックする(❼❽)

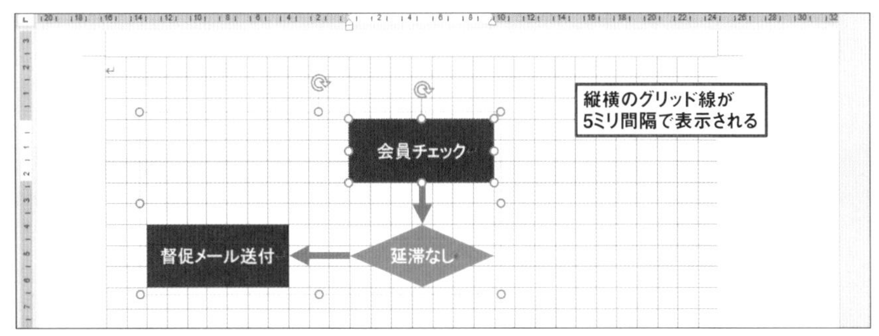

図6 縦横のグリッド線が5ミリ間隔で表示される。オブジェクトのサイズや位置は、グリッド線に合わせて調節される。グリッド線の表示と非表示は「表示」タブの「グリッド線」で切り替えられる

Section 04

スマートアートで手間なし作図 基本操作を覚えよう

スマートアート

スマートアートは、作図の面倒な作業を一手に引き受けてくれる頼もしい機能だ。例えば、「販路開拓」「技術提携」「人材確保」という3つの要素をリスト図にする手順を考えてみよう（**図1**）。図形を使って作成する場合は、四角形を描いて文字列を入力し、塗りつぶしの色や枠線のスタイルを変更し、それを複製して並べる、という一連の操作が必要になる。一方スマートアートで作成する場合は、ひな型を一覧から選んで文字列を入力し、配色をメニューから選ぶだけでよい。

このように、目的の図に合うひな型さえ見つかれば、スマートアートのほうが効率良く作図できる。まずはシンプルなリスト図を例に、基本操作をマスターしよう。

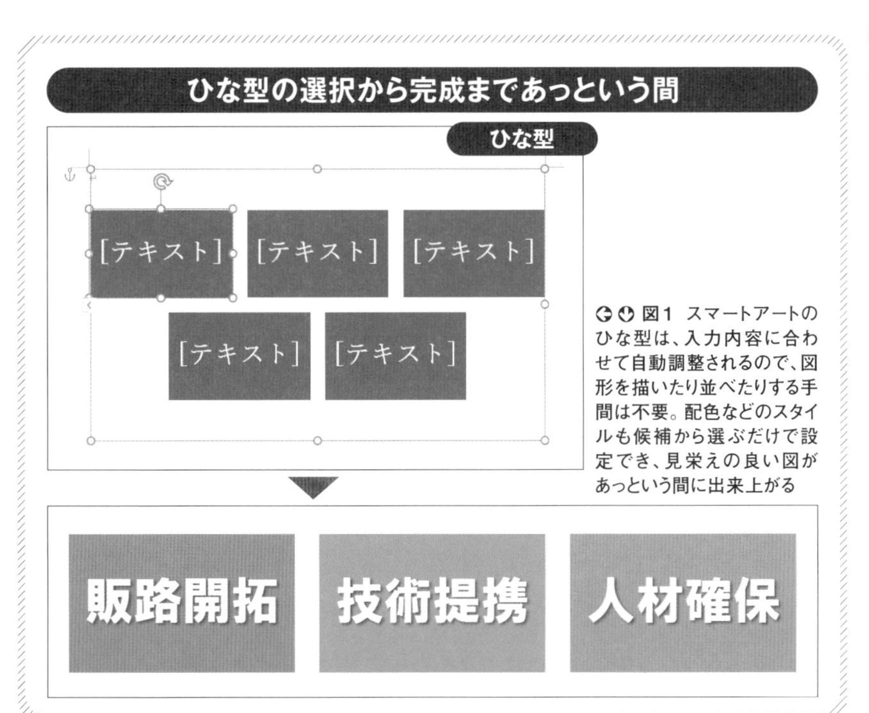

図1 スマートアートのひな型は、入力内容に合わせて自動調整されるので、図形を描いたり並べたりする手間は不要。配色などのスタイルも候補から選ぶだけで設定でき、見栄えの良い図があっという間に出来上がる

ひな型に沿って内容を入力

スマートアートのひな型は「SmartArtグラフィックの選択」ダイアログボックスに一覧表示されるので、用途に合うものを探そう。ここでは3つの要素をシンプルに配置したいので、項目を同じレベルで並べる「カード型リスト」を選んだ（**図2**）。挿入したひな型の左側に「テキストウィンドウ」が表示されたら、準備は完了だ（**図3**）。

● 内容に合うひな型を一覧から選ぶ

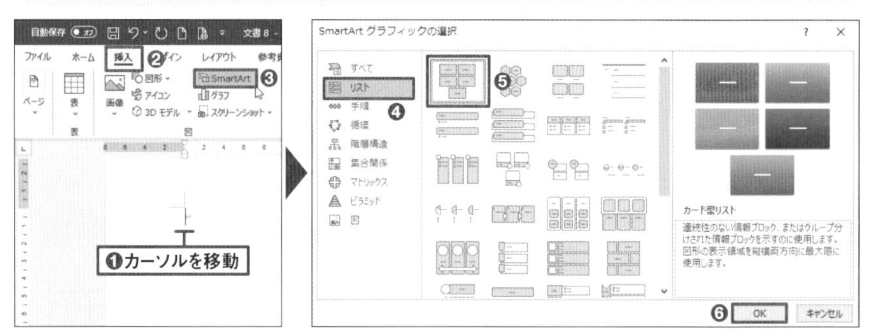

図2　図の挿入位置にカーソルを移動して、「挿入」タブの「SmartArt」をクリックする（❶～❸）。表示される画面でひな型を選ぶ。ここでは「リスト」カテゴリーから「カード型リスト」を選んだ（❹❺）。ひな型をクリックすると右側にプレビューと説明が表示されるので、内容を確認して「OK」ボタンをクリックする（❻）

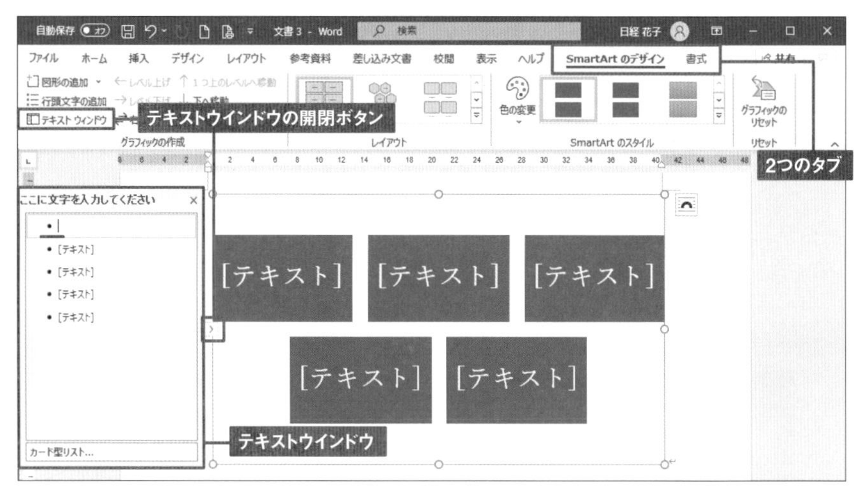

図3　選択したひな型が挿入され、左側の「テキストウィンドウ」にカーソルが表示される。リボンには「SmartArtのデザイン」タブと「書式」タブが表示される。テキストウインドウが表示されないときは、「SmartArtのデザイン」タブやスマートアートの左側にある開閉ボタンをクリックする

図の文字列は、項目ごとにテキストウインドウの行内に入力していく(**図4**)。または、図形内に直接入力してもよい。操作しやすいほうを選ぼう。項目の数は、テキストウインドウの行数で増減できる。ここでは2行削除して、項目を5つから3つに減らした。なお、図形と文字のサイズは項目数や文字数に応じて自動調整される。フォントも適宜変更しよう。ゴシック体にして、文字列を目立たせるのがお勧めだ(**図5**)。

● 文字列を入力してフォントを指定する

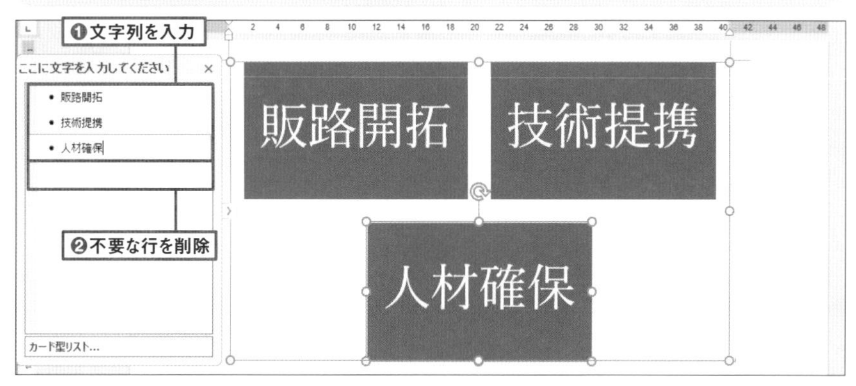

図4 テキストウインドウの各項目に必要な文字列を入力する(❶)。不要な項目(行)は削除しよう(❷)。文字列はひな型の図形にも表示され、図形の数はテキストウインドウの項目数によって変化する。なお、テキストウインドウ内で「Enter」キーを押すと、同じレベルの項目が追加される

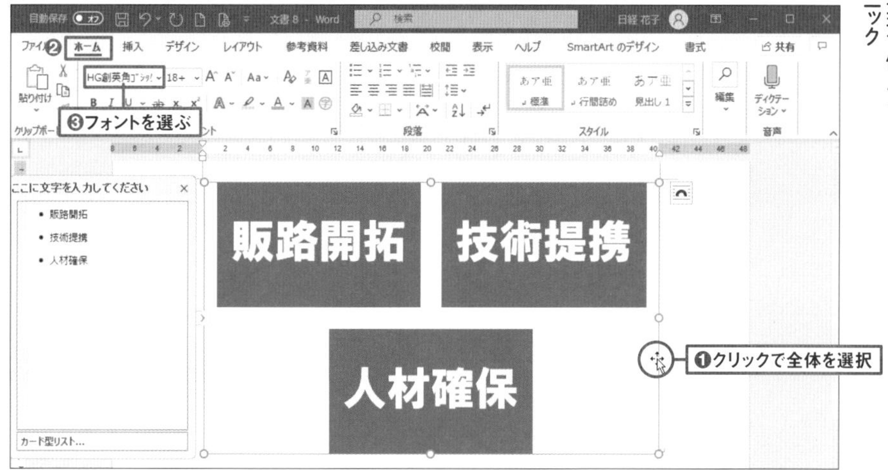

図5 フォントの初期設定は「游明朝」なので、ゴシック体に変更しよう。枠線部分をクリックして図全体を選択し、「ホーム」タブの「フォント」メニューからフォント(ここでは「HG創英角ゴシックUB」)を選ぶ(❶〜❸)。なお、テキストウインドウの文字列をすべて選択して操作してもよい

内容が固まったら、全体のサイズと配色を決めて図を仕上げる。作例ではまず右下隅のハンドルをドラッグして、3つの図形が横並びになるように図全体の高さと幅を調節した（**図6**）。配色は「色の変更」メニューから選択する（**図7**）。単色からカラフルな配色まで用意されているので、好みのものを選ぼう。フォーマルなビジネス文書なら、図形の枠線だけを表示するシンプルな配色もお薦めだ。

● 図全体のサイズを変更する

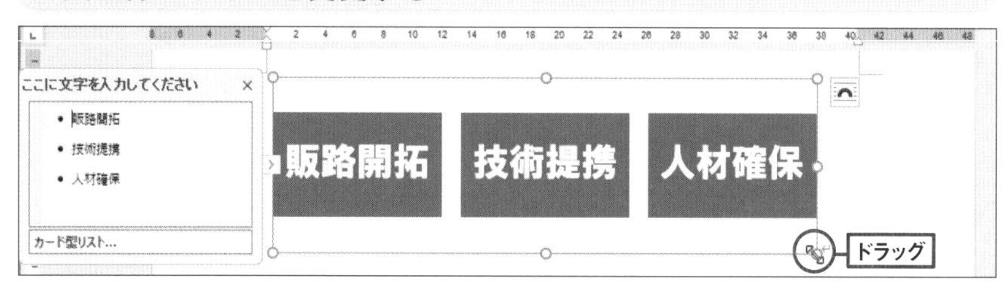

図6 図のサイズは、枠線部分のハンドルをドラッグして変更する。図全体のサイズに応じて図形のサイズと配置が変わるので、好みのレイアウトに調節しよう。ここでは右下隅のハンドルをドラッグし、3つの図形を横並びにした。文字サイズは図形に合わせて自動調整されるが、任意のサイズに変更しても構わない

● 図のイメージに合わせて配色を決める

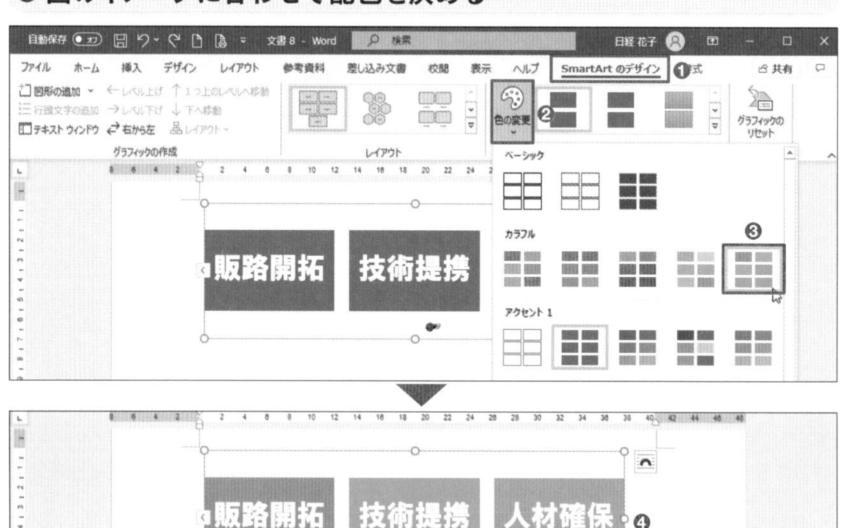

図7 「SmartArtのデザイン」タブの「色の変更」メニューから、図の配色を選択する（❶〜❸）。ここでは「カラフル - アクセント5から6」を選んだ。これで3つの図形が別々の色になった（❹）

補足説明 ひな型の指定位置に画像を挿入する

スマートアートのひな型には、画像入りのタイプもある。例えば、「リスト」カテゴリーにある「画像リスト」は、文字列の上に画像を表示するレイアウトになっている。画像の挿入位置にはアイコンが表示されるので、クリックして使用する画像を選択しよう（**図8**）。なお、ワードで使える画像の種類や挿入方法は「第7章 まずは基本」（176ページ）で詳しく解説している。

文字列に画像を添えると、図の内容を一気にイメージしやすくなる（**図9**）。画像の一部を抜粋して表示したい場合は、トリミングの操作をしよう（→188ページ）。

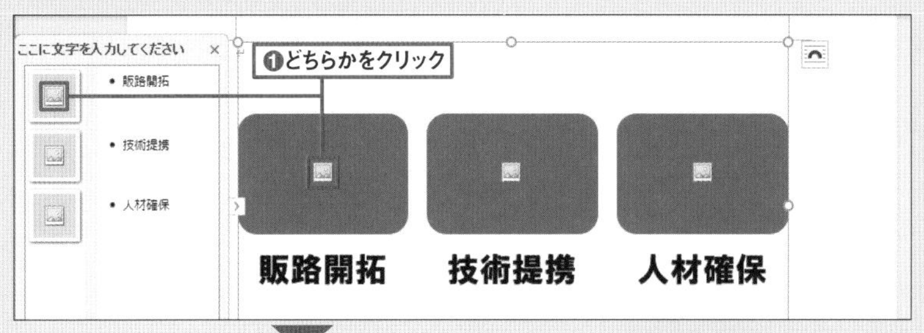

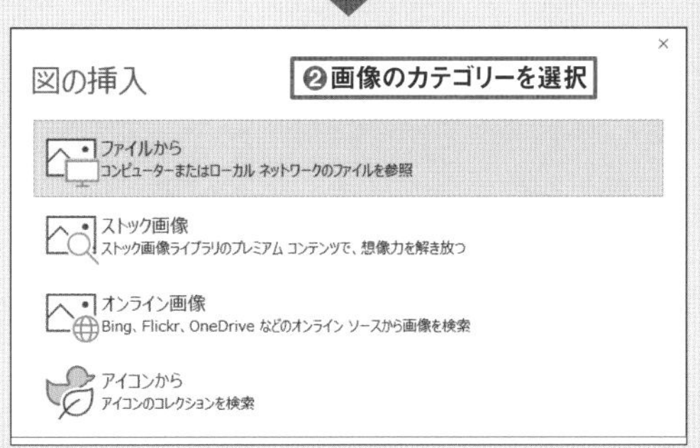

↑← 図8 画像入りのひな型では、画像の挿入位置にアイコンが表示される。アイコンをクリックし、表示される画面で画像のカテゴリーを選ぶ（❶❷）。続いて表示される画面で、画像ファイルなどを選んで挿入する

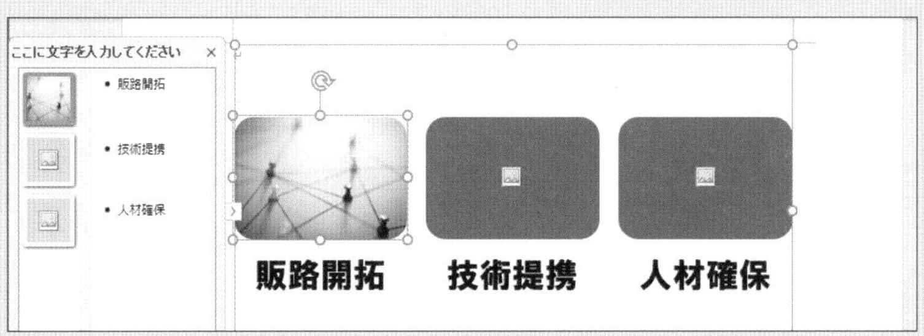

↑図9 ここでは「ストック画像」の写真を挿入した。写真の一部分だけを使いたい場合は、トリミングの操作をしよう

図形の並びをコントロール レベルや順番の入れ替えも簡単

スマートアート／図形の操作

スマートアートでは、図形（項目）の追加、順番の入れ替え、階層レベルの変更などを、「SmartArtのデザイン」タブのメニューやボタンで手早く操作できる（**図1**）。レイアウトに合わせて利用しよう。ここでは階層構造になっている組織図を例に、図形の操作方法を紹介する。

対象の図形を正しく選んで操作する

同じレベルの図形は、「Enter」キーを押して追加するのが手っ取り早い（**図2**）。ただ、元の図形に下位レベルの図形がある場合は、追加した図形にその図形が移動してしまう。下位レベルの図形を動かしたくないときは、「図形の追加」メニューから「後に図形を追加」を選ぼう。これで、同レベルの図形が単独で追加される。

下位レベルの図形を追加する場合は、スマートアート内の図形を選択して「図形の追加」ボタンをクリックする（**図3**）。テキストウインドウ内にカーソルを移動して操作してもよいが、図形を選ぶと追加位置が明快になり、操作ミスも防げる。図形を正しく操作するには、対象の図形を正しく選択することが大事だ。

スマートアートの図形はメニューやボタンで操作

ファイル　ホーム　挿入　デザイン　レイアウト　SmartArt のデザイン

図形の追加　レベルの変更　順番の入れ替え

図1 スマートアートの図形は、「SmartArtのデザイン」タブのメニューやボタンを使って追加やレベルの変更、順番の入れ替えをする。図の構成に従って、図形を効率良く操作しよう

● 同レベルの図形を追加する

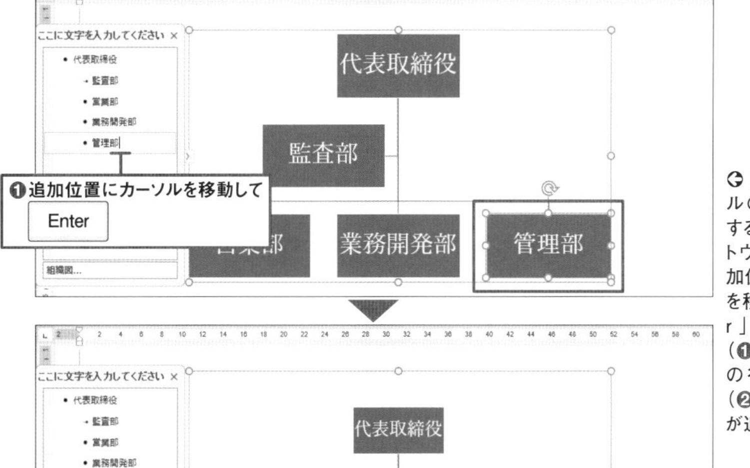

⊙図2 同じレベルの図形を追加するときは、テキストウインドウの追加位置にカーソルを移動して「Enter」キーを押す（❶）。新しい項目の行が表示され（❷）、同時に図形が追加される（❸）

● 下位レベルの図形を追加する

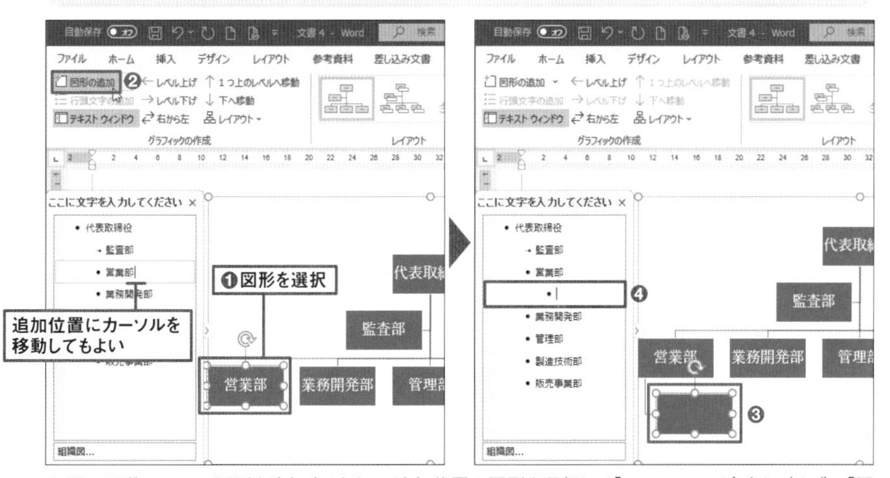

⊙図3 下位レベルの図形を追加するときは、追加位置の図形を選択して「SmartArtのデザイン」タブの「図形の追加」ボタンをクリックする（❶❷）。テキストウインドウの追加位置にカーソルを移動して操作してもよい。下位レベルの図形が追加され、同時にテキストウインドウにも項目の行が追加される（❸❹）

思い通りの位置に図形が追加されなかったり、構成を変更したりするときは、図形のレベルを変更する。レベルは「レベル上げ」ボタンや「レベル下げ」ボタンで1段階ずつ上げ下げできる（**図4**）。図形の現在位置と移動先を考えながら操作しよう。

「図形の追加」メニューを利用すると、事前にレベルを指定して図形を追加することもできる（**図5**）。上位レベルの図形を追加するときは「上に図形を追加」、下位レベルの図形を追加するときは「下に図形を追加」を選べばよい。同レベルの図形は「後に図形を追加」や「前に図形を追加」で追加できる。組織図で項目を追加するときは、このようにレベルも同時に選択すると効率良く作業できる。「アシスタント」のような独立した図形も、ここから追加する。

図形の順番は「1つ上のレベルへ移動」ボタンと「下へ移動」ボタンで入れ替える（**図6**）。ボタン名が紛らわしいが、レベルは保ったまま順番だけが入れ替わる。

● 図形のレベルを変更する

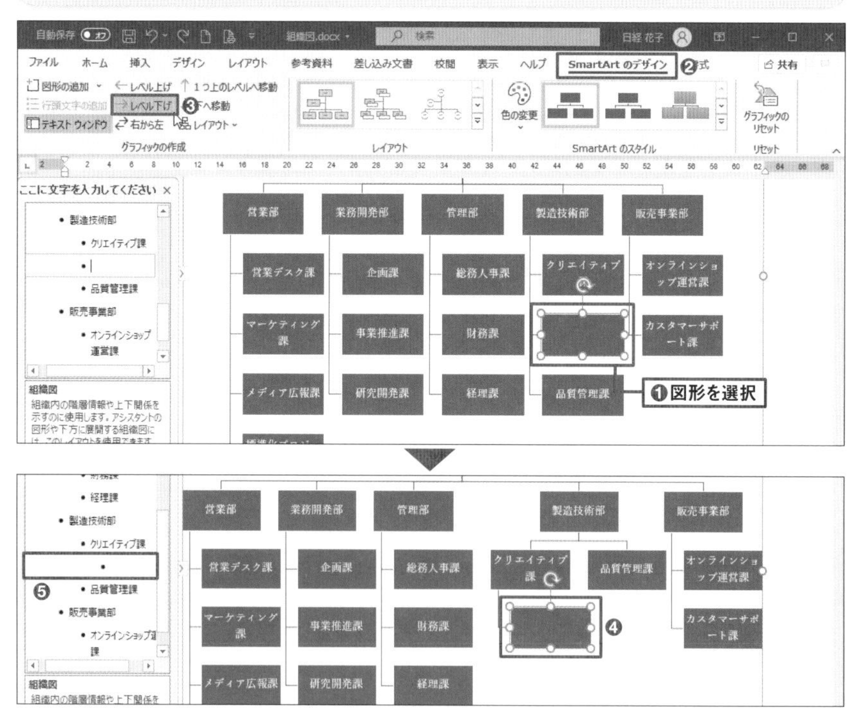

図4 レベルを変更する図形を選択して「SmartArtのデザイン」タブの「レベル下げ」ボタンをクリックする（❶〜❸）。図形のレベルが1つ下がり、テキストウインドウの項目も字下げされる（❹❺）。なお「レベル上げ」ボタンをクリックすると、レベルは1つ上がる

● レベルを指定して図形を追加する

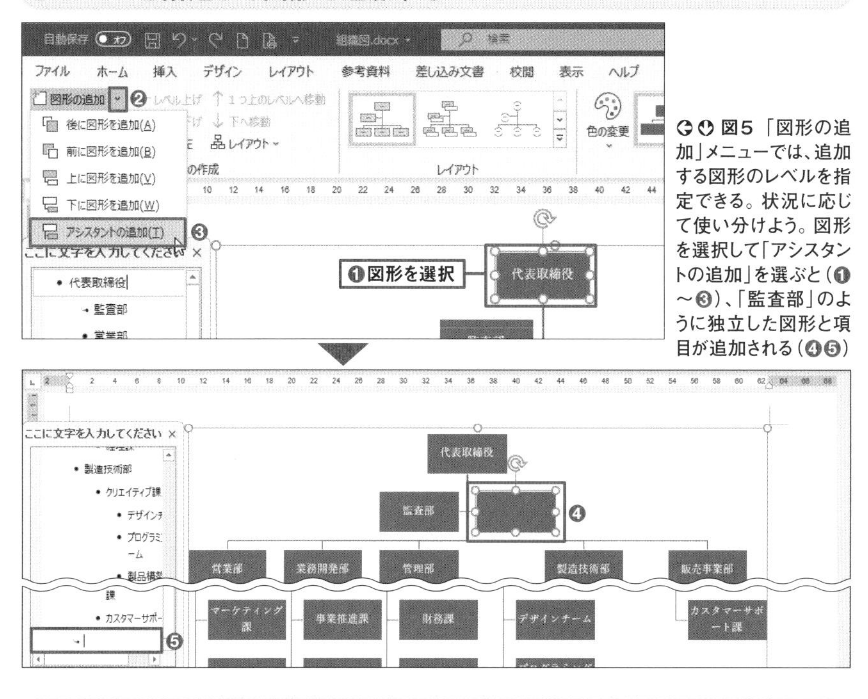

↻↓ 図5 「図形の追加」メニューでは、追加する図形のレベルを指定できる。状況に応じて使い分けよう。図形を選択して「アシスタントの追加」を選ぶと（❶～❸）、「監査部」のように独立した図形と項目が追加される（❹❺）

● 図形の順番を入れ替える

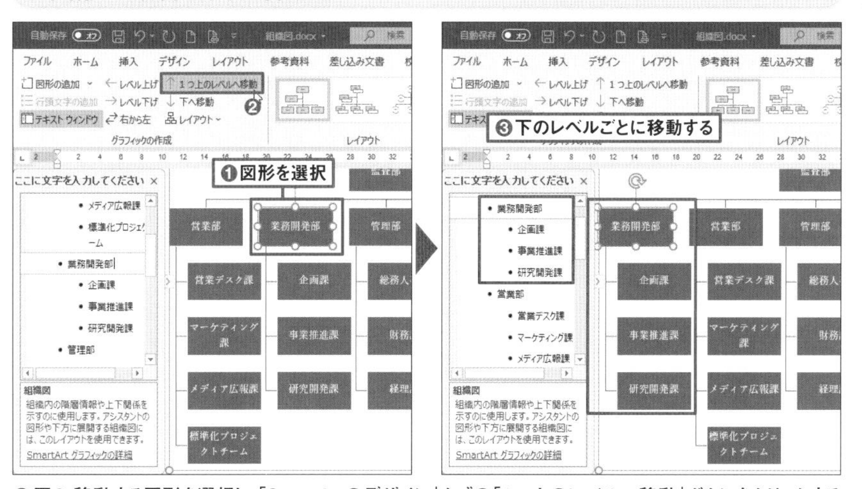

↻ 図6 移動する図形を選択し、「SmartArtのデザイン」タブの「1つ上のレベルへ移動」ボタンをクリックする（❶❷）。選択した図形が下のレベルごと1つ上（この例では1つ左）に移動する（❸）。なお、「下へ移動」ボタンをクリックすると、図形は1つ下（この例では1つ右）に移動する

スマートアートの便利ワザで思い通りの図に仕上げる

スマートアート

スマートアートの図は、ひな型に沿って作成するのが基本。ただ、細部のカスタマイズはできる。図はちょっと手直しすると、格段に見栄えがアップするもの。気になる部分があるときは、面倒がらずに調整しよう。ここでは、図をより美しく仕上げるための便利ワザを紹介する。

図形のサイズやスタイルを手動で変更

見やすい図にするには、図形内の文字列を読みやすくする工夫もしたい。切りの良いところで改行し、文字列をバランス良く表示しよう。項目内での改行は「Shift」+「Enter」キーで実行できる（**図1**）。

図内の図形サイズを一括で任意のサイズに変更することもできる。全図形を選択して、どこか1つのハンドルをドラッグすればよい（**図2**）。四角形の高さを狭めると全体がコンパクトになり、すっきりとした図になる（**図3**）。文字列を1行に収めたいときは幅を広げるとよい。図形に自動設定された色がいまひとつの場合は、好きな色に変更しよう（**図4**）。図形はこのように個別に選択して、変更を加えることもできる。

● 図形内で改行して文字列のバランスを整える

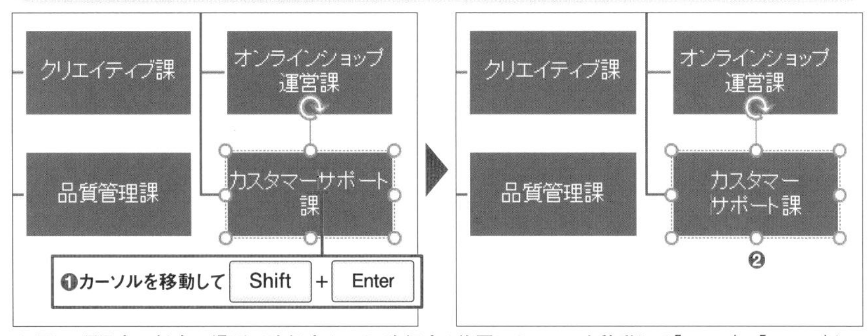

図1 項目内の任意の場所で改行するには、改行する位置にカーソルを移動して「Shift」+「Enter」キーを押す（❶）。これでバランスが悪かったり、中途半端な位置で折り返されたりした文字列が見やすくなる（❷）。テキストウインドウ内で操作してもよい

● 図形のサイズを手動で一括変更する

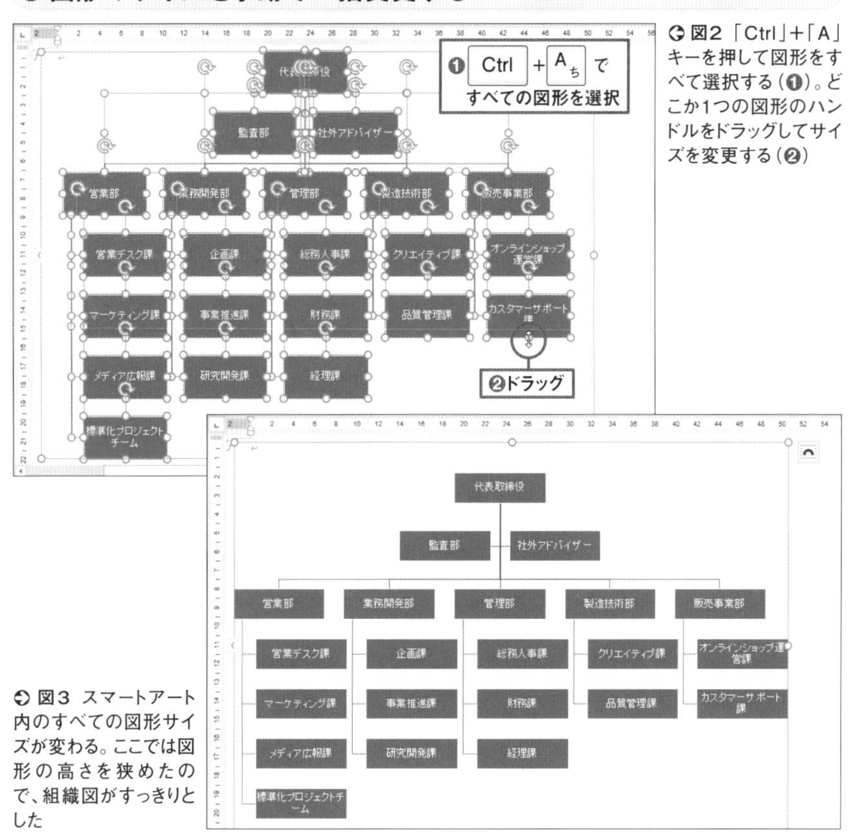

図2 「Ctrl」＋「A」キーを押して図形をすべて選択する（❶）。どこか1つの図形のハンドルをドラッグしてサイズを変更する（❷）

図3 スマートアート内のすべての図形サイズが変わる。ここでは図形の高さを狭めたので、組織図がすっきりとした

● 図形の色を個別に変更する

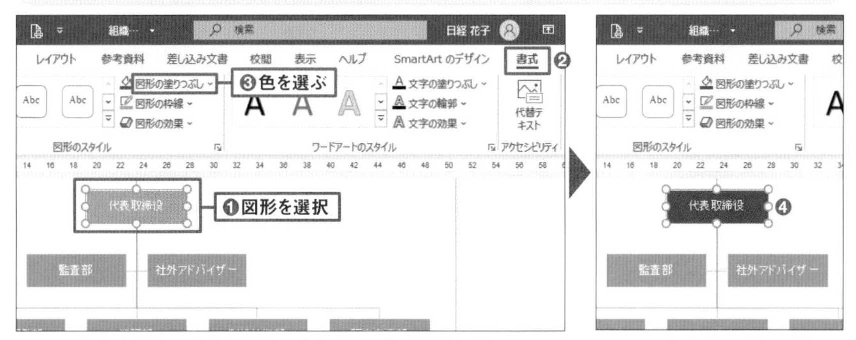

図4 色を変更する図形を選択し、「書式」タブの「図形の塗りつぶし」メニューから色を選ぶ（❶〜❸）。この例では、灰色を濃い青に変更した（❹）

色以外の図形スタイルも、自由に変えられる。作例の組織図では、「社外アドバイザー」を通常の部署と差別化し、独立した存在であることを強調したい。そこで図形を円形に変え、さらに図形のサイズと位置もドラッグで調節した（**図5、図6**）。

図形の色を変えたときは、接続する線の色も確認しよう。必要に応じて、色や線種を変更する（**図7**）。このように、スマートアート内の図形は、通常の図形オブジェクトと同じようにスタイルの設定ができる。

● 図形の種類を変更する

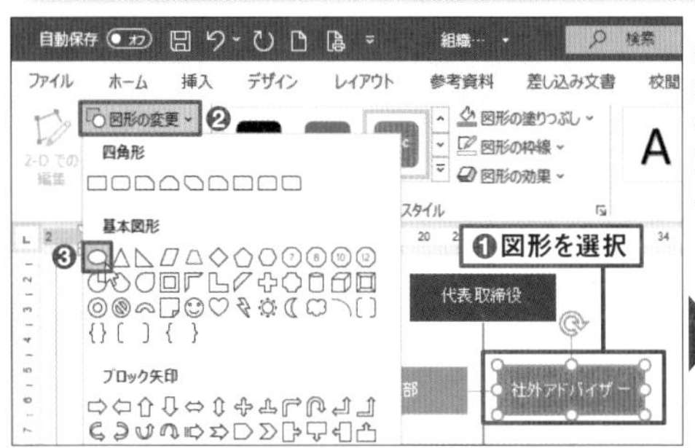

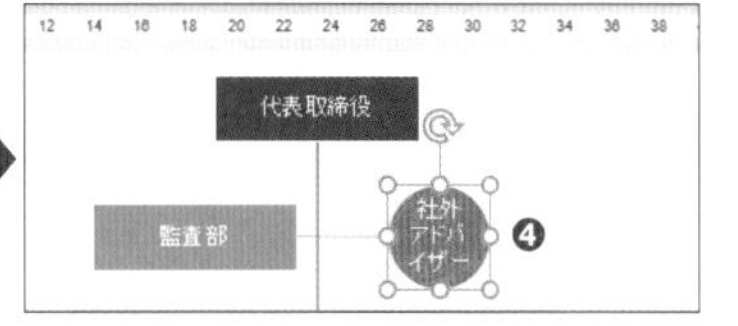

図5 種類を変更する図形を選択し、「書式」タブの「図形の変更」メニューから変更後の図形を選ぶ（❶～❸）。この例では「楕円」に変えた（❹）。図形のサイズは周囲のハンドルをドラッグして調節する

● 図形の位置を調節する

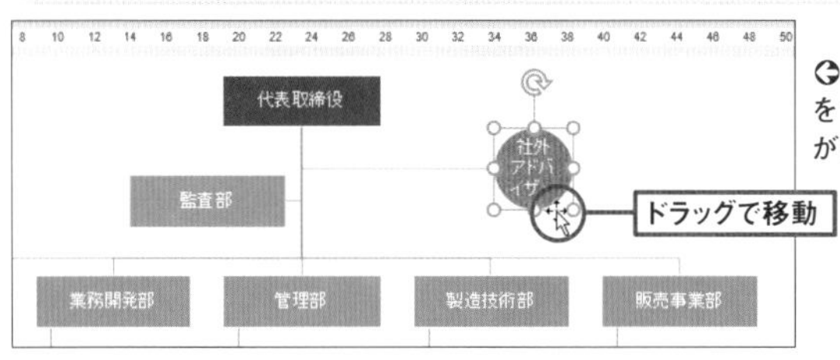

図6 図形はドラッグで動かせる。図形をつなぐ線も一緒に動くのでレイアウトが崩れる心配はない

● 線のスタイルを変更する

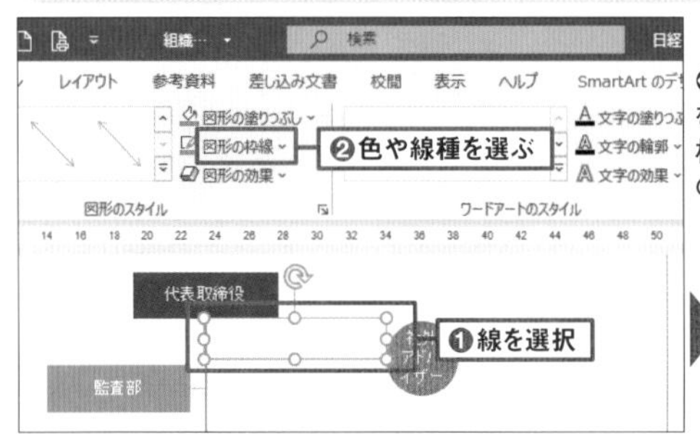

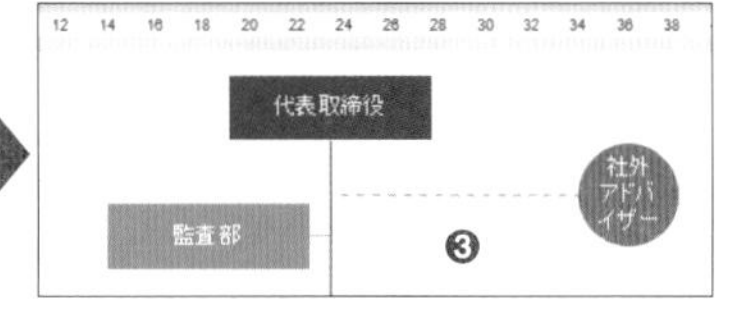

図7 線のスタイルも変更可能。スタイルを変更する線を選択し、「書式」タブの「図形の枠線」メニューから色や線種を選ぶ（❶❷）。この例では、線をオレンジの破線にした（❸）

視覚効果やひな型変更でイメージを変える

スマートアートには配色のバリエーションだけでなく、グラデーションや影、光沢といった視覚効果のスタイルも複数用意されている。見た目を華やかにしたい場合などに利用しよう（**図1**）。「SmartArtのスタイル」ギャラリーを開くと、すべての視覚効果を確認できる。なかには文字列が読みづらくなるスタイルもあるので、設定するときは十分に注意する。

ひな型を簡単に切り替えられるのも、スマートアートの利点（次ページ**図2、図3**）。同じ内容でも、見せ方で印象は異なる。別の文書で使い回す際に雰囲気を変えたいときなども、レイアウトを再考してみよう。ただし、ひな型によっては項目レベルなどが正しく引き継がれず、手直しが必要な場合もある。

図に視覚効果を付ける

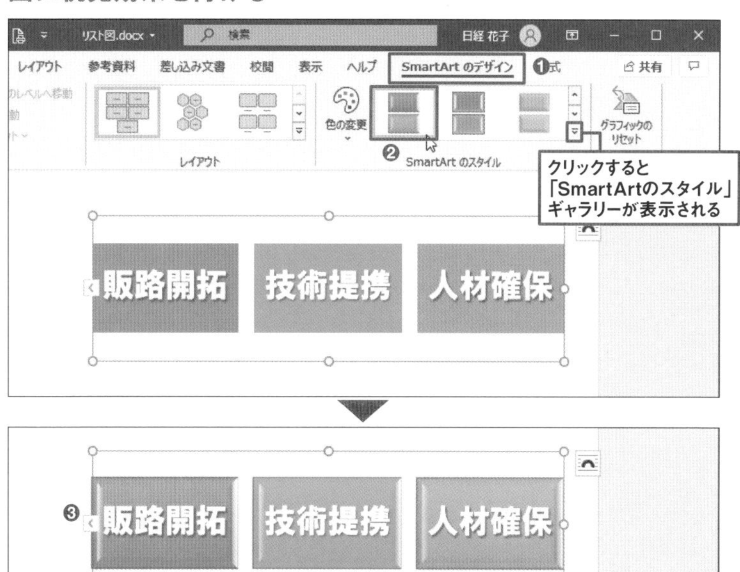

図1 「SmartArtのデザイン」タブの「SmartArtのスタイル」からは、「グラデーション」「光沢」などの視覚効果を選択できる。ここでは「凹凸」を選んで図形を立体的にした（❶〜❸）

別のひな型を使う

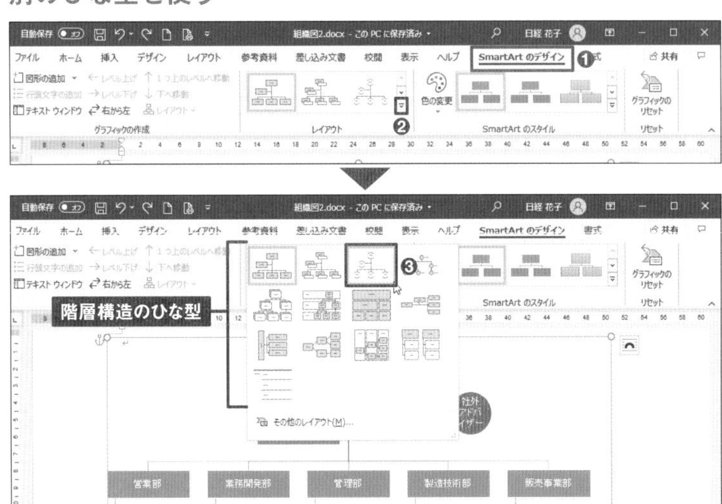

⮉ 図2 「SmartArtのデザイン」タブの「レイアウト」ギャラリーには、同じカテゴリー（ここでは「階層構造」）のひな型が一覧表示され、別のひな型を選べる（❶❷）。ここでは「アーチ型線で飾られた組織図」を選んだ（❸）

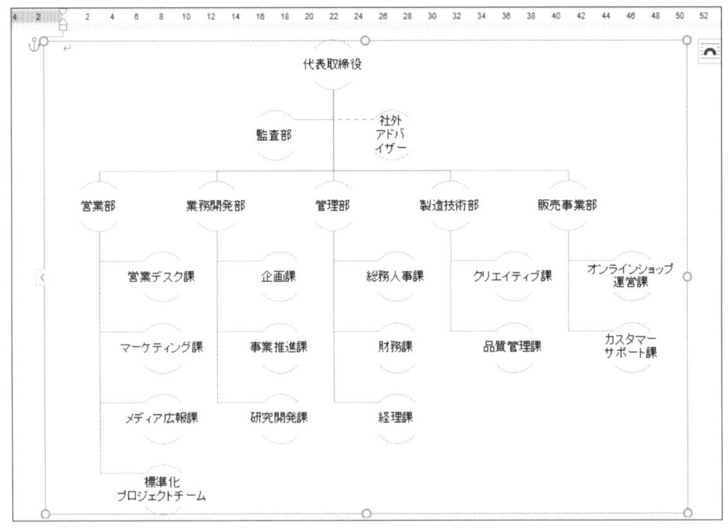

⮉ 図3 ひな型が変更され、組織図がすっきりとしたデザインになった

第7章

写真やイラストでアイキャッチ

画像の活用術

組織のロゴマーク、表紙のイメージ写真、説明図に添えるアイコンなど、画像は文書のデザインを支える強力なアイテム。それだけに、最も効果的に見えるスタイルで表示したい。サイズ変更からイラスト風の加工まで、扱い方を紹介しよう。

- 不要な部分は「トリミング」で除去する
- 文字列と画像の両方を生かす重ねワザ
- ビジュアル素材の宝庫「ストック画像」を活用
- 画像の「アート効果」で表現力アップ　ほか

まずは基本 ワードで使える画像の種類と操作方法を確認しよう

文書に挿入できる画像には、パソコンに保存してある「画像ファイル」、マイクロソフトが提供する「ストック画像」、インターネットやOneDrive上の「オンライン画像」があり、いずれも「挿入」タブの「画像」メニューから選択する。

保存済みの画像ファイルを使う場合は、「画像」メニューから「このデバイス」を選び、表示される画面でファイルを指定する（**図1**）。なお、画像ファイルにはいくつかの形式がある。例えば、デジタルカメラで撮影した写真は通常、「JPEG（ジェイペグ）」という形式で保存される。ワードは、このJPEG形式を含め、たいていの画像形式に対応している。パワーポイントのスライドにある写真をコピーして、そのままワードの文書内に貼り付けるなど、別の場所にある画像をコピペすることもできる。

図1 パソコンに保存してある画像ファイルを使うときは、画像の挿入位置にカーソルを移動して、「挿入」タブの「画像」メニューから「このデバイス」を選ぶ（❶～❹）。表示される画面で画像ファイルの保存先を指定し（❺）、画像ファイルを選択して「挿入」ボタンをクリックする（❻❼）

「ストック画像」や「オンライン画像」では、目的に合った写真をキーワードで検索できる（**図2、図3**）。利用するにはインターネットへの接続が必須だ。なお、配布や公開を目的にした文書に画像を使う場合は、著作権に注意しよう。ライセンスフリーの画像も、公開サイトで使用条件などを十分に確認したほうがよい。

●「ストック画像」には「アイコン」など多彩なアイテムが用意されている

図2 「画像」メニューから「ストック画像」を選ぶと、マイクロソフトが提供する無料の画像ライブラリーを利用できる。一般的な四角い「画像」のほか、「アイコン」や「人物の切り絵」など多彩なアイテムが用意されていて、キーワードやイメージで検索できる。使い方次第で、さまざまな表現が可能だ

●OneDriveやネット上で探すときは「オンライン画像」

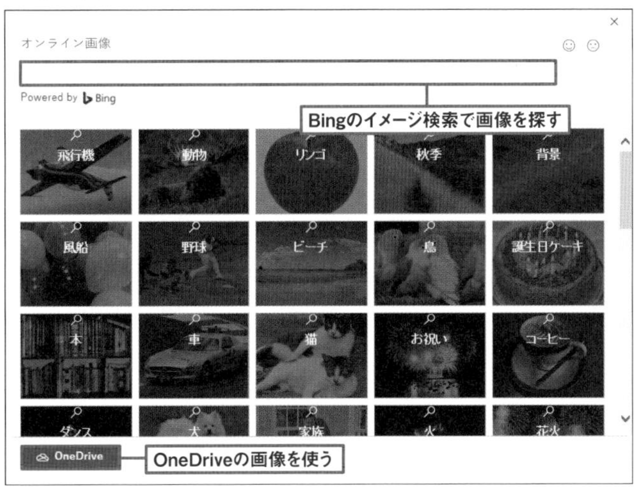

図3 「画像」メニューから「オンライン画像」を選ぶと、Bingのイメージ検索で画像を探したり、OneDrive上の画像を選んで挿入したりできる

画像は「行内」から出して自由に配置

ワードの初期設定では画像が「行内」に挿入され、サイズはドラッグや数値で変更できる（**図4**）。ただし、行内の画像は大きな文字のような扱いになり、このままでは自由に動かせない。そこでまず、配置方法を変更しよう。「図の形式」タブにある「文字

●「文字列の折り返し」で画像の配置方法を変える

↑図4　画像を挿入するとリボンに「図の形式」タブが表示される。ここで画像のさまざまな操作をする。なお、ワードの初期設定では、画像がカーソル位置の「行内」に挿入される（❶）。画像のサイズは四隅のハンドルをドラッグして変更するのが基本（❷）

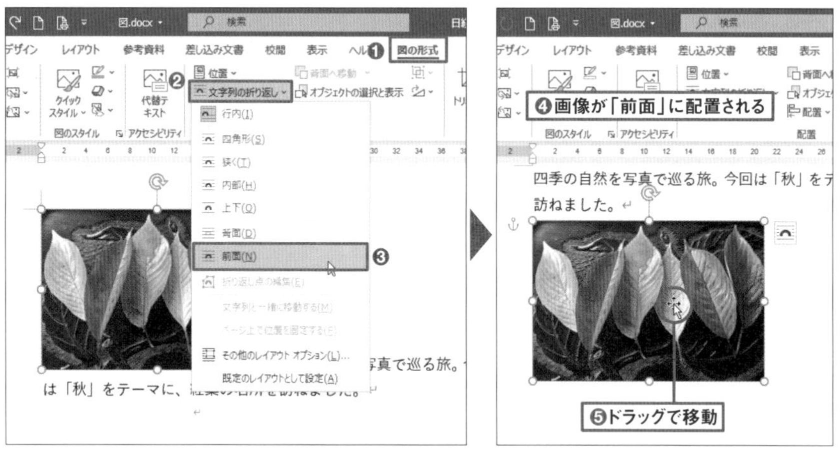

↑図5　「図の形式」タブの「文字列の折り返し」メニューから「前面」を選ぶ（❶〜❸）。これで画像が行内から出て文字列の前面に配置され、ドラッグで自由に動かせるようになる（❹❺）

列の折り返し」メニューを開き、「四角形」や「前面」を選べばよい（**図5左**）。この配置方法は、テキストボックスなどほかのオブジェクトと共通だ（→116ページ）。行内以外を選ぶと、画像はドラッグで好きな場所に移動できるようになる（**図5右**）。

画像の配置方法をいちいち変更するのが面倒なら、初期設定の挿入形式を変更しよう（**図6**）。この設定は、すべての文書で有効になる。

よく使う配置方法を初期設定にしておく

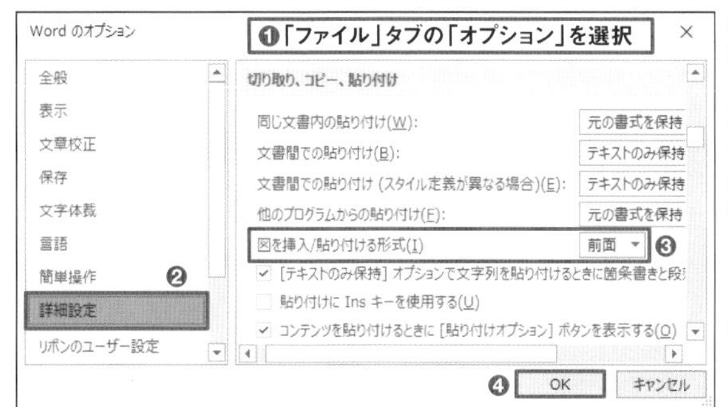

図6 「ファイル」タブの「オプション」を選択し、表示される「Wordのオプション」ダイアログボックスで「詳細設定」パネルを表示（❶❷）。「図を挿入／貼り付ける形式」メニューから初期設定にする配置を選ぶ（❸）。ここでは「前面」にした。「OK」ボタンをクリックすると（❹）、次回から画像が「前面」の設定で挿入される

補足説明 既定の解像度を変更する

ワードでは、画像の解像度が挿入時に「220ppi」に統一される。解像度は画質を表す数値のことで、一般的な印刷物なら「220ppi」以上あれば十分とされている。ただ、写真をもっと高画質で挿入したいこともあるだろう。その場合は「既定の解像度」を変更する（**図7**）。この設定は、編集中の文書だけに適用される。なお、解像度を上げても、元の画像ファイルの解像度以上にはならない。

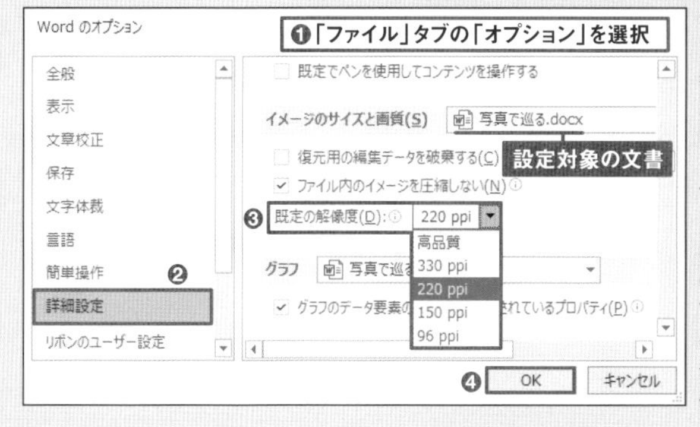

図7 図6の要領で「詳細設定」パネルを表示し、「既定の解像度」メニューから挿入時の解像度を選んで「OK」ボタンをクリックする（❶～❹）。なお、「ファイル内のイメージを圧縮しない」をオンにすると、圧縮によって画質が劣化するのを防げる。ただし、ファイルサイズは大きくなるので注意する

表示イメージに合わせて画像を加工する

画像は単に配置するのではなく、見せ方も工夫しよう。ワードには画像を加工する機能が備わっていて、「図の形式」タブで設定できる（**図8**）。例えば、写真をちょっと明るくしたいときは「色」メニュー、一部分だけを切り取ってクローズアップしたいときは「トリミング」ボタンを利用する。既製のスタイルを適用して、手早く加工することも可能（**図9**）。事前に画像編集ソフトで加工しなくて済み、文書に合わせてスタイルを決められるのはありがたい。

作業ウインドウを開くと、メニューにない数値なども細かく設定できる（**図10**）。いろいろな加工を施しても、画像はいつでも元の状態に戻せるので安心だ（**図11**）。

●「図の形式」タブのメニューで画像の加工をする

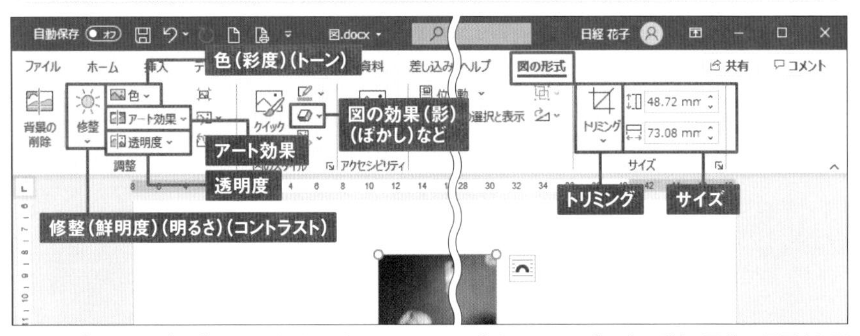

図8 「図の形式」タブには図形を加工するメニューが用意されている。「トリミング」で画像の周囲を切り取ったり、数値でサイズを指定したりできる。また、画像の明るさやコントラスト、彩度などを調節するコマンドもあり、簡単な加工も可能だ

図9 「クイックスタイルギャラリー」にはさまざまな既製スタイルが登録されていて、複数の加工を同時に設定できる（❶）。例えば「楕円、ぼかし」を選ぶと（❷）、写真が楕円形に切り抜かれ、さらに周囲がぼかされる（❸）

● 作業ウインドウで細かい調整をする

図10 画面の右端に作業ウインドウが表示される場合もある。例えば、「修整」メニューの「図の修整オプション」を選ぶと「図の書式設定」作業ウインドウが表示され、画像の明るさなどを細かく設定できる(❶～❸)

● 画像の加工はいつでも元に戻せる

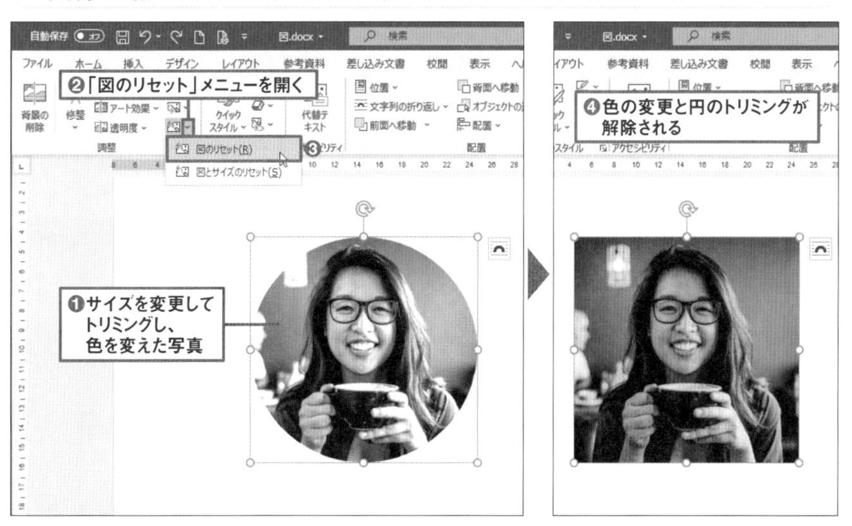

図11 トリミングなどの加工をした画像は、「図のリセット」メニューから元の状態に戻せる(❶❷)。「図のリセット」を選択すると、色の変更やトリミングが解除される(❸❹)。「図とサイズのリセット」を選ぶと、サイズを含めたすべての加工が元に戻る

Section 01

写真を使うときのポイントはサイズ変更とトリミング

画像の基本

写真は使用頻度の高いオブジェクトだ。顔写真をプロフィールに添えたり、カタログに製品の写真を並べたり、風景写真をイメージショットに使ったりと、用途も幅広い。写真にはさまざまな加工を施せるが、最も大事なのは「サイズ変更」と「トリミング」。まずは、この2つを適切に設定することを心がけよう。

見せたい部分を適切なサイズで表示

写真のサイズは、縦横の比率を保ったまま変更するのが原則(**図1左**)。高さや幅だけを変えると画像がゆがみ、不自然な印象になる(**図1右**)。人物を細く見せるためにどうしても幅を狭めたいという場合も、やりすぎに注意しよう。

トリミングは、画像の不要部分を周囲から切り取る機能(→184ページ)。画像の一部を使いたいときに利用する。被写体のどの部分を見せれば効果的かは、バランスを見ながら考えよう。人物の場合は、顔の周囲に適度な背景を作るのが基本だ(**図2**)。複数の写真を並べるときも、トリミングなどでサイズを揃えるとよい(**図3**)。

● 高さと幅の比率を保ってサイズ変更

○ 比率を保ってサイズ変更した

✕ 幅だけを狭くした

図1 写真は縦横の比率を保ったまま使用するのが基本。サイズ変更をするときは気を付けよう。辺上にあるハンドルをドラッグしてサイズ変更をすると、高さや幅だけが変わって不自然な画像になる。幅を狭めたいときは、トリミングで左右を切り取る

● ちょうどよいトリミングで被写体を見せる

✕ 被写体が小さい

講師：柳原成彦（やなぎはら なるひこ）氏

喫茶なぎる店主

1950年京都市生まれ。大学卒業後、商社勤務を経て、1982年、御所南に「喫茶なぎる」を開店。高い焙煎技術で伝説的な存在となる。2015年からブラジルに契約農園を持ち、理想の豆を追及している。

✕ 被写体の周囲に余裕がない

講師：柳原成彦（やなぎはら なるひこ）氏

喫茶なぎる店主

1950年京都市生まれ。大学卒業後、商社勤務を経て、1982年、御所南に「喫茶なぎる」を開店。高い焙煎技術で伝説的な存在となる。2015年からブラジルに契約農園を持ち、理想の豆を追及している。

○ 適切なサイズとトリミング

講師：柳原成彦（やなぎはら なるひこ）氏

喫茶なぎる店主

1950年京都市生まれ。大学卒業後、商社勤務を経て、1982年、御所南に「喫茶なぎる」を開店。高い焙煎技術で伝説的な存在となる。2015年からブラジルに契約農園を持ち、理想の豆を追及している。

図2 トリミングでは、被写体のどの部分を見せるかをよく考える。小さすぎても大きすぎてもバランスが悪い。特に人物の場合は、顔の周囲に適度な背景を設けると見やすくなる

● 写真を並べるときはサイズを揃える

✕ サイズ違いの写真をそのまま並べる

○ サイズを揃えて並べる

図3 サイズの異なる写真を並べるときは、サイズを揃えるときれいに見える。このような加工も、サイズ変更とトリミングの機能を使えば簡単だ。ただし、重要な写真を大きく表示するなど、状況によっては写真のサイズに変化を付けたほうがいい場合もある

Section 02

見せたい部分にフォーカス トリミングで写真を生かそう

トリミング

画像の周囲を切り取るトリミングは、写真を使うときの必須テクニック（**図1**）。四角形だけでなく、円や星形などで切り取ったり、表示サイズを数値で指定したり、トリミングサイズに合わせて画像サイズを調節したりと、状況に応じた柔軟な設定が可能だ。いくつかの例で、効率良く操作するコツを紹介しよう。

トリミングの範囲は、ハンドルをドラッグしながら決める（**図2**）。画像の周囲には、太線の「トリミングハンドル」と丸い「サイズ変更ハンドル」が表示されるので、ドラッグするハンドルを間違えないようにしよう。ハンドルにポインターを合わせて、太線の表示になったときにドラッグする。

四角形以外で切り抜く場合は、「図形に合わせてトリミング」サブメニューから図形を選択する（**図3**）。切り抜いた後に範囲を狭めたいときは、図2の要領で周囲をトリミングしよう。

写真の一部分を切り抜いて使う

図1 トリミング機能を使うと、画像の周囲を切り取ることができる。写真の一部分だけを使う場合に利用しよう

●トリミングの範囲をドラッグで決める

↑→図2 画像を選択して「図の形式」タブの「トリミング」ボタンをクリック（❶～❸）。画像の周囲に太線のトリミングハンドルが表示されるので、切り取る部分のハンドルを内側にドラッグする（❹❺）。ここでは右辺のハンドルをドラッグしたので、画像の右側が切り取られる範囲として暗い表示になる（❻）。再度「トリミング」ボタンをクリックすると、トリミングが確定する

●円などの図形に沿って切り抜く

↑図3 「トリミング」メニューを開き、「図形に合わせてトリミング」サブメニューから、図形の種類（ここでは「楕円」）を選ぶ（❶～❸）。画像が図形に沿って切り抜かれる（❹）

サイズ違いの写真を揃えるテクニック

複数の画像を同じサイズに揃えるときは、トリミングの範囲を数値で正確に決めて、表示サイズと位置を調節するとよい。作例では、まず写真を高さ80ミリ、幅60ミリの範囲にトリミングする（**図4上**）。続いて、写真のサイズをトリミングの高さ80ミリに合わせ、さらに表示位置を写真の右端に変更する（**図4左下**）。これで写真の見せたい場所を、指定した範囲内に表示できる（**図4右下**）。この方法は、文書内の配置場所に画像サイズを合わせるときにも便利だ。

←↓ 図4 画像の配置場所が決まっていたり、複数の画像を同じサイズに揃えたりする場合は、トリミングのサイズを数値で指定しよう（❶）。その後、画像のサイズと表示位置を調節してトリミングを確定する（❷❸）

具体的な手順を見ていこう。トリミングの範囲は「図の書式設定」作業ウインドウを開いて指定する（**図5**）。「トリミング位置」の「幅」と「高さ」に、サイズをミリ単位で指定しよう（**図6**）。画像は指定したサイズにすぐ切り取られ、トリミングのハンドルは表示されない。

● 画像を正確なサイズに切り抜く

↑図5 「図の形式」タブにある「図の書式設定」ボタンをクリックする（❶❷）。「図の書式設定」作業ウインドウが開いたら、「図」パネルを選択して「トリミング」グループを開く（❸❹）

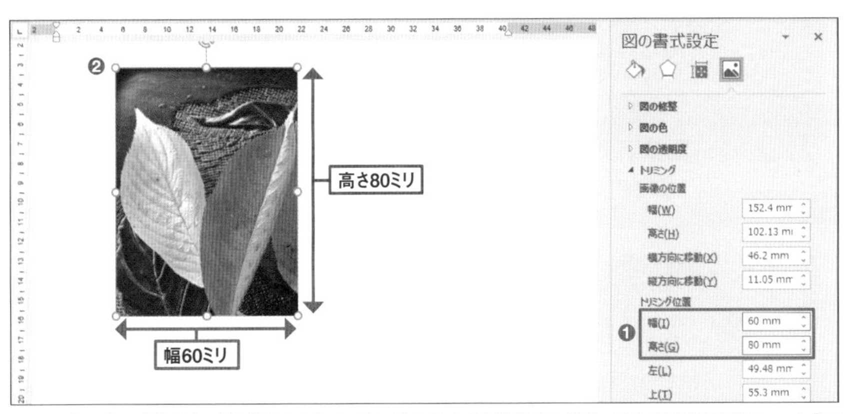

↑図6 「トリミング位置」の「幅」と「高さ」にトリミングのサイズを指定する（❶）。ここでは「幅」に「60mm」、「高さ」に「80mm」を指定した。画像が指定したサイズに切り取られる（❷）。なお、数値は「59.99mm」のように表示される場合もあるが、気にしなくてよい

トリミングのサイズが決まったら、画像のサイズと表示位置を調節する。「トリミング」ボタンをクリックすると写真全体が現れ、切り取られた部分が暗く表示されるので、まず四隅のハンドルをドラッグして画像サイズを調節しよう（**図7上**）。トリミングの範囲に表示する位置もドラッグで変更する（**図7下**）。写真を動かしながら、どこを見せれば最も効果的かを考えよう。

ほかの写真も、同様の手順でサイズを揃えられる（**図8**）。元の写真のサイズが幅60ミリ未満、あるいは高さ80ミリ未満の場合は、図7上の操作で写真のサイズを大きくすればよい。デジタルカメラやスマートフォンなど、さまざまなデバイスで撮影した写真はサイズが異なる場合があるが、この方法で問題解決だ。複数の画像をきれいに並べるときは、オブジェクトの配置機能を利用しよう（**図9**）（→153ページ）。

● 画像のサイズと表示位置を決める

サイズの変更

表示位置の変更

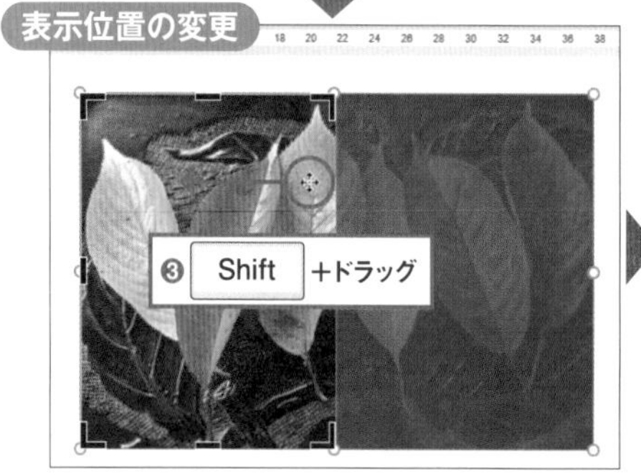

⬆⬇ **図7** 「トリミング」ボタンをクリックして、トリミングのモードに切り替える（❶）。画像の四隅に表示されるサイズ変更ハンドルをドラッグして、サイズを変更する。ここでは右下隅のハンドルをドラッグして（❷）、写真の高さを80ミリの枠に合わせた。写真をドラッグして枠内に表示する位置を変更する。ここでは「Shift」キーを押しながら左へドラッグして水平方向に動かし、写真の右部分を枠内に表示した（❸❹）

● ほかの写真を同じサイズにトリミングして並べる

⬇➡ 図8 図7と同様の手順で、ほかの画像も幅60ミリ×高さ80ミリのサイズに切り取り、サイズや表示位置を変更する。これでサイズ違いの写真をバランス良く並べられる

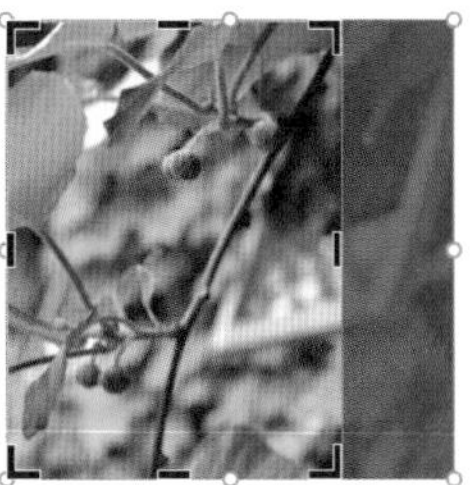

四季の自然を巡る ≪日本縦断フォトレポート≫

⬆ 図9 サイズを揃えた4枚の写真をきれいに配置して、文字列を重ねた例。春夏秋冬の写真を、美しくレイアウトできた

補足説明 縦横の比率を指定してトリミング

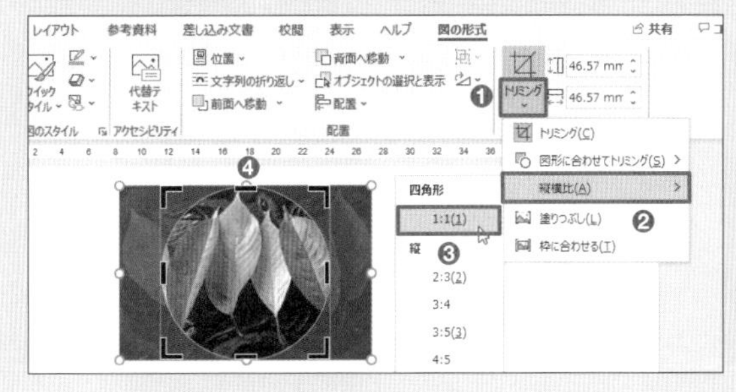

⬅ 図10 「トリミング」メニューの「縦横比」サブメニューでは、トリミング範囲を縦横の比率で指定できる(❶❷)。この例では、楕円にトリミングした写真をさらに「1:1」の比率でトリミングし(❸)、正円に切り抜いた(❹)

Section 03

文字は見やすい位置に重ねる写真の明度を落とす手も

図の修整

画像にタイトルや説明文を重ねるときは、文字の読みやすさを第一に考えよう（**図1**）。なるべく色の変化が少ない場所に配置して、文字色もコントラストの付く設定にするとよい。

「第4章04」（98ページ）で紹介した「透かし効果」を使って、画像と文字列の間に色を付ける手もある（**図2**）。ただ、どうしても背面の画像が暗くなるので、文字列の範囲が広い場合は、せっかくの画像効果が薄れてしまうことがある。画像をクリアに表示したいときは、控えたほうがよいだろう。

色の変化が少ない場所に文字列を重ねる

✕ 画像の色とかぶって読みにくい

△ 文字色がイメージと合わない

○ 文字がはっきり読める

図1 写真に文字列を重ねるときは、なるべく画像の色がフラットな場所に配置する。文字に影を付けたり、色を変えたりすると多少読みやすくなることもある。この例では文字色を黒にすると暗いイメージになったので、配置場所を工夫した

画像を背景のアクセントとして使うなら、明るさやコントラスト、シャープネスを調節して文字列を目立たせるのもお勧めだ（**図3**）。この例では、明るさを落として、白い文字を浮き上がらせた。メニューに適度な明るさがない場合は、「図の書式設定」作業ウインドウを開いてパーセンテージを調節しよう（→181ページ図10）。

● 透かしの背景は適さない場合もある

△ 画像が暗くなる範囲が広すぎる

◀ 図2 背景に透かしを付けると文字列は読みやすくなるが、その部分の画像は暗くなる。画像に対して文字列の範囲が広いときは、画像がわかりにくくなるので気を付けよう

● 明るさを落として文字を目立たせる

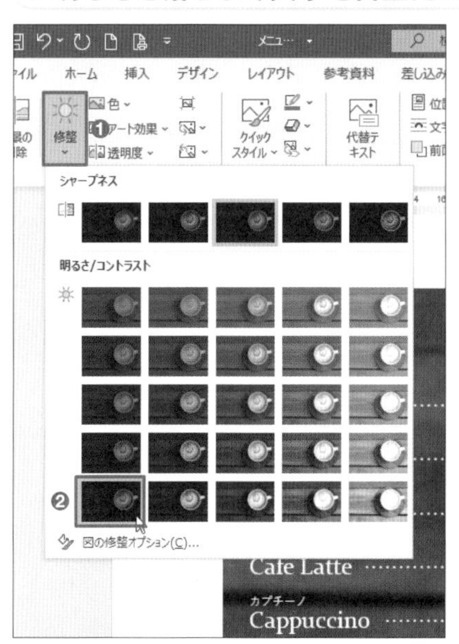

▲ 図3 「図の形式」タブの「修整」メニューから画像の明るさを選ぶ（❶❷）。ここでは「明るさ:-40% コントラスト:+40%」を選んで、画像の明度を落とした。文字と画像のコントラストが強くなり、文字列がはっきり見えるようになった

補足説明 画像を透かして文字を読みやすくする

文章を強調したいときは、画像に透かしを設定するのもお勧め（**図4**）。主役の文章がはっきりと表示されて、画像は程よいアクセントになる。作例では、円形に切り抜いたイメージ写真を「65％」の透明度にした。これで、一部を画像に重ねた文字列が一気に読みやすくなった。

透明度は「図の書式設定」作業ウインドウで細かく調節できる。「透明度」メニューから「図の透明度のオプション」を選ぶと、作業ウインドウの「図の透明度」グループが開くので、「透明度」を指定しよう。作業ウインドウの設定はすぐ画像に反映されるため、結果を見ながらちょうどよい値を決められる。

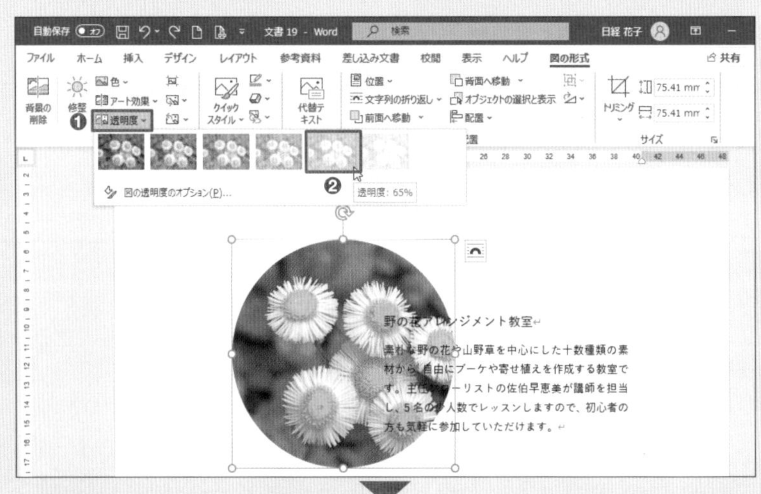

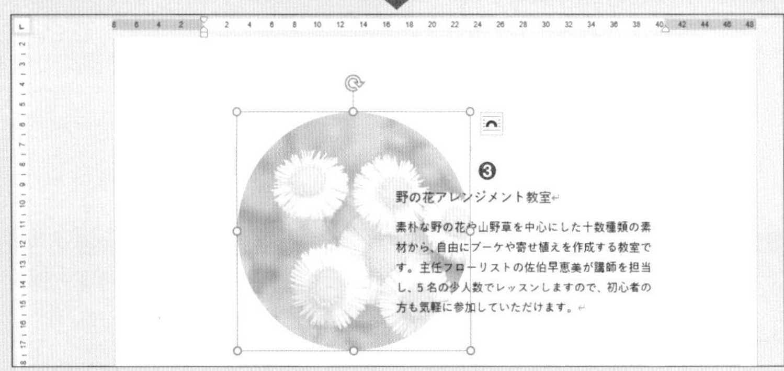

図4 「図の形式」タブの「透明度」メニューから画像の透明度を選ぶ（❶❷）。ここでは「65％」を選んだ。画像に透かしの効果が付き、重ねた文字列が読みやすくなる（❸）

Section 04

ストック画像でイメージ喚起 用途別に探して使いこなす

ストック画像／アイコン

資料に内容を示すイメージ画像を入れたいが、適当な写真がない――。そんな悩みを解決してくれるのが「ストック画像」。マイクロソフトが提供する無料の画像ライブラリーで、ワード文書ではタイトル周りの装飾などに幅広く利用できる（**図1**）。

切り抜きの人物やアイコンも魅力

一般的な四角い画像のほか、「人物の切り絵」が用意されているのもうれしい（次ページ**図2**）。背景がないので、ほかの画像に重ねて利用しやい。同じ人物のいろいろなポーズが用意されていて、反転を使えば人物の向きも変えられる。躍動感のある図を簡単に作成でき、資料の概念図やポスターなどに重宝するだろう。

ストック画像をイメージショットに使う

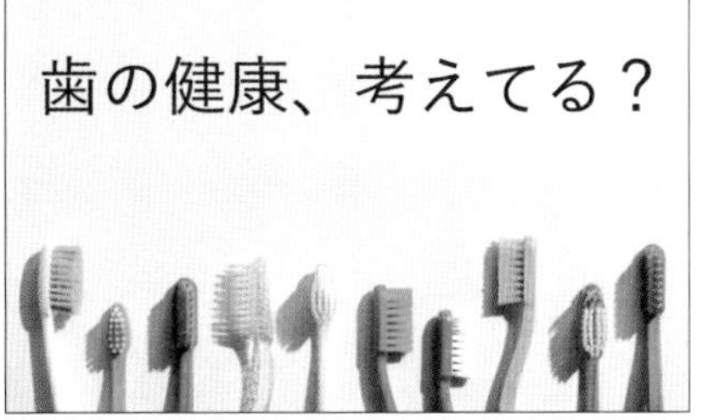

図1 写真やイラストなどの画像を提供する「ストック画像」は、文書のイメージ作りに重宝する。用途に合う画像を探して利用しよう

「アイコン」も豊富に揃っている（**図3**）。さまざまなシンボルが同じサイズで用意されており、図の記号として使いやすい。センスの良いデザインが多く、色も変えられるので、イラストとしても秀逸だ。資料に何か足りないと思ったときは、アイコンの存在を思い出そう。ワンポイントの装飾に使うだけでも、資料の雰囲気は変わる。

●「人物の切り絵」で躍動感のある図を作る

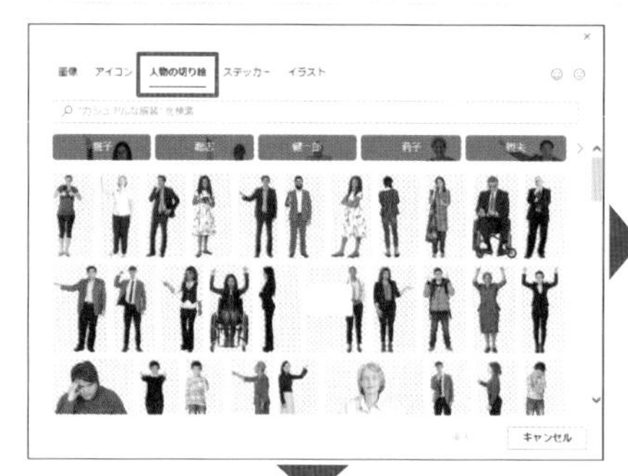

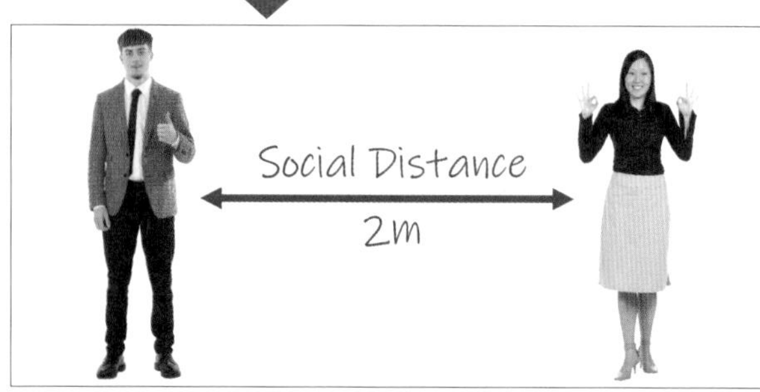

↑← 図2 背景のない「人物の切り絵」もあるので、人物を使った図を手早く作ることができる。画像に重ねて使うのにも便利だ

●ピクトグラムにもイラストにもなる「アイコン」

↑図3 「アイコン」は記号として使ったり、装飾に利用したりできる。豊富な絵柄が用意されているので、用途に合うものが見つかるはずだ。複数の絵柄を組み合わせて、イメージ通りのアイコンを作ることもできる

いろいろなキーワードを試してみる

ストック画像は数が多いので、利用するときはキーワード検索で絞り込む（**図4**）。使いたい画像が見つからないときは、類似するキーワードで検索してみよう。例えば「歯」のキーワードでダメなら「歯科」とか、「涙」の代わりに「悲しみ」を使うとか、いろいろ試すのがお勧めだ。

使う画像をクリックで選択すると、画像の右上にチェックマークが付く。また、「挿入」ボタンには、「（1）」にように選択中の枚数が表示される。選択を解除するときは、再度画像をクリックしてチェックマークを外せばよい。別のキーワードで検索し直しても、選択は解除されないので安心だ。このように一度に複数の画像を選択できるので、いくつか候補を選んで挿入し、文書内で使う画像を決めてもよいだろう。

● 画像をキーワードで検索して挿入する

↑↓ 図4 「挿入」タブの「画像」メニューから「ストック画像」を選ぶ（❶～❸）。「ストック画像」の画面が表示され（❹）、利用できる画像が一覧表示される。検索欄にキーワード（ここでは「歯」）を入力し、表示された中から使用する画像をクリックで選択する（❺❻）。なお、検索欄右側の「×」ボタンをクリックすると、検索が取り消される。画像の選択後、「挿入」ボタンをクリックする（❼）

7章 写真やイラストでアイキャッチ画像の活用術

アイコンは色や枠線の設定ができる

アイコンも同様に、キーワード検索で見つけよう(**図5**)。1つのデザインに、塗りつぶしたものと線画の2タイプが用意されていることが多いので、利用したいほうを選ぶ。色の変更や配置などの操作は、ほかのオブジェクトとほぼ同じ(**図6**)。線画のタイプも、色は「グラフィックの塗りつぶし」メニューで変更する(**図7**)。

● アイコンの色は「グラフィックの塗りつぶし」で変更

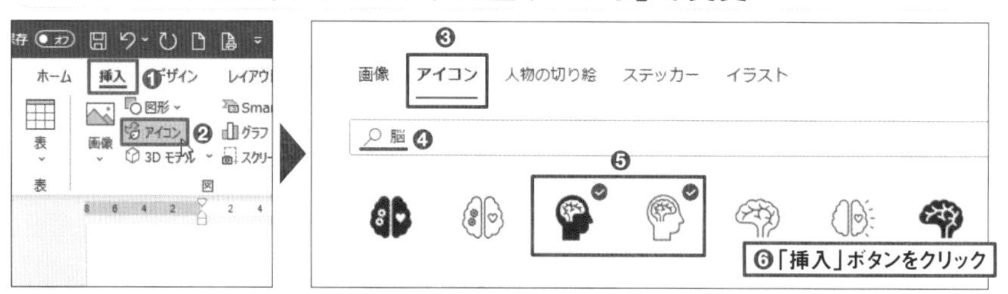

図5 「挿入」タブの「アイコン」をクリックする(❶❷)。「アイコン」の画面が表示されるので、絵柄を検索して選び、「挿入」ボタンをクリックする(❸〜❻)。ここでは「脳」のアイコンを2つ選んだ

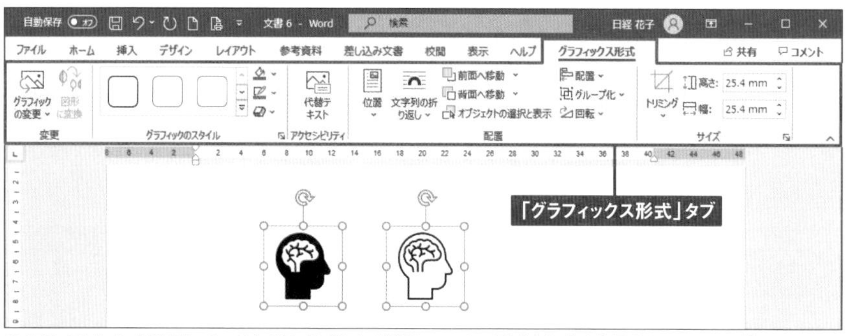

図6 アイコンを選択しているときは、リボンに「グラフィックス形式」タブが表示される。ここで塗りつぶしの色などを変更できる

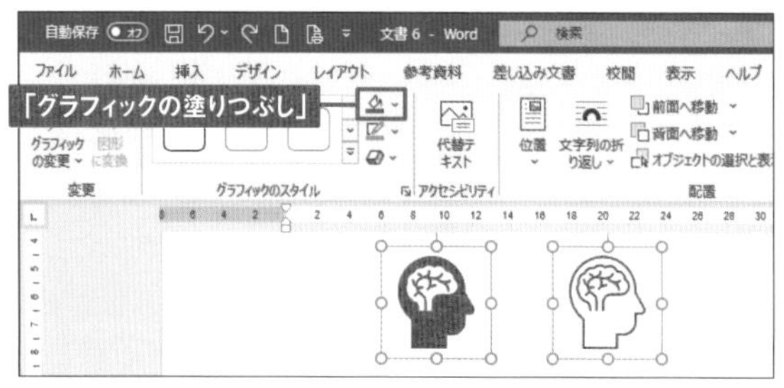

図7 アイコンの色は、どちらのタイプも「グラフィックの塗りつぶし」メニューで変更する。「グラフィックの枠線」で色を選ぶと、周囲に枠線が付くので気を付けよう。もちろん必要なら枠線を付けても構わない

実写の表現がいまひとつなら写真をイラスト風に加工する

アート効果

画像を加工する機能の中でも、画像にいろいろな質感を加える「アート効果」は面白い。簡単にイメージチェンジを図れて、画像が魅力的になることもある（**図1**）。写真の出来がいまひとつだったり、切り抜き（→199ページ）で輪郭がギザギザになったりしたときは、アート効果でカバーしてみよう。

この例では、スナップ写真から切り抜いた柿の画像をイラスト風に加工してみた。柿の栄養学を楽しく解説する資料なので、柔らかい雰囲気のイラストはぴったり。輪郭の凹凸も目立たなくなった。

写真のイラスト化で柔らかい雰囲気に

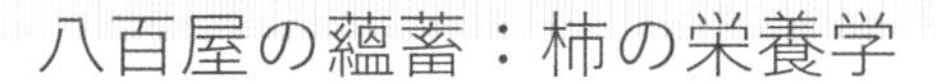

甘柿（生）　可食部　100g 当たり		
カロリー	60	kcal
ビタミンC	70	mg
カリウム	170	mg
β-カロテン	420	μg

注目成分：タンニン（ポリフェノール）

八百屋の蘊蓄：柿の栄養学

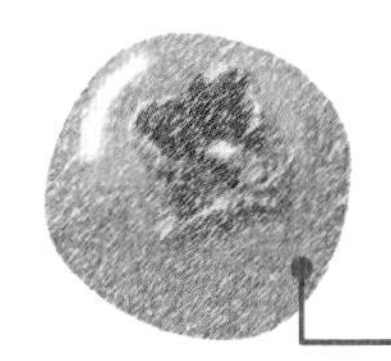

甘柿（生）　可食部　100g 当たり		
カロリー	60	kcal
ビタミンC	70	mg
カリウム	170	mg
β-カロテン	420	μg

注目成分：タンニン（ポリフェノール）

イラスト風に加工

図1 写真だと硬いイメージだったり、切り抜きで輪郭が少しギザギザしていたりするときは、画像をイラスト風に加工してみるのもお勧めだ。柔らかい印象になり、輪郭も気にならなくなる

アート効果にはいくつもの種類があり、すべてメニューから選べる（**図2**）。作例では「線画」を選択して、写真を色鉛筆で描いたような表現にした。効果の調整も可能だ（**図3**）。線画では、表現のオプションとして「透明度」と「鉛筆のサイズ」の2つを指定できる。いろいろな設定を試して、好みの表現を見つけよう。

● 画像に「アート効果」を付ける

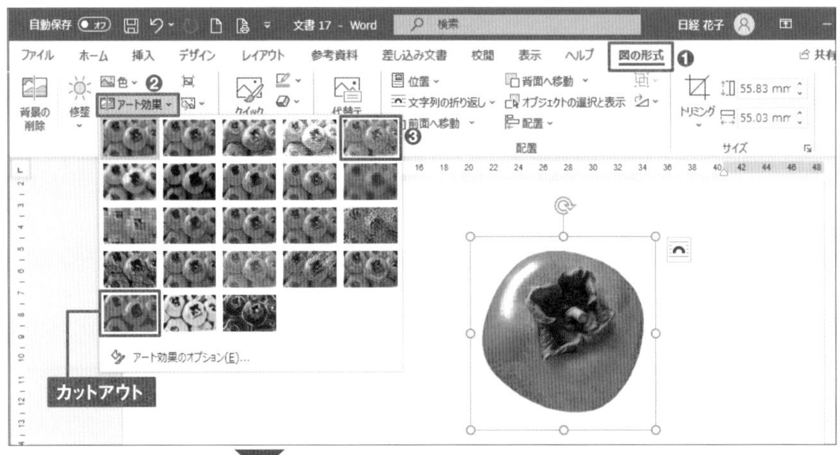

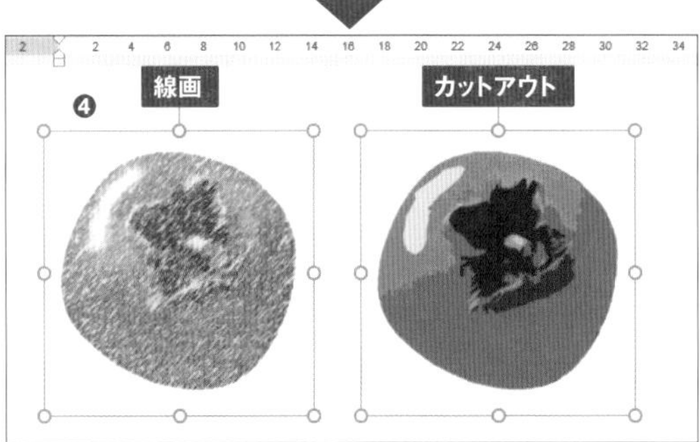

⬆⬅ **図2** 「図の形式」タブの「アート効果」メニューから、好みの表現を選ぶ（❶❷）。ここでは「線画」を選んだ（❸）。これで写真がイラスト風に変わる（❹）。「カットアウト」を選ぶと、塗りの強いイラストになる

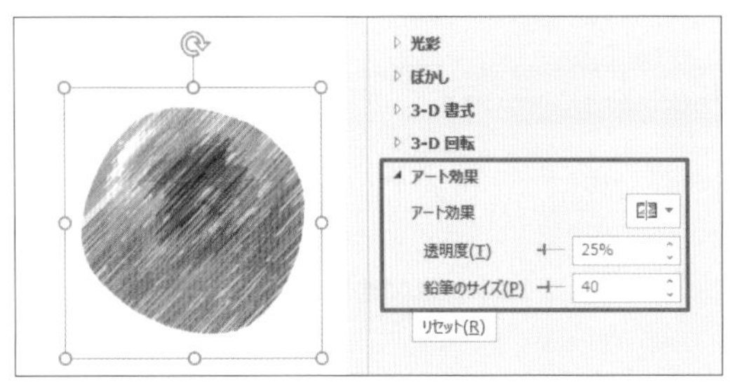

⬅ **図3** 「アート効果」メニューから「アート効果のオプション」を選ぶと作業ウインドウが開き、鉛筆のサイズなど効果を細かく調節できる

写真を被写体の形に切り抜く

配付資料やチラシなどに入れる写真は、できるだけ効果的に見せたい。写真の表示方法は、そのままの四角形で見せる「角版」と、背景を削除して被写体だけを見せる「切り抜き」の2つに大別される。状況に応じて使い分けよう。

チラシなどで商品をクローズアップするときは、切り抜きがオススメだ。周囲をトリミングしただけの角版より被写体の存在感が増し、文字列や図形とも組み合わせやすくなる（**図1**）。

写真を切り抜くときは、まず画面を「背景の削除」モードに切り替える（**図2**）。ワードが自動的に削除する背景を判断するので、消したい部分が残っていたり、残したい部分が消えたりしていないか確認しよう。

図1 文書内に挿入した写真は、物の輪郭に沿って切り抜くことができる。周囲をトリミングするだけより対象物がクローズアップされ、チラシなどで効果的に使える

図2 「図の形式」タブの「背景の削除」ボタンをクリックする（❶）。画面が「背景の削除」モードに変わり、リボンに「背景の削除」タブが表示される（❷）。背景として削除する領域は赤紫色で表示されるので、領域が正しいか確認する（❸）

表示が正しくないときは、「削除する領域としてマーク」と「保持する領域としてマーク」を使い分けながら、手直ししていく（**図3、図4**）。削除する位置をクリックすると保持したい部分まで削除されることもあり、正直ちょっと根気のいる作業だ。輪郭など細かい部分は、画面を拡大して操作するとよい。

なお、被写体の背景が単色の写真は、コントラストがはっきりしているので切り抜きは簡単になる。切り抜き前提の写真なら、撮影時に工夫してみよう。

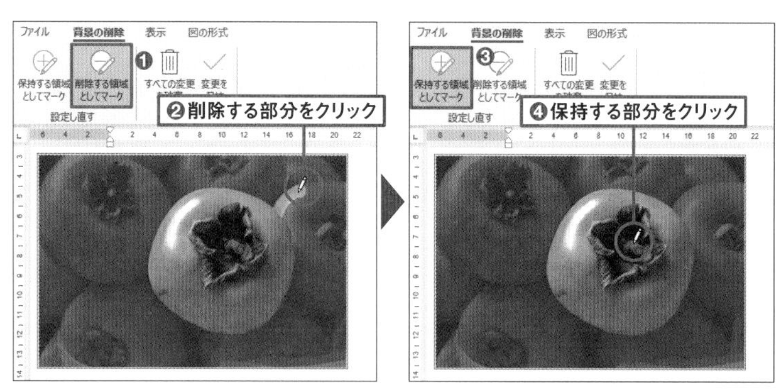

図3 削除したい背景の一部が表示されている場合は、「背景の削除」タブの「削除する領域としてマーク」ボタンをクリックし、削除する部分をクリック（または範囲をドラッグ）する（❶❷）。クリックした部分と同じ色調の領域が削除対象となる。表示したい部分が背景になっている場合は、「保持する領域としてマーク」ボタンをクリックし、表示する部分をクリック（または範囲をドラッグ）する（❸❹）。クリックした部分と同じ色調の領域が表示対象となる

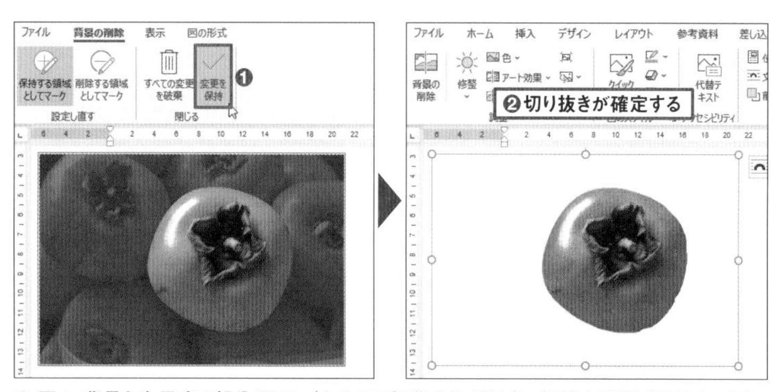

図4 背景と表示する部分が正しくなるまで操作を繰り返す。保持する領域が決まったら、「変更を保持」ボタンをクリックする（❶）。背景が削除され、保持する部分が切り抜かれた状態で表示される（❷）。なお、切り抜きの指定を中止するときは「すべての変更を破棄」ボタンをクリックする

文字や数値をスッキリ整理

表組みのテクニック

ワードの表作成では「表は作れてもスタイル設定や配置がうまくいかない」とか「複雑な表を作ろうとして挫折した」という悩みが多い。でも、見やすい表のルールと、その設定方法を覚えれば大丈夫。苦手意識も一気に吹き飛ぶはずだ。

- ●一覧表のスタイルは一括設定してアレンジ
- ●セルの分割と結合で変則的な枠組みも可能
- ●記入欄にはガイドの文字列をさりげなく
- ●表をページのレイアウトに利用する　ほか

まずは基本

表の構成要素と作成手順を確認しよう

表はビジネス文書に欠かせないアイテム。ワードの表作成機能は、一覧表、スケジュール表、記入欄など、いろいろな用途に使える。また、文字列をレイアウトするための枠組みとしても便利だ。まずは、シンプルな一覧表を手早く作る方法を覚えよう。

表は行と列で構成され、1つのマス目を「セル」と呼ぶ（**図1**）。枠組みは、行数と列数を指定して自動作成するのが簡単だ。挿入位置にカーソルを置いて「挿入」タブの「表」メニューを開き、格子状のマス目で行数と列数を選択すればよい（**図2**）。

行と列の数は、内容に合わせて考えよう。ここで作成するのは、スポーツクラブの会員種類を説明する一覧表。1行目を見出しにして、2行目以降に5つの会員種類とそれぞれの規約を3つ提示したい。そこで、6行×4列の枠組みを作った。

表はカーソル位置の行幅いっぱいに作成され、列幅や行の高さは均一になる。表の作成直後は、左上のセルにカーソルが表示されるので、そこから文字列を入力していこう（**図3**）。カーソルは「Tab」キーや矢印キー、セルのクリックで移動できる。

表は行と列で構成された枠組み

列

会員種類	月会費	利用時間	テニスコート利用
正会員	12,960円	全日　10:00～23:00	○
平日会員	8,640円	月～金　10:00～17:00	○（土日は追加料金）
ナイト会員	8,640円	全日　18:00～23:00	○
ホリデー会員	7,560円	土日祝　10:00～23:00	○（平日は追加料金）
シニア会員	6,480円	全日　12:00～20:00	△（予約制）

行　セル　罫線

↑図1 表は、行と列を縦横の罫線で区切った枠組みだ。1つのマス目を「セル」と呼び、セルごとに文字列の配置や塗りつぶしの色を設定できる。罫線の色や太さも変えられ、不要な部分は消去もできる

● 行数と列数を指定して表の枠組みを作る

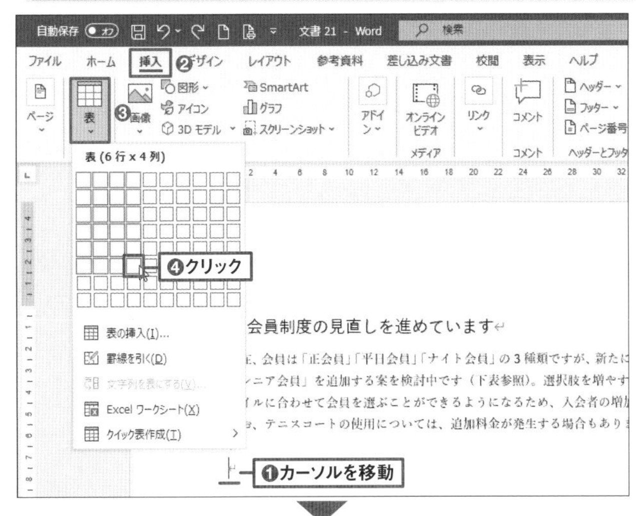

⬅⬇ 図2 表の挿入位置にカーソルを移動して、「挿入」タブの「表」をクリック（❶～❸）。格子状のマス目にマウスポインターを重ね、作りたい表の行と列が選択されたところでクリックする（❹）。ここでは6行×4列を選択した。指定した行数と列数の枠組みが作成される（❺）。リボンには表の操作に使う「テーブルデザイン」タブと「レイアウト」タブが表示される

❺6行×4列の表が作成される

表の操作をするタブ

なお、テニスコートの使用については、追加料金が発生する場合もあります。

会員種類	月会費	利用時間	テニスコート利用
正会員	12,960円	全日 10:00～23:00	○
平日会員	8,640円	月～金 10:00～17:00	○(土日は追加料金)
ナイト会員	8,640円	全日 18:00～23:00	○
ホリデー会員	7,560円	土日祝 10:00～23:00	○(平日は追加料金)
シニア会員	6,480円	全日 12:00～20:00	△（予約制）

セルに文字列を入力

⬆ 図3 表の各セルに文字列を入力する。列幅より長い文字列は、セル内で自動的に折り返される。「Enter」キーを押して、任意の位置で改行することも可能だ

列幅は縦罫線のドラッグ、または自動調整で変更する

フォントや文字サイズは、通常の文字列と同じように設定する。対象のセルを選択して操作しよう。ここでは全体を「游ゴシック」に変えた(**図4**)。

表の列幅は、列を区切る縦罫線をドラッグして変更する。各列の項目に合わせて、適宜調節していこう(**図5**)。なお、この方法では表全体の幅は変わらない。ただし、表の左端や右端の縦罫線をドラッグすると、表全体の幅が変わるので気を付けよう。

列幅は、文字列に合わせて自動調整も可能(**図6、図7**)。取りあえず自動調整して、その後ドラッグで手直しするのもよいだろう。複数セルの幅を均等に揃える機能もある(**図8**)。1列目の幅を変えた後、2列目以降の幅を揃えたいときなどに便利だ。

● 入力した文字列の書式を変更する

クリックで表全体を選択してフォントを変更

会員種類	月会費	利用時間	テニスコート利用
正会員	12,960円	全日 10:00～23:00	○
平日会員	8,640円	月～金 10:00～17:00	○(土日は追加料金)
ナイト会員	8,640円	全日 18:00～23:00	○
ホリデー会員	7,560円	土日祝 10:00～23:00	○(平日は追加料金)
シニア会員	6,480円	全日 12:00～20:00	△(予約制)

図4 表左上の「表の移動ハンドル」をクリックして表全体を選択し、文字の書式を設定する。ここではフォントを「游ゴシック」に変更した。このように、表全体はワンクリックで選択できる

● 列幅をドラッグで調節する

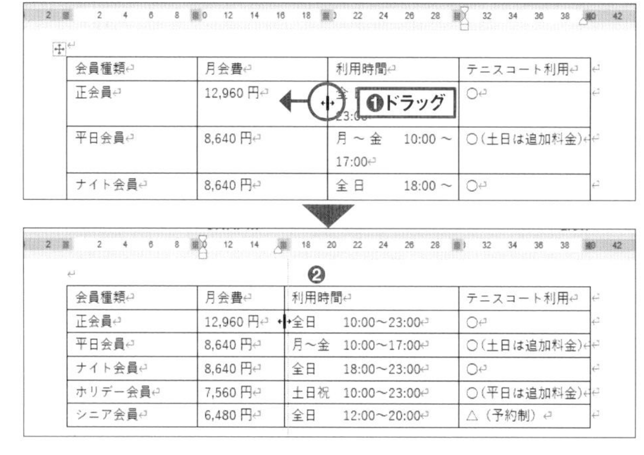

会員種類	月会費	利用時間	テニスコート利用
正会員	12,960円	全日 10:00～23:00	○
平日会員	8,640円	月～金 10:00～17:00	○(土日は追加料金)
ナイト会員	8,640円	全日 18:00～23:00	○
ホリデー会員	7,560円	土日祝 10:00～23:00	○(平日は追加料金)
シニア会員	6,480円	全日 12:00～20:00	△(予約制)

図5 列幅は、列を区切る縦罫線をドラッグして調節できる。ここでは2列目と3列目を区切る縦罫線を左へドラッグした(❶)。3列目の幅が広がり、文字列が1行に収まる(❷)。3列目の幅が広がった分、2列目の幅は狭くなる。同様に操作しながら、各列の幅を調節する

● 列幅は自動調整することもできる

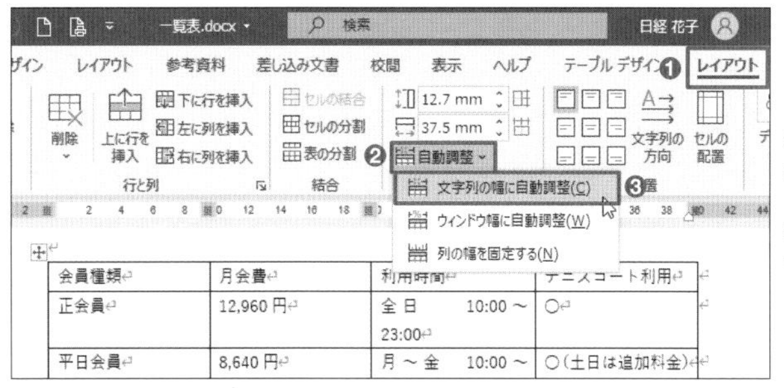

❸ 図6 カーソルを表内に置き、表の「レイアウト」タブにある「自動調整」メニューから「文字列の幅に自動調整」を選択する（❶～❸）

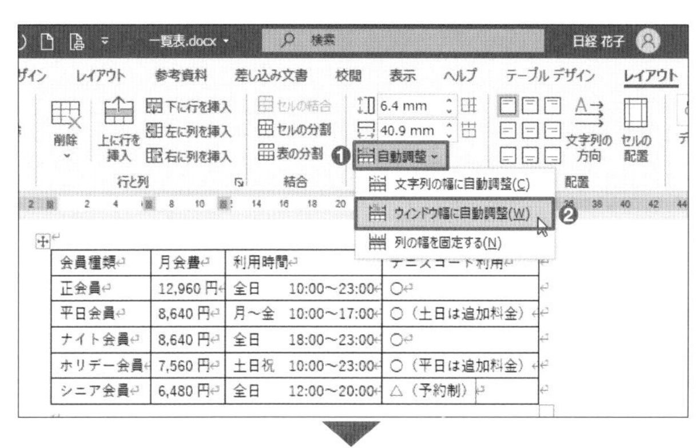

❸ 図7 各列の一番長い文字列に合わせて、列幅が自動で調節される。続けて「自動調整」メニューから「ウィンドウ幅に自動調整」を選択する（❶❷）。表の幅が本文の行幅いっぱいに広がる（❸）

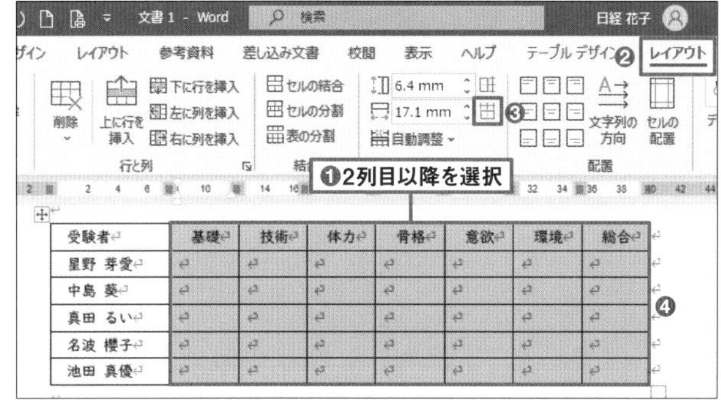

❸ 図8 複数の列を選択して（❶）、表の「レイアウト」タブにある「幅を揃える」をクリックすると（❷❸）、その部分の列幅が均等に揃う（❹）

行の高さを広げてゆとりを作る

行の高さは、セル内の文字数や文字サイズに応じて自動的に変化する。もちろん、任意の高さにもできる。行を区切る横罫線をドラッグしてもよいが、行の高さは数値で指定するほうが整えやすい。ここでは表全体の行の高さを8ミリにした（**図9**）。

なお、「行の高さの設定」欄に数値を指定しても、高さが変わらないことがある。これは「行の高さの設定」が、初期設定で「最小値」になっているからだ。「最小値」は「これ以下にはしない」という設定なので、特に小さい数値を指定すると、実際の行の高さは変わらないことが多い。行の高さを強制的に狭めるには、「最小値」を「固定値」に変更する（**図10**）。対象の行内にカーソルを置くか、複数行の場合は選択して操作しよう。

● 行の高さは数値で調節するのがお勧め

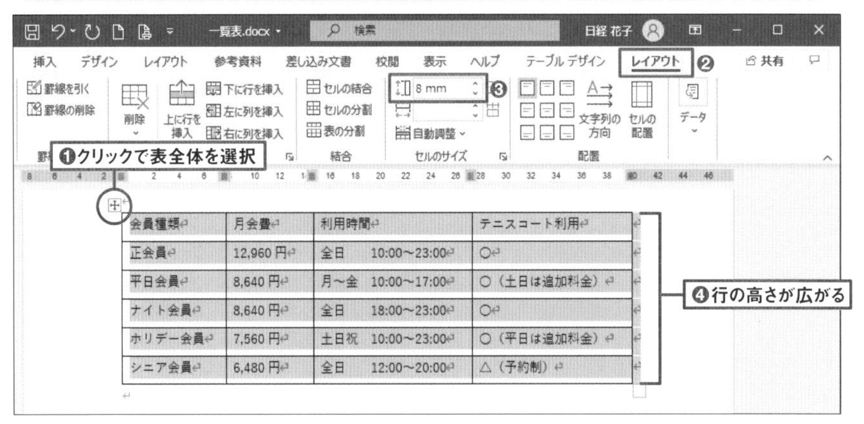

図9 表全体を選択して、表の「レイアウト」タブにある「行の高さの設定」欄に高さの数値を指定する（❶～❸）。ここでは「6.4mm」から「8mm」に変更した。行の高さが広がり、窮屈な感じが解消される（❹）

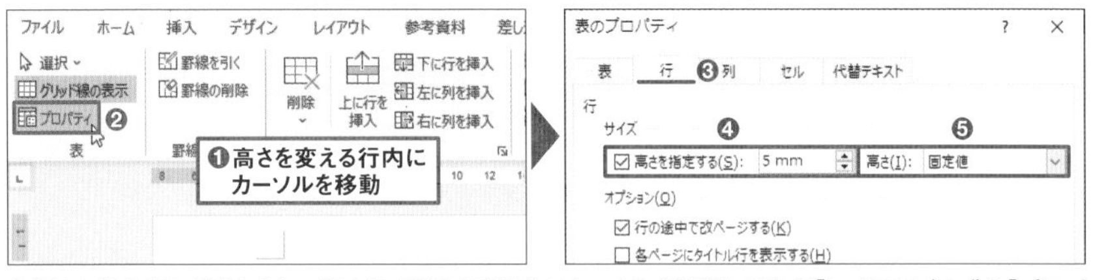

図10 行の高さが変わらない場合は、変更する行内にカーソルを移動して表の「レイアウト」タブの「プロパティ」ボタンをクリック（❶❷）。表示される画面の「行」タブで「高さを指定する」をチェックして、右の欄に数値を指定する（❸❹）。「高さ」メニューから「固定値」を選び（❺）、画面下の「OK」ボタンをクリックする

行や列はボタンやメニューで簡単に増減できる

行や列の増減は、表の「レイアウト」タブのボタンやメニューで行う(**図11**)。カーソル位置が起点になるので、置く場所を間違えないようにしよう。なお、ポインターを表の左端や上端に近づけると、「+」マークが表示される。行や列を挿入するときは、このマークをクリックしてもよい(**図12**)。

● 行や列の追加や削除をする

図11 行や列の増減は表の「レイアウト」タブのボタンやメニューで実行できる。カーソル位置が増減箇所の起点になる。例えば、6行目の上に追加する場合は、6行目にカーソルを移動して「上に行を挿入」ボタンをクリックする。挿入された行は、起点の行と同じスタイルになる

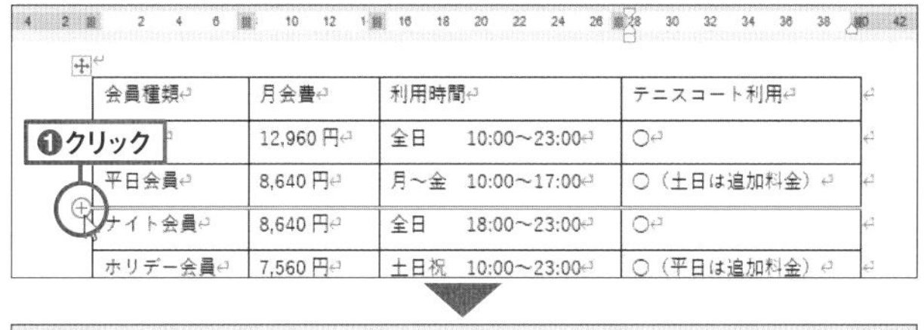

図12 表の左端や上端に表示される「+」マークをクリックして行や列を増やすことも可能。マークをクリックすると(❶)、その位置に行や列が挿入される(❷)

見やすい表はここが違う 一覧表のレイアウトルール

表の基本

作成した一覧表がどうもパッとしない――。その原因には、決まったパターンがある(**図1上**)。まず、表のスタイルにメリハリがなく、各部が曖昧なこと。さらに罫線と文字列の間隔が狭くて窮屈に見えること。そして、数値が両端揃えになっているなど、文字配置が誤っていることだ。

これらの間違いを修正すると、一覧表は一気に見やすくなる(**図1下**)。特に、タイトル行、データ行、最初の列を区別するスタイル設定は必須だ(**図2**)。

ちょっとした工夫で一覧表は見違える

✕ 表の各部が曖昧／セル内が窮屈／金額が両端揃え

会員種類	月会費	利用時間	テニスコート利用
正会員	12,960 円	全日　10:00～23:00	○
平日会員	8,640 円	月～金　10:00～17:00	○（土日は追加料金）
ナイト会員	8,640 円	全日　18:00～23:00	○
ホリデー会員	7,560 円	土日祝　10:00～23:00	○（平日は追加料金）
シニア会員	6,480 円	全日　12:00～20:00	△（予約制）

○ タイトル行とデータ行が明快／セル内に適度な空き／金額が右揃え

会員種類	月会費	利用時間	テニスコート利用
正会員	12,960 円	全日　10:00～23:00	○
平日会員	8,640 円	月～金　10:00～17:00	○（土日は追加料金）
ナイト会員	8,640 円	全日　18:00～23:00	○
ホリデー会員	7,560 円	土日祝　10:00～23:00	○（平日は追加料金）
シニア会員	6,480 円	全日　12:00～20:00	△（予約制）

図1 タイトル行のセルに色を付ける、表全体の行の高さを広げる、文字列の配置を整える、といった工夫をすると、一覧表はぐっと見やすくなる。ワードには、表のスタイルを自動設定する機能もあるので上手に利用していこう

文字列の表示位置は、データの種類に応じて決める。金額などの数値は、右揃えが基本（**図3左、中**）。セル内の文字列は水平方向だけでなく、垂直方向の位置も指定する。行の上端や下端に片寄らないよう、高さの中央に配置することも心がけよう。

罫線と文字列の間隔を適度に空けることも大事だ。セル内の左右には余白が設けてあり、文字列が罫線と完全に密着することはない。ただし、初期設定の余白は1.9ミリと狭く、一覧表は各セルにデータが入力されるので文字列同士の距離も近くなる。文字列と罫線の間隔を広げて、ゆったりと配置するのが望ましい（**図3右**）。

タイトル行、データ行、最初の列を区別する

タイトル行

会員種類	月会費	利用時間		テニスコート利用
正会員	12,960 円	全日	10:00～23:00	○
平日会員	8,640 円	月～金	10:00～17:00	○（土日は追加料金）
ナイト会員	8,640 円	全日	18:00～23:00	○
ホリデー会員	7,560 円	土日祝	10:00～23:00	○（平日は追加料金）
シニア会員	6,480 円	全日	12:00～20:00	△（予約制）

最初の列　データ行

図2 一覧表は、1行目を「タイトル行」、2行目以降を「データ行」として作成するのが基本。タイトル行とデータ行は、セルの色やフォントなどを変えてはっきり区別する。1列目の文字列が各データの代表項目となる場合は、1列目を「最初の列」として別の書式（ここでは太字）にするのもよい

文字列や数値をセル内にバランス良く表示する

図3 セル内の文字列は、初期設定ではセルの左上に表示される（❶）。行の高さやデータ内容に応じて、位置を調節しよう。数値は右揃えにするのが基本（❷）。ここでは同時に、行の高さの中央に配置した。文字列と罫線が密着しないよう、適度な間隔を空けるのも大切だ（❸）

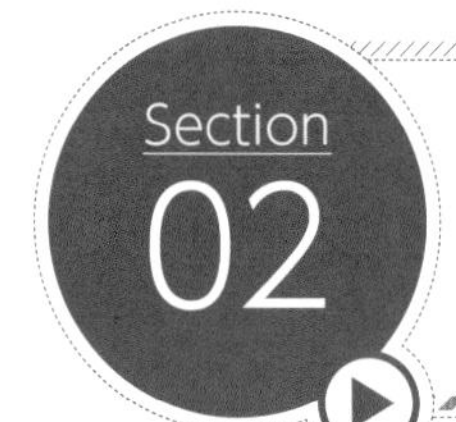

一覧表のスタイルを一括設定 構成に応じたアレンジもできる

表のスタイルギャラリー

ワードにはさまざまな一覧表のスタイルがあらかじめ登録されていて、「表のスタイルギャラリー」から選んで設定できる（**図1**）。これはかなりうれしい機能だ。利用すると、一覧表のスタイル設定はぐっと楽になる。

例えば、「グリッド（表）4 - アクセント1」を選ぶと、タイトル行が青で塗りつぶされ、文字色が白に変わる（**図2、図3**）。さらに、1行目と1列目の文字列が太字になって目立ち、データ行は1行置きに色が付いて個々のデータが見やすくなる。

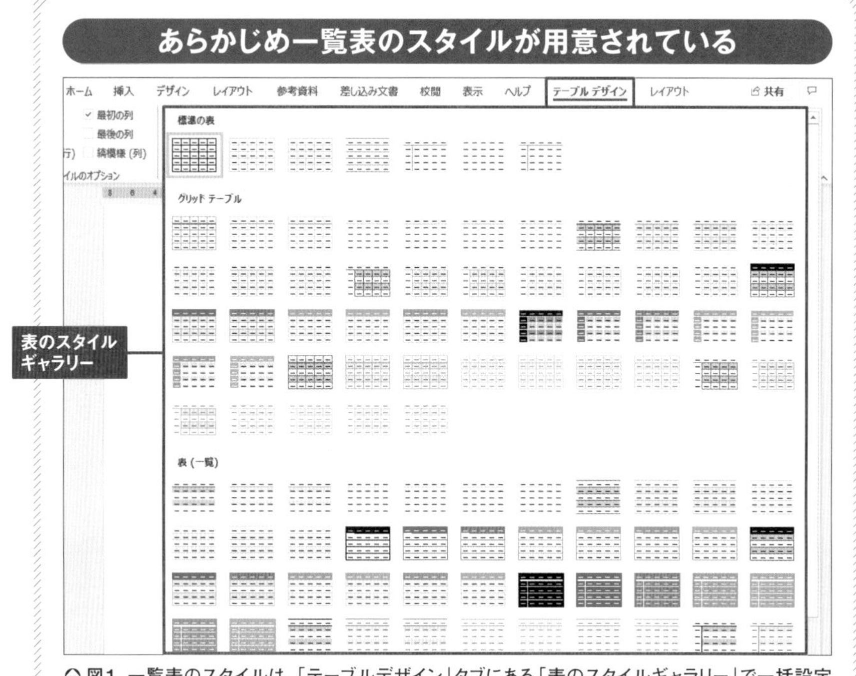

図1　一覧表のスタイルは、「テーブルデザイン」タブにある「表のスタイルギャラリー」で一括設定できる。見出し行を白抜き文字にしたり、データ行を縞模様にしたりするスタイル設定もまとめて実行できる。ギャラリーにスタイルのイメージが一覧表示されるので、好みのものを選ぼう

スタイルには、同じデザインの色違い、罫線付きと罫線なし、などいくつかのバリエーションが用意されているので、文書のイメージにも合わせやすい。もちろん、既製のスタイルを設定した後に、細部を手直ししても構わない。例えば、1列目のセルに色を付けたり、罫線を部分的に消去したり、文字配置を変更したりするのは自由だ。タイトル行にゴシック体を使っているなら、太字を解除してもいいだろう。

●表のスタイルを一括設定する

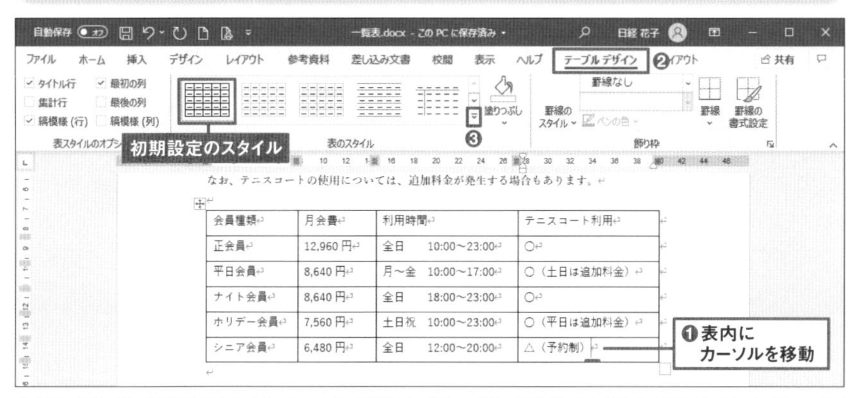

会員種類	月会費	利用時間	テニスコート利用
正会員	12,960円	全日　10:00～23:00	○
平日会員	8,640円	月～金　10:00～17:00	○（土日は追加料金）
ナイト会員	8,640円	全日　18:00～23:00	○
ホリデー会員	7,560円	土日祝　10:00～23:00	○（平日は追加料金）
シニア会員	6,480円	全日　12:00～20:00	△（予約制）

図2 スタイルを設定する表内にカーソルを移動し、「テーブルデザイン」タブの「表のスタイル」グループにある「その他」ボタンをクリックする（❶～❸）

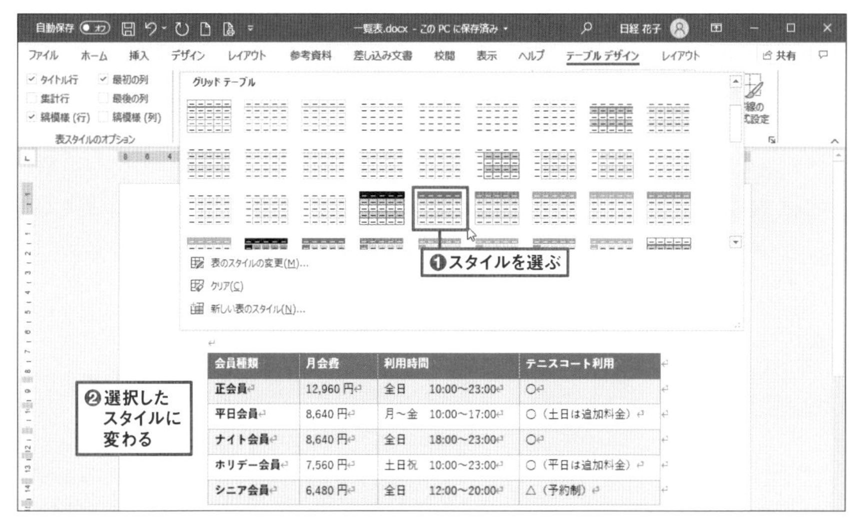

会員種類	月会費	利用時間	テニスコート利用
正会員	12,960円	全日　10:00～23:00	○
平日会員	8,640円	月～金　10:00～17:00	○（土日は追加料金）
ナイト会員	8,640円	全日　18:00～23:00	○
ホリデー会員	7,560円	土日祝　10:00～23:00	○（平日は追加料金）
シニア会員	6,480円	全日　12:00～20:00	△（予約制）

図3 表のスタイルギャラリーが開くので、設定するスタイルを選ぶ。ここでは「グリッド（表）4 - アクセント1」を選んだ（❶）。表が選択したスタイルに変わる（❷）

既製の表スタイルは「タイトル行」「集計行」「縞模様（行）」など6つの部位に分かれている。どの部位のスタイルを適用するかは、「テーブルデザイン」タブの「表スタイルのオプション」で選べる（**図4**）。内容に合わせて必要なオプションだけに絞ろう。スタイルの設定前でも指定できるが、設定後に選んだほうがわかりやすいだろう。

● 必要に応じて表スタイルのオプションを選ぶ

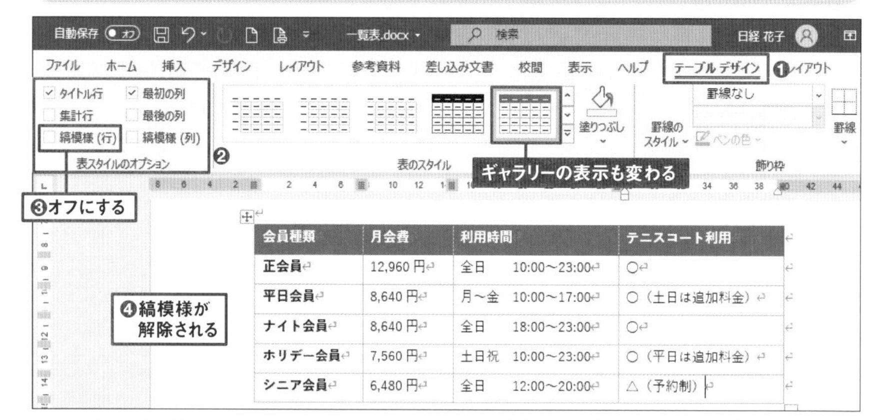

会員種類	月会費	利用時間	テニスコート利用
正会員	12,960円	全日 10:00～23:00	○
平日会員	8,640円	月～金 10:00～17:00	○（土日は追加料金）
ナイト会員	8,640円	全日 18:00～23:00	○
ホリデー会員	7,560円	土日祝 10:00～23:00	○（平日は追加料金）
シニア会員	6,480円	全日 12:00～20:00	△（予約制）

↑図4「テーブルデザイン」タブの「表スタイルのオプション」グループでは、スタイルを追加したり解除したりできる（❶❷）。例えば「縞模様（行）」をオフにすると（❸）、1行置きの縞模様が解除される（❹）。また、表スタイルギャラリーの表示も変更される

補足説明 表スタイルを設定すると事前の設定が解除されることがある

既製の表スタイルは、なるべく早い段階で設定しよう。事前に設定したスタイルは、解除されることがあるからだ。例えば、フォントの設定はそのまま引き継がれるが、文字配置は初期設定に戻ってしまう（**図5**）。せっかく整えたスタイルを再設定する羽目になると、ストレスが増すので気を付けよう。

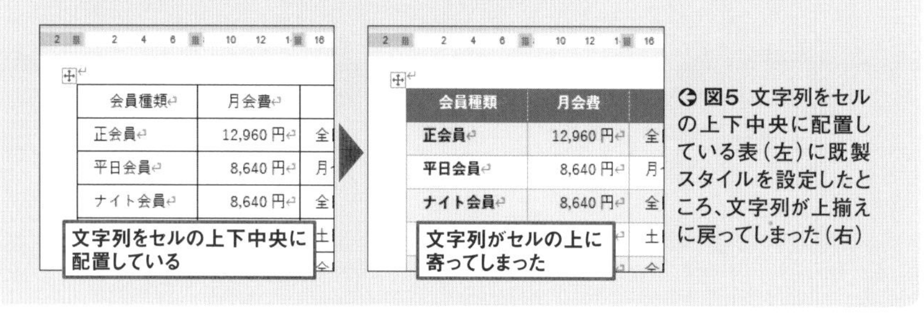

←図5 文字列をセルの上下中央に配置している表（左）に既製スタイルを設定したところ、文字列が上揃えに戻ってしまった（右）

セルの色と罫線のスタイルを個別に設定して整える

セルの塗りつぶし／罫線のスタイル

セルの色や文字色、罫線のスタイルや表示位置は自由に設定できる。一から好みのスタイルを作ってもいいし、既製のスタイルを手直しするのもいい。自由に設定といっても、すべてのセルに色を付けるような過剰な装飾は控えよう。特に一覧表の場合は、各部を差別化しつつ、なるべくスッキリしたデザインを心がける。罫線を格子状に表示せず、一部を消すのも効果的だ。ここでは、既製のスタイルを修正する例で、セルの色や罫線の表示位置を変更する手順を紹介する（**図1**）。

色や罫線の変更でデザインを手直しする

会員種類	月会費	利用時間		テニスコート利用
正会員	12,960円	全日	10:00～23:00	○
平日会員	8,640円	月～金	10:00～17:00	○（土日は追加料金）
ナイト会員	8,640円	全日	18:00～23:00	○
ホリデー会員	7,560円	土日祝	10:00～23:00	○（平日は追加料金）
シニア会員	6,480円	全日	12:00～20:00	△（予約制）

会員種類	月会費	利用時間		テニスコート利用
正会員	12,960円	全日	10:00～23:00	○
平日会員	8,640円	月～金	10:00～17:00	○（土日は追加料金）
ナイト会員	8,640円	全日	18:00～23:00	○
ホリデー会員	7,560円	土日祝	10:00～23:00	○（平日は追加料金）
シニア会員	6,480円	全日	12:00～20:00	△（予約制）

1列目に色を付ける

縦罫線をすべて消す

図1 セルの色や罫線のスタイルは自由に変更できる。既製スタイルのデザインをベースにして、好みの一覧表に手直しするのも簡単だ。この例ではデータ行の1列目に色を付け、縦罫線を消去した。罫線を減らすと、よりスッキリした印象になる

罫線のスタイルを選び、引く位置を「罫線」メニューで指定

表の外観を設定するコマンドは「テーブルデザイン」タブにまとめられていて（**図2**）、セルの色は「塗りつぶし」メニューから選べる（**図3**）。対象のセルを選択して操作しよう。セルが濃い色なら文字色は白にするなど、コントラストにも留意する。

罫線のスタイルを変更する方法は2つある。1つは罫線部分をドラッグして引き直す方法、もう1つは「罫線」メニューから引く位置を指定する方法だ。ドラッグは思い通りに操作できないことがあるので、引く位置を指定する方法がお勧め。ここでは、表の5行目を緑色の線で囲む例で、操作方法を紹介しよう。

まず、対象のセルを選択して、罫線のスタイルを指定する。ここでは5行目を選択し

● セルの色と罫線のスタイルは「テーブルデザイン」タブで設定

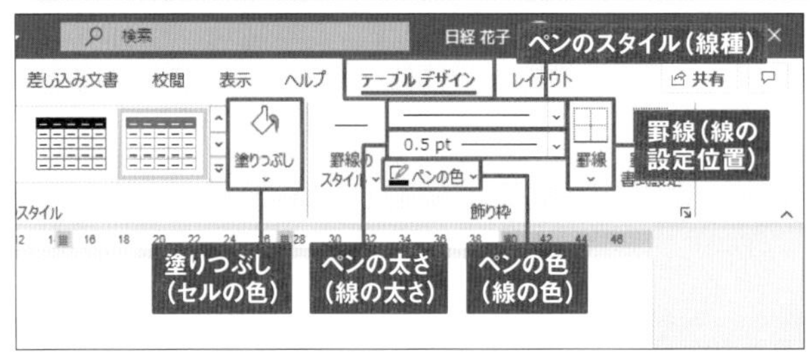

図2 セルの色と罫線のスタイルは「テーブルデザイン」タブで設定する。セルの色は「塗りつぶし」メニュー、罫線のスタイルは「飾り枠」グループの各メニューで変更できる

● セルに色を付ける

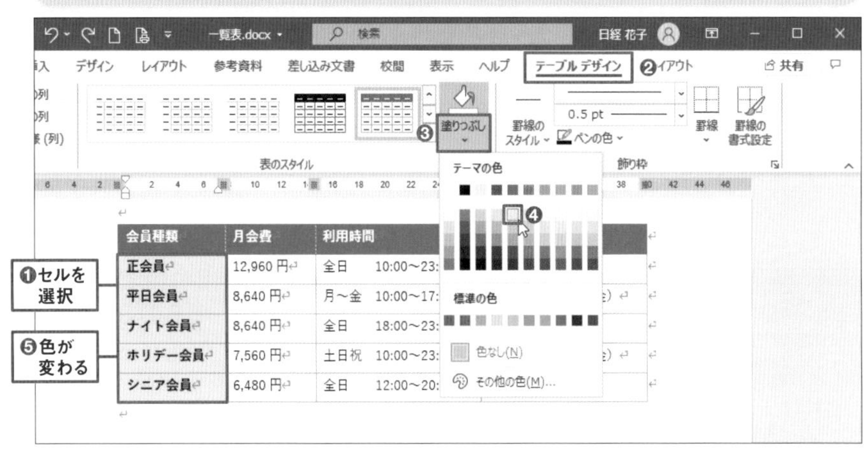

図3 色を変えるセルを選択し、「テーブルデザイン」タブの「塗りつぶし」メニューからセルの色を選択する（❶～❹）。ここでは薄い青色に変更した（❺）

て、罫線を3ポイントの緑色に設定した(**図4**)。続いて「罫線」メニューを開き、罫線を引く位置を指定する。5行目を緑の線で囲む場合は「外枠」を選べばよい(**図5**)。コマンドにポインターを合わせると結果がプレビューされるので、適切な位置を選ぼう。「下罫線」を選ぶと、5行目と6行目の境に緑の線が引かれる。

なお、操作中にポインターが筆の形に変わってセルの選択などができなくなった場合は、一度「Esc」キーを押して通常のポインターに戻す。

● 罫線のスタイルと引く位置を指定する

一覧表.docx　検索　日経 花子

挿入　デザイン　レイアウト　参考資料　差し込み文書　校閲　表示　ヘルプ　テーブル デザイン　❷レイアウト　共有

塗りつぶし　罫線のスタイル　3 pt　❸　ペンの色　❹　罫線　罫線の書式設定　表のスタイル　飾り枠

❶5行目を選択

会員種類	月会費	利用時間	テニスコート利用
正会員	12,960 円	全日　10:00～23:00	○
平日会員	8,640 円	月～金　10:00～17:00	○（土日は追加料金）
ナイト会員	8,640 円	全日　18:00～23:00	○
ホリデー会員	7,560 円	土日祝　10:00～23:00	○（平日は追加料金）
シニア会員	6,480 円	全日　12:00～20:00	△（予約制）

⮉ 図4　罫線のスタイルを変更するセルを選択する。ここでは5行目を選択した(❶)。「テーブルのデザイン」タブで罫線のスタイルを指定する(❷)。ここでは「ペンの太さ」を「3pt」、「ペンの色」を緑にした(❸❹)

会員種類	月会費	利用時間	テニスコート利用
正会員	12,960 円	全日　10:00～23:00	○
平日会員	8,640 円	月～金　10:00～17:00	○（土日は追加料金）
ナイト会員	8,640 円	全日　18:00～23:00	○
ホリデー会員	7,560 円	土日祝　10:00～23:00	○（平日は追加料金）
シニア会員	6,480 円	全日　12:00～20:00	△（予約制）

⮉ 図5　「罫線」メニューから罫線を引く位置を選ぶ(❶)。ここでは「外枠」を選んだ(❷)。これで5行目が緑の線で囲まれる(❸)

罫線を消去する場合は、セルの範囲を指定して「ペンのスタイル」に「罫線なし」を選ぶ（**図6**）。消す位置は、引くときと同じように「罫線」メニューで指定する。ここでは「縦罫線（内側）」「左罫線」「右罫線」を順番に選んだ（**図7**）。表全体を選択しているので、すべての縦罫線が消去される。なお、罫線を消去しても、表にはガイドの点線「表のグリッド線」が表示される。実際のスタイルを確認するときは、表の「レイアウト」タブにある「表のグリッド線を表示」ボタンをオフにしよう。

●一部の罫線を消去する

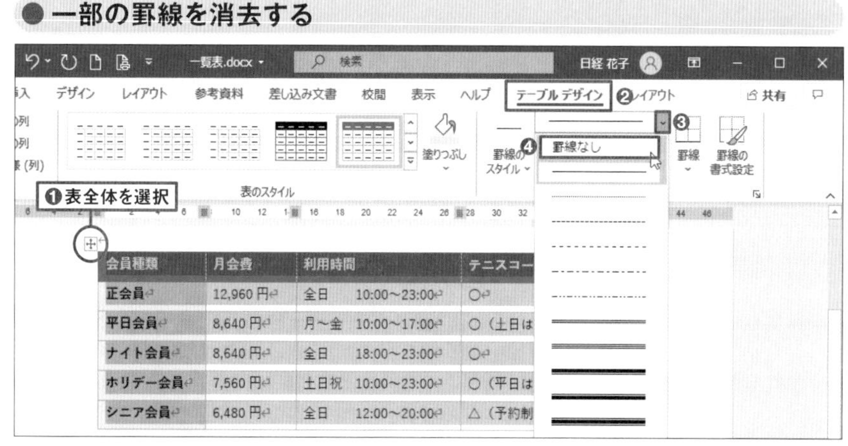

図6 罫線を消去する範囲を選択する。ここでは表全体を選択した（❶）。「テーブルデザイン」タブの「ペンのスタイル」メニューから「罫線なし」を選ぶ（❷～❹）

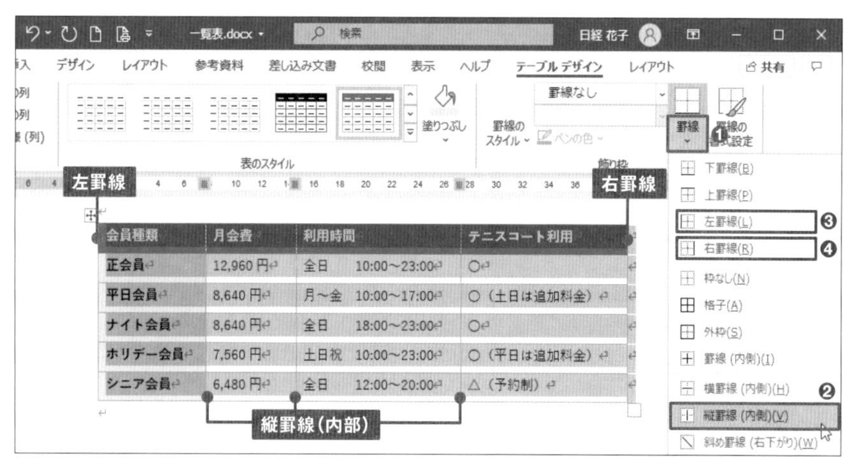

図7 「罫線」メニューから罫線を消す位置を選ぶ（❶）。ここでは罫線を消去する位置の「縦罫線（内側）」「左罫線」「右罫線」を順番に選んだ（❷～❹）。これで表の縦罫線がすべて消去される

文字配置と間隔を調整してデータを読み取りやすくする

セルの配置／インデント

セル内の文字位置は、表の見栄えに大きく影響する。位置は水平と垂直の2方向で指定でき、表の「レイアウト」タブにある9通りの配置ボタンで同時に設定する（**図1**）。初期設定では、セルの左上を基準に両端揃えで配置されるので、文字列の種類や行の高さに合わせて変更しよう。特に、行の高さを広げると、文字列が上端に寄ってしまう。表の作成中は、セルと文字列のバランスを常に確認する。

文字列と罫線との間隔を空けるときは、左右のインデントを利用するのがお勧め。インデントはセルごとに幅を決められ、通常の文字列と同じように「レイアウト」タブで手早く設定できる。

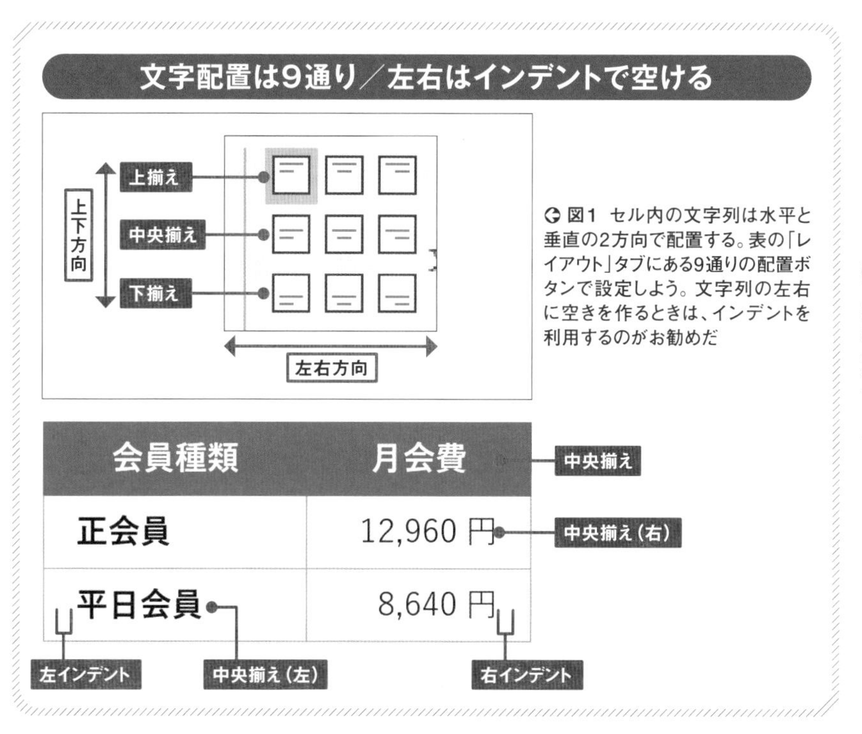

図1 セル内の文字列は水平と垂直の2方向で配置する。表の「レイアウト」タブにある9通りの配置ボタンで設定しよう。文字列の左右に空きを作るときは、インデントを利用するのがお勧めだ

文字配置は、対象のセルを選択して設定する（**図2**）。行は表の左側をクリックすると簡単に選択でき、そのまま下にドラッグすると複数行を選択できる。なお、この例ではデータ行のほとんどが「中央揃え（左）」で、金額のセルだけを「中央揃え（右）」にする（**図3**）。このように一部だけ配置方法が違う場合は、2行目以降のデータ行をすべて選択して「中央揃え（左）」にし、その後、金額のセルだけを選択して「中央揃え（右）」にすると効率が良い。

● セル内の文字列を種類に応じて配置する

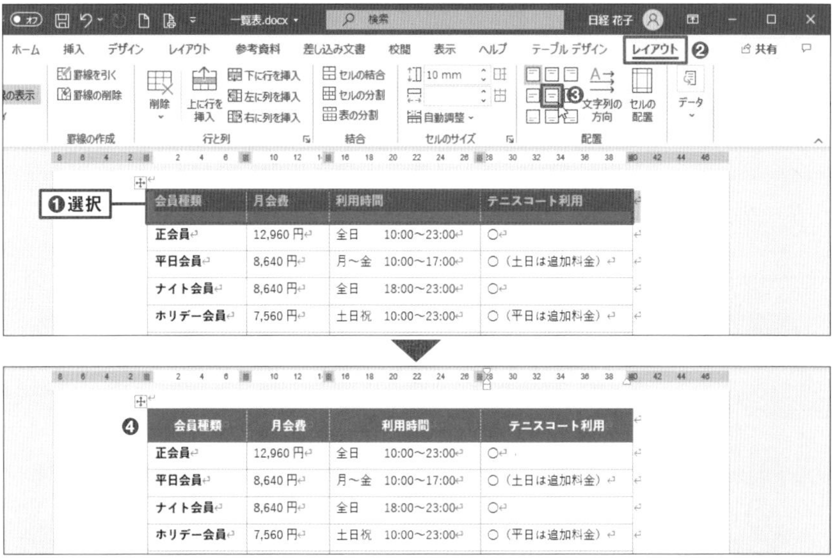

❶選択　❷　❸　❹

会員種類	月会費	利用時間	テニスコート利用
正会員	12,960 円	全日　10:00～23:00	○
平日会員	8,640 円	月～金　10:00～17:00	○（土日は追加料金）
ナイト会員	8,640 円	全日　18:00～23:00	○
ホリデー会員	7,560 円	土日祝　10:00～23:00	○（平日は追加料金）

図2 文字配置を変更するセル（ここではタイトル行）を選択する（❶）。表の「レイアウト」タブで配置ボタン（ここでは「中央揃え」）をクリックする（❷❸）。タイトル行の文字列がセルの中央に配置される（❹）

会員種類	月会費	利用時間	テニスコート利用
正会員	12,960 円	全日　10:00～23:00	○
平日会員	8,640 円	月～金　10:00～17:00	○（土日は追加料金）
ナイト会員	8,640 円	全日　18:00～23:00	○
ホリデー会員	7,560 円	土日祝　10:00～23:00	○（平日は追加料金）
シニア会員	6,480 円	全日　12:00～20:00	△（予約制）

すべてのセルを適切に配置

図3 同様に、すべての文字列を種類に応じてセル内に適切に配置する。この例では、データ行の2列目の金額を「中央揃え（右）」、それ以外を「中央揃え（左）」にした

インデントも対象のセルを選択して設定する(**図4**)。ここではすべてのセルの左右に0.5字分の空きを作った。インデントには「0.3字」のような半端な数値も指定できるので、間隔の微調整もしやすい。

● 左右のインデントで罫線との間隔を空ける

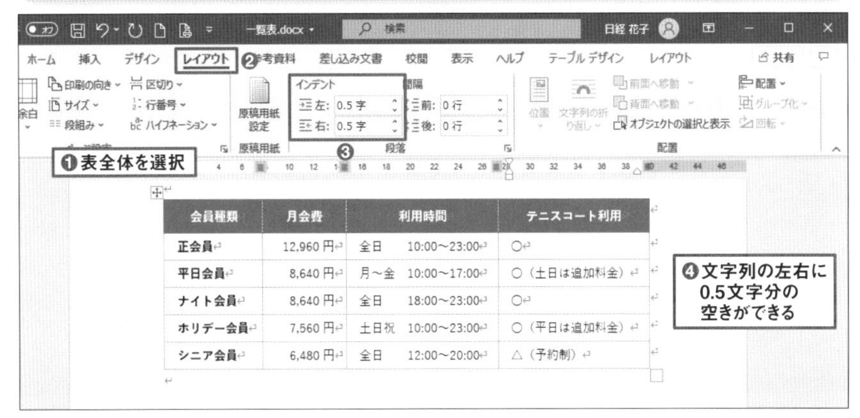

会員種類	月会費	利用時間	テニスコート利用
正会員	12,960 円	全日　10:00～23:00	○
平日会員	8,640 円	月～金　10:00～17:00	○（土日は追加料金）
ナイト会員	8,640 円	全日　18:00～23:00	○
ホリデー会員	7,560 円	土日祝　10:00～23:00	○（平日は追加料金）
シニア会員	6,480 円	全日　12:00～20:00	△（予約制）

図4 表全体を選択して、「レイアウト」タブの「左インデント」と「右インデント」に左右に挿入する空きを指定する(❶～❸)。ここではどちらも「0.5字」にした。これで各セルの文字列の左右に0.5字分の空きができ、罫線との密着が解消される(❹)

補足説明 セル内の余白を調節する

文字列と罫線の間隔は、セル内の余白で調節する手もある(**図5**)。ただし、余白は表の全セルに対して設定される。特定のセルだけ間隔を変えたいときは、インデントを利用しよう。

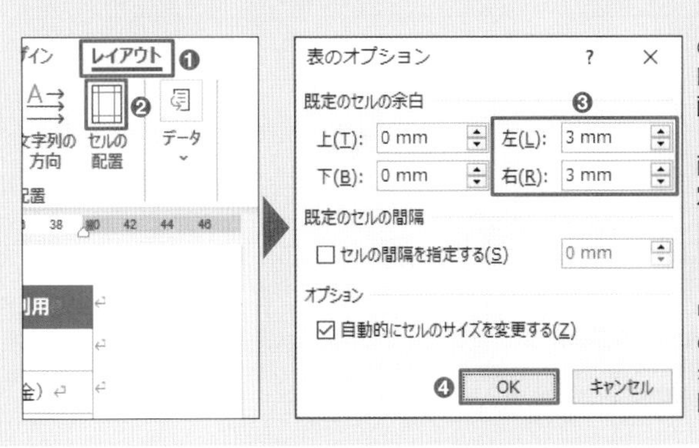

図5 表の「レイアウト」タブにある「セルの配置」ボタンをクリックし(❶❷)、表示される画面でセル内の余白を設定する。ここでは「左」と「右」を「1.9mm」から「3mm」に変更した(❸)。「OK」ボタンをクリックすると(❹)、セルの左右の余白が変更されて文字列と罫線の間隔が広がる

変則的な枠組みには セルの分割や結合を活用

セルの分割／セルの結合

文書内の表は、行と列の数が一定とは限らない。例えば、申込書などの記入欄を作るときは、記入項目に合わせてセルの数やサイズを調節する必要がある（**図1**）。金額の記入欄を桁数で区切ったり、見出しをまとめたり、住所欄を広めにしたり、項目を横に並べたりすれば、記入しやすい表になる。

ワードには、表のセルを分割したり結合したりする機能があり、縦横のセルの数を自由に増減できる。特定のセルだけを選んで幅を変えることも可能だ。記入欄のような変則的な枠組みを作るときは、これらの機能を利用しよう。入札フォームの2つの表を例に、操作方法を紹介する。

記入項目に合わせて枠組みを変える

セルを分割して桁数ごとに区切る

≪オークション入札フォーム≫

	出品番号	入札金額					
1			万	千	百	十	円
2			万	千	百	十	円
3			万	千	百	十	円

ご入札者名	ふりがな		
	氏　名	姓	名
ご連絡先	住　所	〒□□□-□□□□　都道府県　市区町村	
	電話番号		e-mail

セルを結合して複数行の見出しにする

この行の列幅だけを変更する

図1　申込用紙の記入欄のように、やや複雑な枠組みを作るときは、セルの分割や結合の機能を利用する。1つのセルを複数に区切ったり、複数のセルを1つにまとめたりしながら、思い通りの枠組みに整えていこう。特定の行のセルだけ幅を変えることも可能だ

セルの分割で数字を記入しやすくする

セルを複数に区切るときは「セルの分割」を使う。ここでは金額のセルを7桁に区切ってみよう。まず、分割する範囲を選択して「セルの分割」ボタンをクリックする（**図2上**）。続いて、表示されるダイアログボックスの「列数」と「行数」に分割する数を指定する（**図2下**）。この例では、選択した3つのセルを列に分割するので「列数」に「7」を指定した。行数は変えないので「3」のままでよい。

これで選択した3つのセルがそれぞれ7列に等分割される（**図3**）。桁数を区切る縦罫線を破線に変えれば、金額欄にふさわしいレイアウトになる。

● セルを分割して区切り線を破線に変える

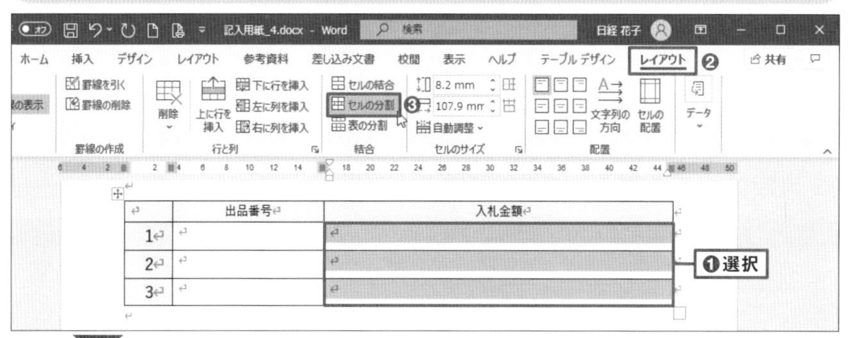

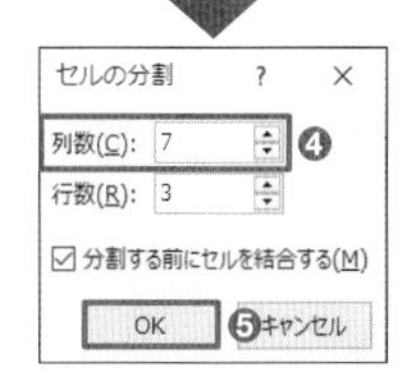

図2 分割するセル（ここでは3列目の2～4行目）を選択し、表の「レイアウト」タブにある「セルの分割」ボタンをクリック（❶～❸）。表示される画面で「列数」に分割数（ここでは「7」）を指定する（❹）。「OK」ボタンをクリックする（❺）

図3 3つのセルが、それぞれ7列に分割される（❶）。セルを選択したまま、「テーブルデザイン」タブの「ペンのスタイル」メニューから「破線」を選択（❷❸）。「罫線」メニューから「縦罫線（内側）」を選ぶ（❹）。これで区切り線が破線に変わる

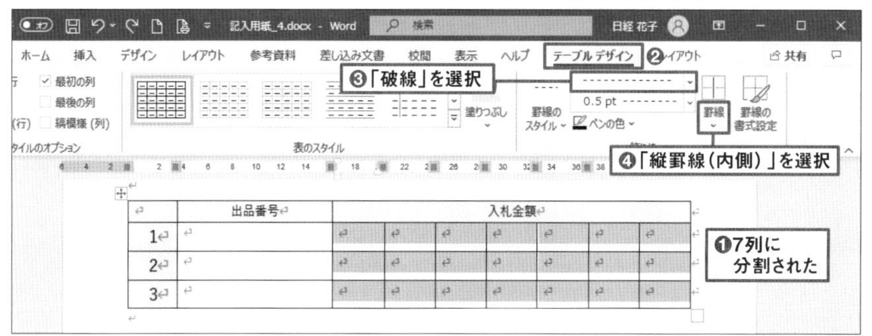

8章 文字や数値をスッキリ整理 表組みのテクニック

セルの結合で見出しをまとめて表示

複数のセルを1つにまとめるときは「セルの結合」を利用する。対象のセルを選択して、「セルの結合」ボタンをクリックすればよい。ここではまず、「ご入札者名」と下のセルを1つにまとめた（**図4上、左下**）。同様に、複数行にまたがるほかの見出し項目のセルも、それぞれ1つにまとめよう（**図4右下**）。

なお、結合でセルの高さが変わったときは、文字列の位置も確認する。初期設定では文字列がセルの上端に寄るので、必要に応じて変更しよう。見出しの文字列は「中央揃え（左）」で上下の中央に配置したほうが見やすい。

幅を変えるセルを選択して操作

このように、枠組みは分割と結合を使いながら整えていく。この例では「ふりがな」と「氏名」の記入欄を2列に分割し、姓と名を別々に記入できるようにした（**図5**）。また「住所」の1行目は3列に分割し、郵便番号、都道府県、市区町村の欄とした。

● 複数のセルを結合して1つにする

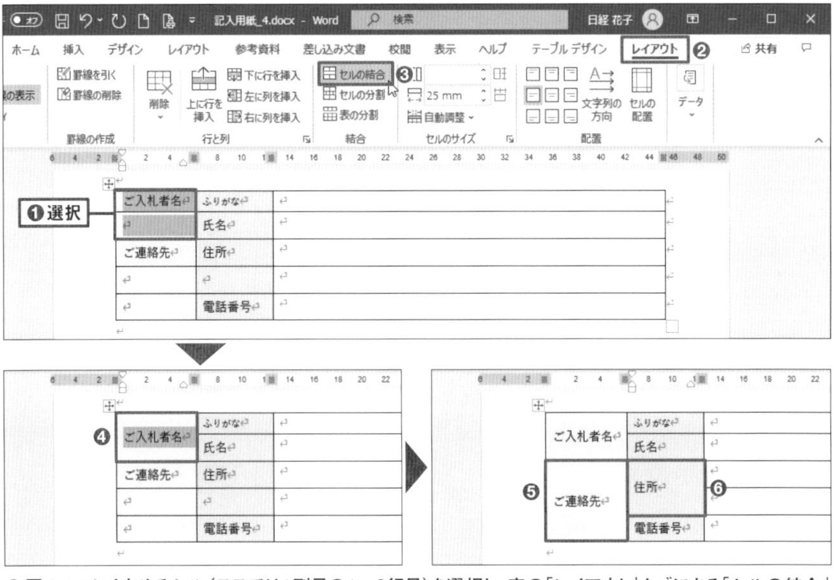

⮉図4 1つにまとめるセル（ここでは1列目の1～2行目）を選択し、表の「レイアウト」タブにある「セルの結合」ボタンをクリックする（❶～❸）。選択した2つのセルが1つになる（❹）。同様に「ご連絡先」の3つのセル、「住所」の2つのセルを、それぞれ1つに結合する（❺❻）

同じ行に記入欄を増やす場合も、セルの分割を使う。「e-mail」の記入欄を作るときは、「電話番号」の記入欄を3列に分割すればよい。分割された中央のセルに項目名の「e-mail」を入力し、セルの色を変更する。

分割したセルはすべて同じ幅になるので、内容に合わせて調節しよう。「e-mail」のセルも、文字数に合わせて幅を狭める。ただし、このまま縦罫線をドラッグすると、同じく3つに分割した3行目の列幅も変わってしまう。特定のセルだけ幅を変える場合は、セルを選択して操作する。ここでは「e-mail」のセルを選択し、右側と左側の縦罫線を順番にドラッグした（**図6**）。これで選択したセルの幅だけが変更される。なお、縦罫線がほかの行と重なっていない場合は、セルを選択する必要はない。

●特定の行のセル幅を変更する

ご入札者名	ふりがな			
	氏名			
ご連絡先	住所			
	電話番号		e-mail	

❶2列に分割　❷3列に分割　❸

図5 セルの分割を使って、表内のセルを記入内容に合わせて分割する（❶❷）。「電話番号」右の3分割した中央のセルに、見出し項目「e-mail」を入力してセル色を変更する（❸）

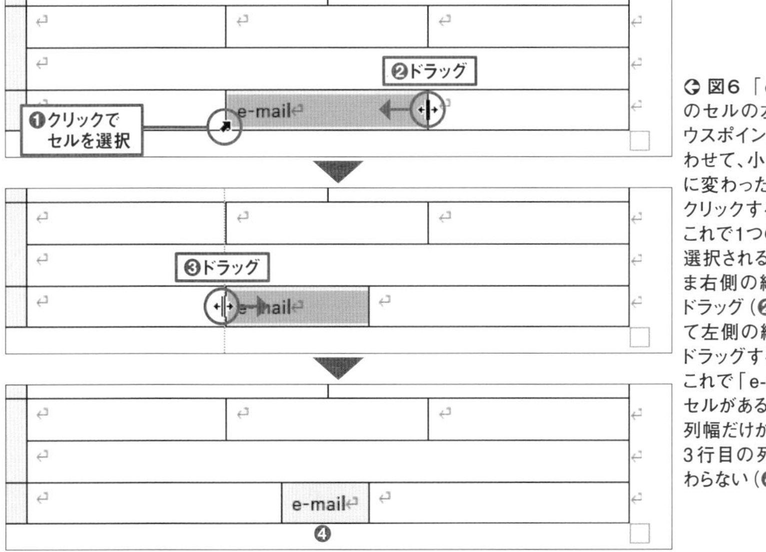

図6 「e-mail」のセルの左端にマウスポインターを合わせて、小さな矢印に変わったところでクリックする（❶）。これで1つのセルが選択される。そのまま右側の縦罫線をドラッグ（❷）。続いて左側の縦罫線をドラッグする（❸）。これで「e-mail」のセルがある5行目の列幅だけが変化し、3行目の列幅は変わらない（❹）

記入用紙の表はひと工夫 ガイドの文字列を小さく表示する

均等割り付け／上付き文字／組み文字

記入欄の作成で大切なのは、どこに何を書き込むかを明確にすること。項目名をバランス良く表示するだけでなく、必要に応じて補足説明の文字列も表記しておくとわかりやすい（**図1**）。例えば、名前の記入欄にはガイドの文字列の「姓」と「名」、住所の記入欄には郵便番号の記号と枠、選択肢の「都道府県」と「市区町村」を入力しておくと、記入者は迷わずに書き込むことができる。

上下に並ぶ見出しや項目名は、「均等割り付け」機能で幅を揃えるのがお勧め（**図2**）。罫線との密着が気になるときは、インデントで空きを作ろう。ここでは「右インデント」に「0.5字」を指定して、文字列と右側の罫線の間を少し空けた。

ガイドの文字列は記入の邪魔にならないよう、上付き文字にして左上に小さく表示する（**図3**）。「万」「千」などの数詞は、下付き文字で右下に小さく表示しよう。住所欄の「都道府県」と「市区町村」は、セルの右端に2行で表示したい。これには、複数の文字列を1文字分のスペースに配置する「組み文字」が便利だ。対象の文字列を選択して、ダイアログボックスで文字サイズを指定すればよい（**図4**）。

見出し文字の幅を揃える／ガイドの文字列は小さく表示

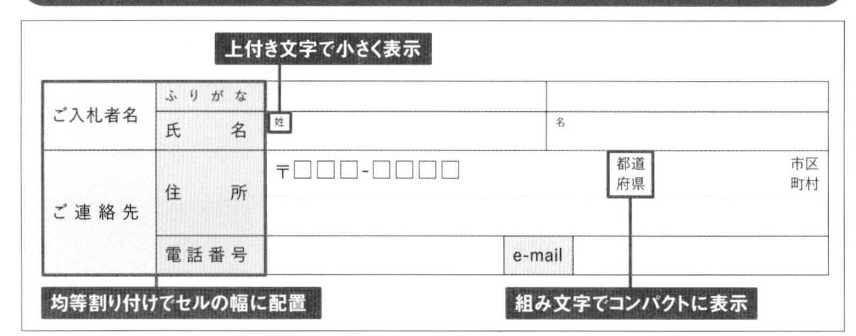

図1 見出し項目の文字幅を揃えたり、ガイドや選択肢の文字列を小さく表示したりするなど、セル内の文字列は役割と全体のバランスを考えながら設定することが大事だ。ワードにはそのための機能がいろいろと備わっている

●見出しの文字列をセル幅に揃える

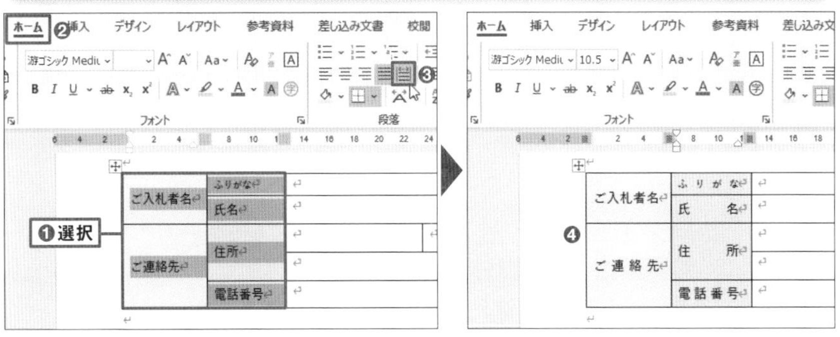

◆図2 1〜2列目を選択し、「ホーム」タブの「均等割り付け」ボタンをクリックする（❶〜❸）。文字列がセル幅いっぱいに広がり幅が揃う（❹）

●「上付き」や「組み文字」で文字サイズと配置を調節する

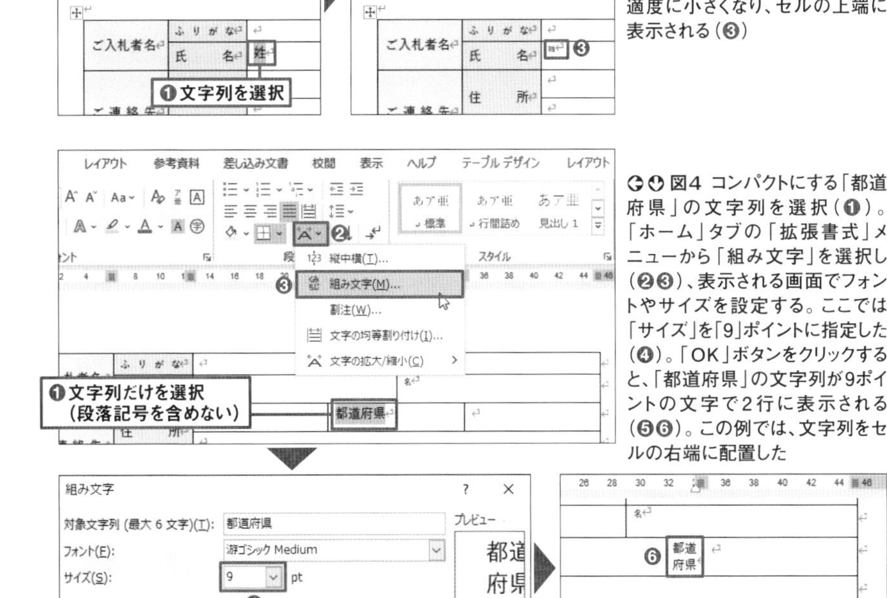

◆図3 小さくする文字列「姓」を選択し、「ホーム」タブの「上付き」ボタンをクリック（❶❷）。文字が適度に小さくなり、セルの上端に表示される（❸）

◆◆図4 コンパクトにする「都道府県」の文字列を選択（❶）。「ホーム」タブの「拡張書式」メニューから「組み文字」を選択し（❷❸）、表示される画面でフォントやサイズを設定する。ここでは「サイズ」を「9」ポイントに指定した（❹）。「OK」ボタンをクリックすると、「都道府県」の文字列が9ポイントの文字で2行に表示される（❺❻）。この例では、文字列をセルの右端に配置した

Section 07

縦書きも横書きも自由自在 表で凝ったレイアウトを作る

表の活用

ワードの表は、文字列をレイアウトするための枠組みとしても重宝する（**図1**）。この例では、2つの表でページ内を区切り、タイトル部分と説明部分の文字列を入力した（**図2**）。どちらの表も、セルの分割と結合など、変則的な枠組みのテクニック（→220ページ）を使って作成している。

表の利点は、文字列をセルというブロック単位で扱えることだ。セルごとに文字列の配置や方向を変えられ、さらに罫線も好きな位置に引けるので、表とは思えない凝ったレイアウトを実現できる。このような整然としたレイアウトなら、複数のテキスト

表を使って文字列を整然とレイアウト

文書全体を表でレイアウト

新緑

古書
まつり

2021 June 11 ▸ 16
11:00 – 17:30

会場：楓の森広場（市民公園内）

- 市バス「京都市役所前」バス停　徒歩3分
- 地下鉄「京都市役所前」駅　徒歩5分
- お車でお越しの際は、周辺の有料駐車場をご利用ください

ご案内

毎年恒例の古書まつりを、6月11日（金）から16日（水）まで開催します。今回は初版本が数多く出品される予定です。ぜひ、古書との一期一会をお楽しみください。参加店は、下記公式サイトでご覧いただけます。
https://www.example.com/

※事前に出品予定作品の目録を販売します

新緑　古書まつり目録

2021年5月中旬発行予定　価格300円（税込）

購入ご希望の方は、最寄りの参加店にてお求めください。郵送をご希望の方は、送料180円にて承ります（PC21古書研究会宛のメールでお申し込みください）。

イベント

森の朗読会

まもなく、作家アーネスト・ヘミングウェイの没後60年を迎えます。彼の代表的な短編を、朗読の名手が披露します。

日時：6月13日（日）15時
朗読：中村 法太郎（詩人）
定員50名・無料　／　当日12時より整理券を配布します

掘出し物オークション

連日：13時より
古書店主とっておきの一冊を、目利きの皆さんに競り合っていただきます。毎年盛り上がる古書まつりの名物イベントです。

主催：PC21 古書研究会　〒604-0914 京都市中京区橋柳町 99-9　info@example.com

図1 ワードの表は、ページ内の文字列を整然とレイアウトするための枠組みとしても利用できる。ここでは利用方法の一例を、古書まつりの案内チラシのサンプルで紹介する

ボックスを並べて間に図形の線を引くよりも、表を使うほうが作りやすい。

セル内の文字方向は、「文字列の方向」ボタンをクリックするだけで簡単に切り替えられる（次ページ**図3**）。縦書きのセルでは、9つの文字配置ボタンも縦書きの表示になり、横書き時と同様に位置を指定できる。罫線と文字列の間隔は、インデントで調節しよう（→219ページ図4）。

● 2つの表を使ってページ内を縦横無尽に区切る

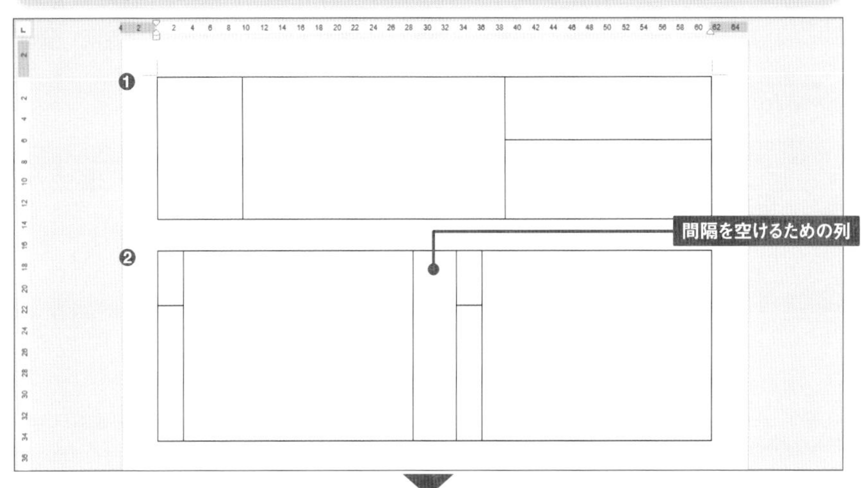

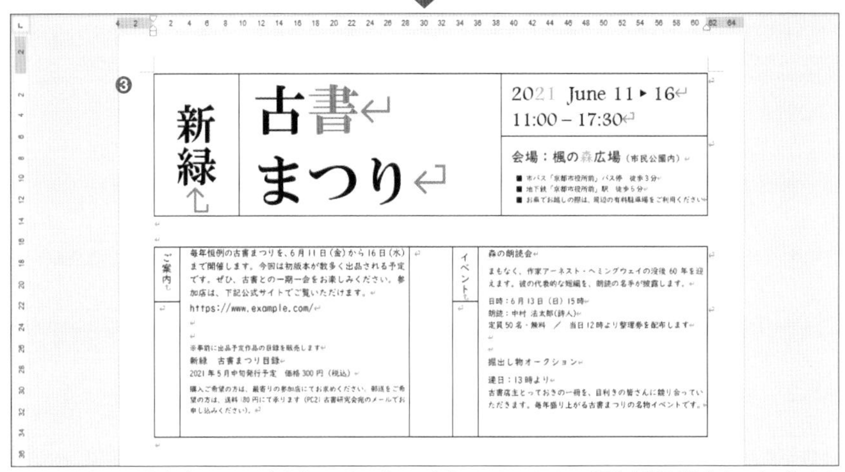

図2 作例では文書内に2つの表を作り、それぞれに案内チラシのタイトル部分と説明部分をレイアウトした（❶❷）。なお、下表の3列目は左右の間隔を空けるために作成したので、文字は入力しない。罫線の表示を必要最小限にして、すっきりしたチラシに仕上げていく（❸）

罫線はすべて消し、必要な部分に引き直す

凝ったレイアウトでは、罫線を引く位置もよく考えよう。作例では、罫線を最小限にしてシンプルなデザインに仕上げた。このように罫線が少ない表では、すべての罫線を消去してから、必要な部分だけに引き直すとよい（**図4**）。

● 文字列の方向はセルごとに設定できる

図3 カーソルを移動したセルの文字方向は、表の「レイアウト」タブにある「文字列の方向」ボタンで切り替える（❶～❸）。ボタンをクリックするたびに、横書きと縦書きが切り替わる

● 表内の一部分だけに罫線を引く

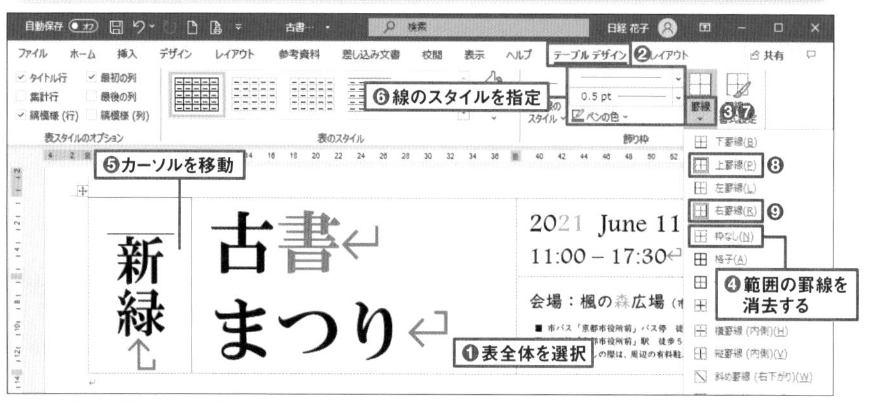

図4 表の一部にだけ罫線を引くときは、まず表全体を選択して「テーブルデザイン」タブの「罫線」メニューから「枠なし」を選ぶ（❶～❹）。これで罫線がすべて消去される。その後、罫線を引くセル内にカーソルを移動して、線のスタイルを設定（❺❻）。「罫線」メニューで罫線の表示位置を指定する（❼～❾）。ここではセルの上と右に罫線を引いた

セル内の罫線は、段落罫線で引くのが簡単（**図5**）。網かけを利用すると、セル内の一部分だけに背景色を付けられる。図形などのオブジェクトを、装飾に利用するのも効果的だ。なお、表は通常の文字列と同じ「テキスト」の扱いになる。上に重ねるオブジェクトは「文字列の折り返し」を「前面」、下に配置するオブジェクトは「背面」に設定しよう。この例では、円の図形を前面、ちょうちんのアイコンを背面にした。

● 段落罫線や網かけ、図形やアイコンなどをフル活用

図5 セル内の段落には、段落罫線や網かけ（→80ページ）も使える。同じセル内を区切るときに便利だ。また、図形やアイコンなどのオブジェクトを重ねたり背面に配置したりして、自由に装飾もできる

補足説明　シンプルな表でも効果はバツグン

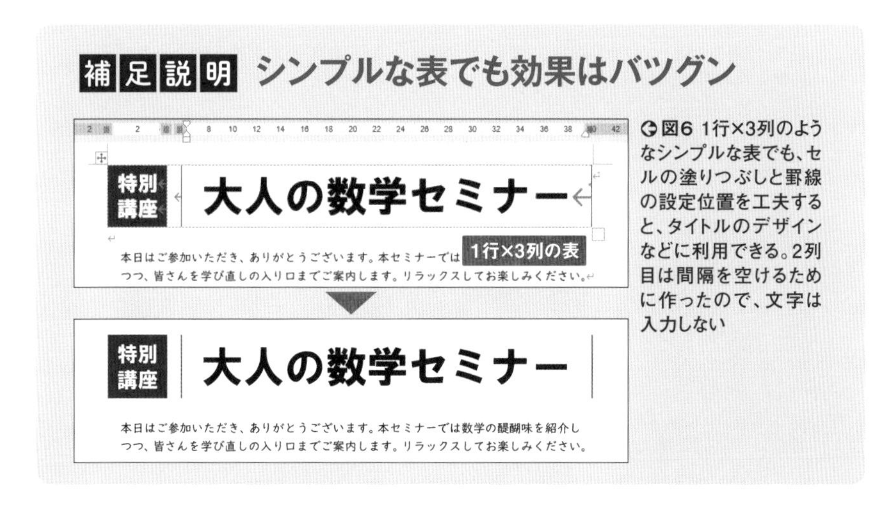

図6 1行×3列のようなシンプルな表でも、セルの塗りつぶしと罫線の設定位置を工夫すると、タイトルのデザインなどに利用できる。2列目は間隔を空けるために作ったので、文字は入力しない

セルに画像を挿入するときは列幅を固定する

表のセル内に画像を配置する場合は、挿入形式を「行内」にしておく。ワードの初期設定では行内になっているが、変更されている場合もあるので、あらかじめ確認しておこう（→179ページ図6）。

もう1つ事前にしておきたいのが、列の幅を固定する設定（**図1**）。これにより、画像は列幅に合わせたサイズで挿入される（**図2**）。列幅を固定しないと、セルに画像を挿入したときに、列幅が画像に合わせて大きく広がることがあるので注意しよう。列幅を固定していても、列を区切る縦罫線をドラッグして幅を変えることは可能だ。

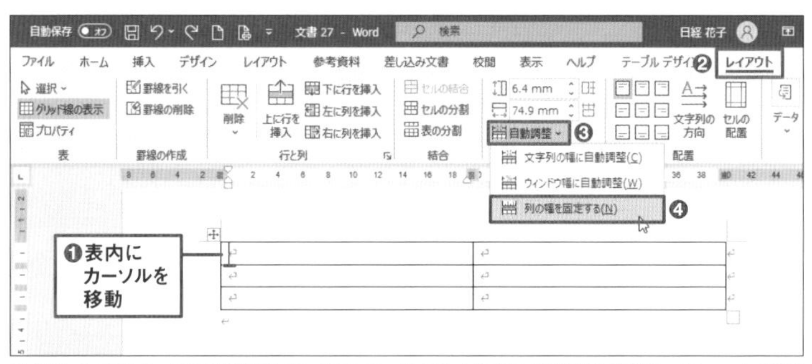

図1　表内にカーソルを移動して、表の「レイアウト」タブにある「自動調整」メニューから「列の幅を固定する」を選ぶ（❶～❹）

画像は列幅のサイズに合わせて挿入される

図2　セル内に挿入した画像は、固定した列幅に合わせてサイズが変更される

内容に応じた体裁で見せる

ページレイアウトのコツ

文書はひと目見たときの印象も大事。読みにくそうと敬遠されないために、ページ全体のレイアウトも整えよう。余白の決め方、段組みをきれいに設定するコツ、2つ折りパンフのお勧めレイアウトなど、ページ書式のテクニックを紹介する。

- 余白の幅は文書内容に応じて考える
- はみ出し厳禁のヘッダーとフッター
- 段組みは左右の行位置を揃えると美しい
- 小冊子は事前設定でラクラク作成　ほか

まずは
基本

ページ書式の種類と設定方法を確認しよう

ページ書式は、文書の土台となる部分だ。「用紙サイズ」「印刷の向き」「余白」の3要素によって、文字列を表示する本文領域が決まる（**図1**）。文書全体のレイアウトを整えるときは、この構成を頭に入れておこう。なお、上余白は「ヘッダー」、下余白は「フッター」の領域としても使われる。

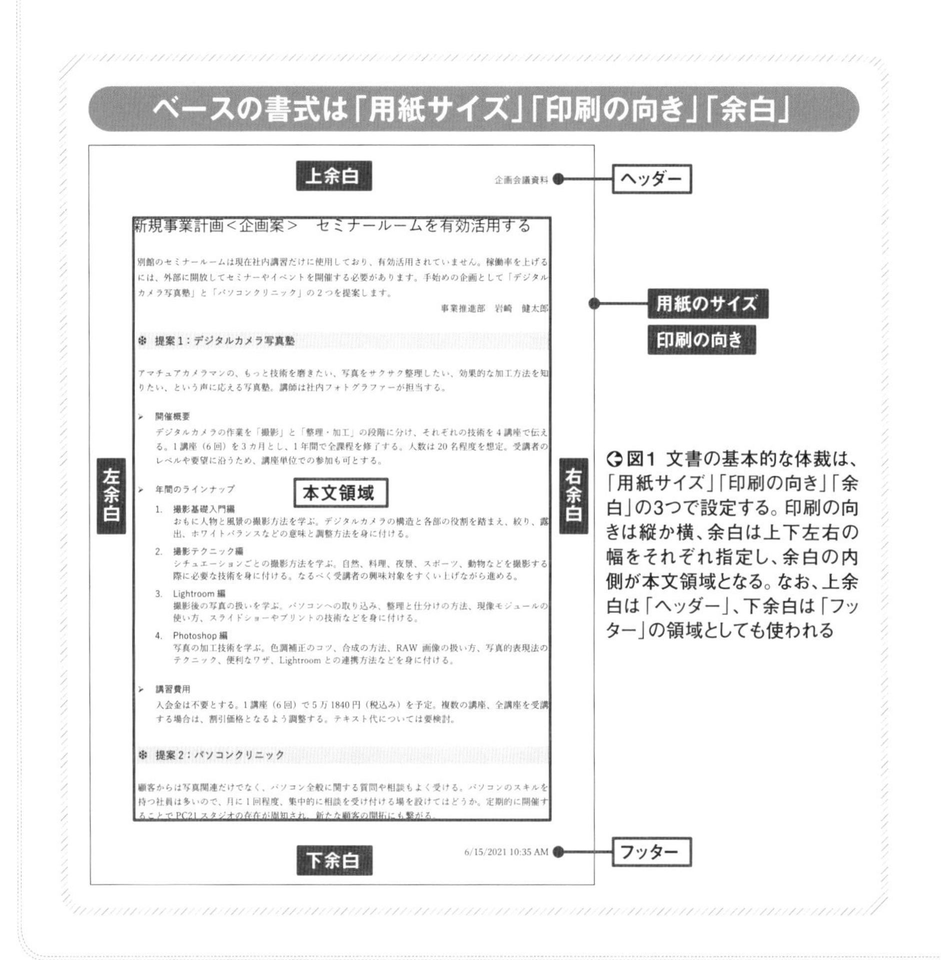

企画会議資料

新規事業計画<企画案>　セミナールームを有効活用する

別館のセミナールームは現在社内講習だけに使用しており、有効活用されていません。稼働率を上げるには、外部に開放してセミナーやイベントを開催する必要があります。手始めの企画として「デジタルカメラ写真塾」と「パソコンクリニック」の2つを提案します。

事業推進部　岩崎　健太郎

❇ 提案1：デジタルカメラ写真塾

アマチュアカメラマンの、もっと技術を磨きたい、写真をサクサク整理したい、効果的な加工方法を知りたい、という声に応える写真塾。講師は社内フォトグラファーが担当する。

➢ 開催概要
デジタルカメラの作業を「撮影」と「整理・加工」の段階に分け、それぞれの技術を4講座で伝える。1講座（6回）を3カ月とし、1年間で全課程を修了する。人数は20名程度を想定。受講者のレベルや要望に沿うため、講座単位での参加も可とする。

➢ 年間のラインナップ
1. 撮影基礎入門編
おもに人物と風景の撮影方法を学ぶ。デジタルカメラの構造と各部の役割を踏まえ、絞り、露出、ホワイトバランスなどの意味と調整方法を身に付ける。
2. 撮影テクニック編
シチュエーションごとの撮影方法を学ぶ。自然、料理、夜景、スポーツ、動物などを撮影する際に必要な技術を身に付ける。なるべく受講者の興味対象をすくい上げながら進める。
3. Lightroom 編
撮影後の写真の扱いを学ぶ。パソコンへの取り込み、整理と仕分けの方法、現像モジュールの使い方、スライドショーやプリントの技術などを身に付ける。
4. Photoshop 編
写真の加工技術を学ぶ。色調補正のコツ、合成の方法、RAW 画像の扱い方、写真的表現法のテクニック、便利なワザ、Lightroom との連携方法などを身に付ける。

➢ 講習費用
入会金は不要とする。1講座（6回）で5万1840円（税込み）を予定。複数の講座、全講座を受講する場合は、割引価格となるよう調整する。テキスト代については要検討。

❇ 提案2：パソコンクリニック

顧客からは写真関連だけでなく、パソコン全般に関する質問や相談もよく受ける。パソコンのスキルを持つ社員は多いので、月に1回程度、集中的に相談を受け付ける場を設けてはどうか。定期的に開催することでPC21スタジオの存在が周知され、新たな顧客の開拓にも繋がる。

6/15/2021 10:35 AM

図1 文書の基本的な体裁は、「用紙サイズ」「印刷の向き」「余白」の3つで設定する。印刷の向きは縦か横、余白は上下左右の幅をそれぞれ指定し、余白の内側が本文領域となる。なお、上余白は「ヘッダー」、下余白は「フッター」の領域としても使われる

ヘッダーとフッターは本文領域から独立した欄外の領域で、入力した文字列や画像はその位置に固定される。本文の編集によって動く心配がなく、原則として全ページに表示されるため、ページ番号などの文書情報を配置するのに適している。利用する場合は、文字列を余白内にバランス良く収める工夫が必要だ（→239ページ）。

余白はダイアログボックスで任意の数値に

ページ書式はほかに、横書きか縦書きかを指定する「文字列の方向」、文書を段組みのレイアウトにする「段組み」などがある。設定するコマンドは「レイアウト」タブの「ページ設定」グループにまとめられていて、用紙サイズや印刷の向きはメニューで手早く変更できる（**図2左**）。

余白の数値は、「ページ設定」ダイアログボックスの「余白」タブで指定する（**図2右**）。ほかのページ書式も、この画面でまとめて設定してもよい。例えば、用紙サイズは「用紙」タブで指定できる。なお、「文字数と行数」タブで設定するページ全体の行送りなどもページ書式の1つだ。

●「レイアウト」タブや「ページ設定」ダイアログボックスで設定

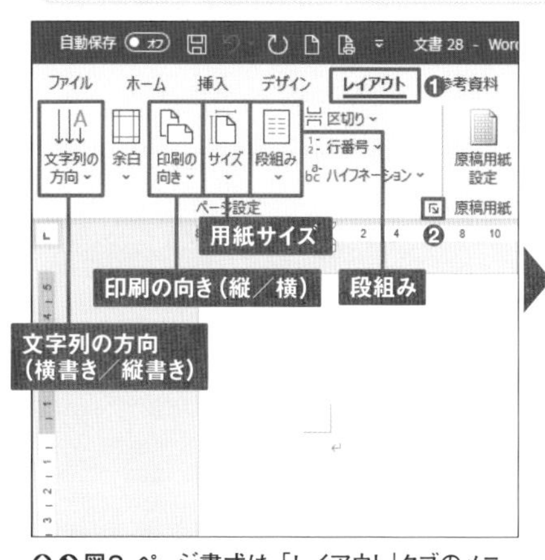

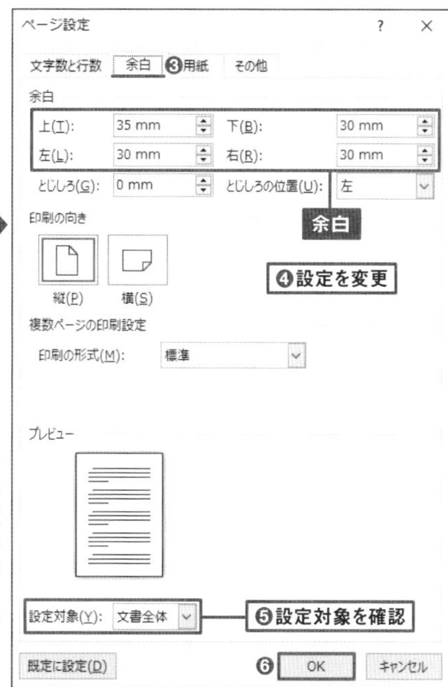

図2 ページ書式は、「レイアウト」タブのメニューや「ページ設定」ダイアログボックスで設定する（❶～❸）。余白はダイアログボックスで任意の値を指定できる（❹）。なお、文書内の一部を段組みにしていると、「設定対象」に「このセクション」が指定されるので注意する。文書全体の余白を変更する場合は、「設定対象」を「文書全体」にして「OK」ボタンをクリックする（❺❻）

余白のさじ加減で文書は変わる内容に合わせて幅を調節

ページの余白

ページの余白は、本文領域の広さを調節し、文書全体のバランスを整える大切な要素。ワードの初期設定は、上余白が35ミリ、左右と下余白が30ミリとなっており、A4サイズの文書としてはやや広めだ。文字量の多い文書では、内容が詰まって窮屈に見えることがある（**図1左**）。

一般的なA4サイズの文書では、20〜25ミリ程度の余白を目安にしよう（**図1右**）。本文領域が広いと、見出しと本文の間隔を適度に空けるなど、ゆったりとしたレイアウ

初期設定の余白をそのまま使わない

△ 初期設定の余白は広め

企画会議資料

新規事業計画＜企画案＞　セミナールームを有効活用する

別館のセミナールームは現在社内講習だけに使用しており、有効活用されていません。稼働率を上げるには、外部に開放してセミナーやイベントを開催する必要があります。手始めの企画として「デジタルカメラ写真塾」と「パソコンクリニック」の2つを提案します。

事業推進部　岩崎　健太郎

❈ 提案1：デジタルカメラ写真塾

アマチュアカメラマンの、もっと技術を磨きたい、写真をサクサク整理したい、効果的な加工方法を知りたい、という声に応える写真塾。講師は社内フォトグラファーが担当する。

➢ 開催概要

デジタルカメラの作業を「撮影」と「整理・加工」の段階に分け、それぞれの技術を4講座で伝える。1講座（6回）を3カ月とし、1年間で全課程を修了する。人数は20名程度を想定。受講者のレベルや要望に沿うため、講座単位での参加も可とする。

➢ 年間のラインナップ

1. 撮影基礎入門編
おもに人物と風景の撮影方法を学ぶ。デジタルカメラの構造と各部の役割を踏まえ、絞り、露出、ホワイトバランスなどの意味と調整方法を身に付ける。
2. 撮影テクニック編
シチュエーションごとの撮影方法を学ぶ。自然、料理、夜景、スポーツ、動物などを撮影する際に必要な技術を身に付ける。なるべく受講者の興味対象をすくい上げながら進める。
3. Lightroom編
撮影後の写真の扱いを学ぶ。パソコンへの取り込み、整理と仕分けの方法、現像モジュールの使い方、スライドショーやプリントの技術などを身に付ける。
4. Photoshop編
写真の加工技術を学ぶ。色調補正のコツ、合成の方法、RAW画像の扱い方、写真的表現法のテクニック、便利なワザ、Lightroomとの連携方法などを身に付ける。

➢ 講習費用

入会金は不要とする。1講座（6回）で5万1840円（税込み）を予定。複数の講座、全講座を受講する場合は、割引価格となるよう調整する。テキスト代については要検討。

❈ 提案2：パソコンクリニック

顧客からは写真関連だけでなく、パソコン全般に関する質問や相談もよく受ける。パソコンのスキルを持つ社員は多いので、月に1回程度、集中的に相談を受け付ける場を設けてはどうか。定期的に開催することでPC21スタジオの存在が周知され、新たな顧客の開拓にも繋がる。

6/15/2021 10:35 AM

○ 余白を狭めてバランス良く

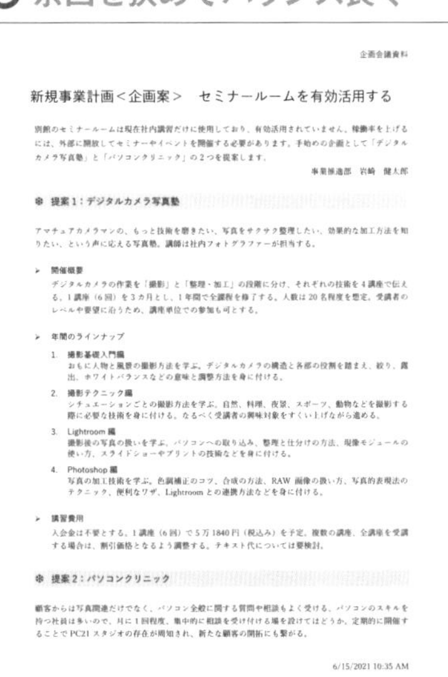
企画会議資料

新規事業計画＜企画案＞　セミナールームを有効活用する

別館のセミナールームは現在社内講習だけに使用しており、有効活用されていません。稼働率を上げるには、外部に開放してセミナーやイベントを開催する必要があります。手始めの企画として「デジタルカメラ写真塾」と「パソコンクリニック」の2つを提案します。

事業推進部　岩崎　健太郎

❈ 提案1：デジタルカメラ写真塾

アマチュアカメラマンの、もっと技術を磨きたい、写真をサクサク整理したい、効果的な加工方法を知りたい、という声に応える写真塾。講師は社内フォトグラファーが担当する。

➢ 開催概要

デジタルカメラの作業を「撮影」と「整理・加工」の段階に分け、それぞれの技術を4講座で伝える。1講座（6回）を3カ月とし、1年間で全課程を修了する。人数は20名程度を想定。受講者のレベルや要望に沿うため、講座単位での参加も可とする。

➢ 年間のラインナップ

1. 撮影基礎入門編
おもに人物と風景の撮影方法を学ぶ。デジタルカメラの構造と各部の役割を踏まえ、絞り、露出、ホワイトバランスなどの意味と調整方法を身に付ける。
2. 撮影テクニック編
シチュエーションごとの撮影方法を学ぶ。自然、料理、夜景、スポーツ、動物などを撮影する際に必要な技術を身に付ける。なるべく受講者の興味対象をすくい上げながら進める。
3. Lightroom編
撮影後の写真の扱いを学ぶ。パソコンへの取り込み、整理と仕分けの方法、現像モジュールの使い方、スライドショーやプリントの技術などを身に付ける。
4. Photoshop編
写真の加工技術を学ぶ。色調補正のコツ、合成の方法、RAW画像の扱い方、写真的表現法のテクニック、便利なワザ、Lightroomとの連携方法などを身に付ける。

➢ 講習費用

入会金は不要とする。1講座（6回）で5万1840円（税込み）を予定。複数の講座、全講座を受講する場合は、割引価格となるよう調整する。テキスト代については要検討。

❈ 提案2：パソコンクリニック

顧客からは写真関連だけでなく、パソコン全般に関する質問や相談もよく受ける。パソコンのスキルを持つ社員は多いので、月に1回程度、集中的に相談を受け付ける場を設けてはどうか。定期的に開催することでPC21スタジオの存在が周知され、新たな顧客の開拓にも繋がる。

6/15/2021 10:35 AM

図1 ワードの初期設定では、上余白が35ミリ、左右と下余白が30ミリと、広めに取られている（左）。そのままで良い場合もあるが、本文領域が狭いと窮屈な印象になる。文書の内容に応じて変更しよう。この例では、上下を25ミリ、左右を20ミリに変更した（右）

トが可能になる。もちろん例外はある。ヘッダーにロゴマークを表示するときは上余白を広めに取るなど、状況に応じて決めていこう。

余白設定のポイントは、狭くしすぎないこと。A4一枚に内容を収めようとして余白を狭くしすぎると、バランスの悪い文書になる。1行の文字数も増えるので、文章も読みづらい。ただ、同じ余白でも文字量によって見え方が異なるので、文書の内容も考慮しよう（**図2**）。段組みの文書は、左右の余白が狭くても比較的見やすい。

左右の余白はレイアウト前に決めたほうがよい

ページの余白はいつでも変更できるが、左右の余白はなるべく文字列をレイアウトする前に決めたほうがよい。左右の余白によって1行の幅が変わり、レイアウトが崩れることがあるからだ。特に、表や画像を配置した文書では、表の幅が足りなくなったり、画像の位置が動いたりする。設定し直すのは面倒なので、左右の余白は早い段階で決めておこう。

● 同じ余白でも文書の内容によって読みやすさは異なる

✕ 文字だけの文書で余白が狭い

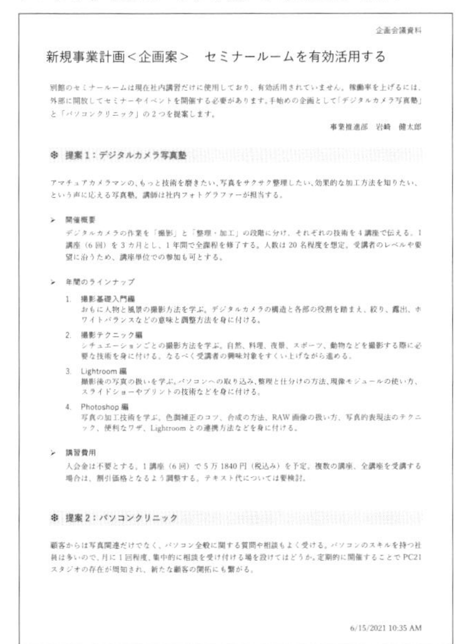

企画会議資料

新規事業計画＜企画案＞　セミナールームを有効活用する

別館のセミナールームは現在社内講習だけに使用しており、有効活用されていません。稼働率を上げるには、外部に開放してセミナーやイベントを開催する必要があります。手始めの企画として「デジタルカメラ写真塾」と「パソコンクリニック」の２つを提案します。

事業推進部　岩崎　健太郎

❇ 提案１：デジタルカメラ写真塾

アマチュアカメラマンの、もっと技術を磨きたい、写真をサクサク整理したい、効果的な加工方法を知りたい、という声に応える写真塾。講師は社内フォトグラファーが担当する。

➢ 開催概要
デジタルカメラの作業を「撮影」と「整理・加工」の段階に分け、それぞれの技術を４講座で伝える。1講座（6回）を3カ月とし、1年間で全課程を修了する。人数は20名程度を想定。受講者のレベルや要望に沿うため、講座単位での参加も可とする。

➢ 年間のラインナップ
1. 撮影基礎入門編
おもに人物と風景の撮影方法を学ぶ。デジタルカメラの構造と各部の役割を踏まえ、絞り、露出、ホワイトバランスなどの意味と調整方法を身に付ける。
2. 撮影テクニック編
シチュエーションごとの撮影方法を学ぶ。自然、料理、夜景、スポーツ、動物などを撮影する際に必要な技術を身に付ける。なるべく受講者の興味対象をすくい上げながら進める。
3. Lightroom 編
撮影後の写真の扱いを学ぶ。パソコンへの取り込み、整理と仕分けの方法、現像モジュールの使い方、スライドショーやプリントの技術などを身に付ける。
4. Photoshop 編
写真の加工技術を学ぶ。色調補正のコツ、合成の方法、RAW画像の扱い方、写真的表現法のテクニック、便利なワザ、Lightroomとの連携方法などを身に付ける。

➢ 講習費用
入会金は不要とする。1講座（6回）で5万1840円（税込み）を予定。複数の講座、全講座を受講する場合は、割引価格となるよう調整する。テキスト代については要検討。

❇ 提案２：パソコンクリニック

顧客からは写真関連だけでなく、パソコン全般に関する質問や相談もよく受ける。パソコンのスキルを持つ社員は多いので、月に1回程度、集中的に相談を受け付ける場を設けてはどうか。定期的に開催することでPC21スタジオの存在が周知され、新たな顧客の開拓にも繋がる。

6/15/2021 10:35 AM

〇 文字量が少ない図表入りの文書

News Release

2021年5月21日
PC21モーターズ株式会社
https://www.example.com/

グローバルな未来を拓くための体制強化

PC21モーターズ、海外業務の拡充に伴い組織変更

PC21モーターズ株式会社（本社：東京都港区 代表取締役社長：坂下 菜々緒）は、海外業務のより一層の拡充を目的とし、2021年6月1日付けで組織変更を実施します。

■ 組織変更の内容

① 海外事業本部の新設
海外拠点の活動を統括する「海外事業本部」を新設し、業務本部に設置していた「海外準備室」の業務を引き継ぎます。本部内には支社の業務執行に関する管理と支援を行う「支社統括部」、法的問題の検討と処理を行う「海外法務部」を設置します。

② 名称の変更
以下の通り、名称を変更します。

旧	新
法令調査委員会	コンプライアンス委員会
お客様相談室	カスタマーセンター

■ 新組織図

図2 上下左右の余白を15ミリに設定した例。文字だけの文書では狭すぎてバランスが悪いが（左）、文字量が少なく図表を入れた文書なら窮屈な感じはしない（右）

長文レポートのように複数ページをとじる文書では、余白とは別に「とじしろ」を設定するとよい。とじて開いたときに、とじた側の余白が狭くなるのを防げる。とじしろの位置は、片面印刷してとじるか、両面印刷してとじるかによって異なるが、ワードが自動で判断してくれる。文書の形態に応じて指定しよう（**図3、図4**）。用紙の左右に設けられる幅なので、左右の余白と一緒に設定するのがベストだ。

● ページをとじる場合は「とじしろ」を設ける

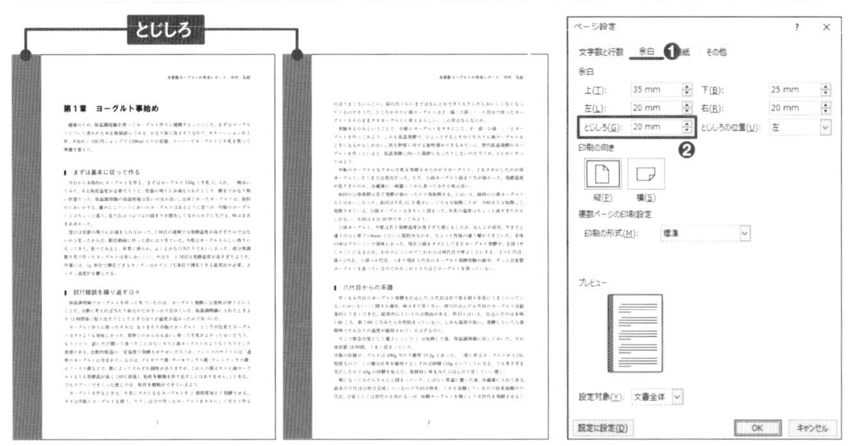

図3 複数のページを印刷してとじる場合は、とじる位置（横書きなら通常は左）に「とじしろ」を設ける（左）。「ページ設定」ダイアログボックスの「余白」タブを開き、「とじしろ」に幅を指定すればよい（❶❷）

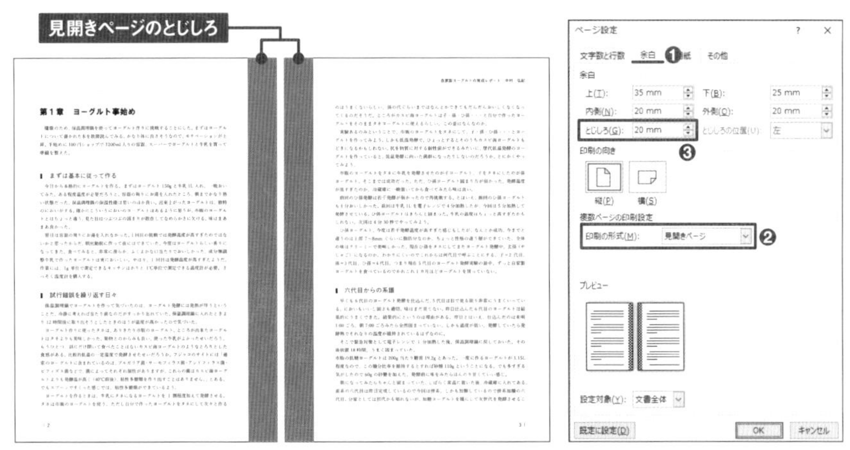

図4 文書を両面印刷してとじる場合は、とじしろの位置が偶数ページと奇数ページで逆になる（左）。「ページ設定」ダイアログボックスの「余白」タブを開き、「複数ページの印刷設定」の「印刷の形式」で「見開きページ」を選び、「とじしろ」に幅を指定する（❶～❸）

Section 02

背景色でページを引き締める 文章と図の境も明確に

図形／ページの色

完成した文書は印刷プレビューなどで全体を見渡し、メリハリのあるレイアウトになっているかを確かめる。文書が何となくボンヤリした印象だと思ったときは、背景色の利用を検討しよう。特に、文字列と図の境が曖昧なときは、範囲を示す背景色が有効だ（**図1**）。図の背景には、図形の四角形を使うのがお勧め。サイズや位置を調節しやすく、図とグループ化もできる。枠線を付けると重たくなるので、塗りつぶしの色だけを設定しよう。あくまでも背景なので、控えめの色にする。

図の範囲がわかりにくい場合は背景色を付ける

✕ 図の範囲がはっきりしない

■ 海外進出の背景と目的

2018年5月に発売した「PC21 スターライド」は、自動運転のレベル2に相当する高度な自動化機能を搭載したことにより、国内外で大きな注目を集めました。特に海外からの反響は大きく、これまで国内に絞っていた販路を、海外に広げる可能性をもたらしました。また、現在までに複数の海外メーカーから技術提携の申し入れがあり、各方面との交渉を進めています。

販路開拓 ＋ 技術提携 ＋ 人材確保 ＝ 海外拠点の開設

PC21 モーターズでは、海外の販路開拓、他社との技術提携、さらに開発や営業のための人材確保を目的として、海外での活動を強化してきました。2021年には12の海外拠点の新設を予定しており、最終調整を行っています。

■ 新組織図

○ 背景色を付けると明確になる

図1 色の少ない図などで本文との境がわかりにくい場合は（左）、図に背景色を付けると見やすくなる（右）。枠線で囲むより洗練された印象になる

9章 内容に応じた体裁で見せるページレイアウトのコツ

ページ全体に背景色を付けて、デザインを引き立たせるのもいい（**図2**）。色は「デザイン」タブの「ページの色」メニューから選ぶ（**図3**）。なお、印刷時にはプリンター側がページの端に余白を設けるので、ページの周囲は白く残る。用紙の端まで背景色を印刷したい場合は「フチなし印刷」をする。設定方法は各プリンターのマニュアルなどで確認しよう。背景色が印刷されないときは、オプションを確認する（**図4**）。

● ページ全体に背景色を付ける

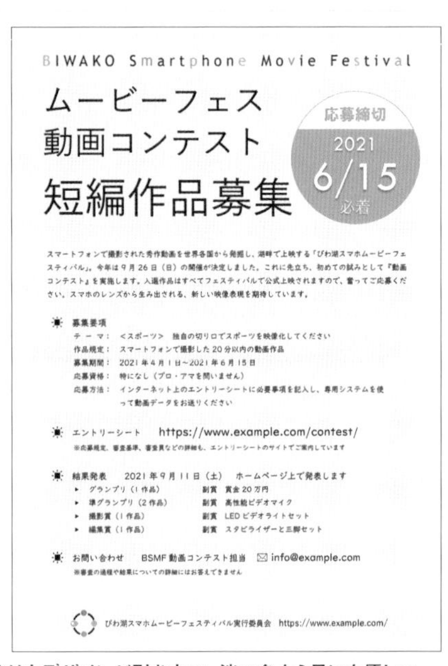

図2 ページ全体に背景色を付けると、白地の文書よりもデザインが引き立つ。淡い色なら目にも優しい

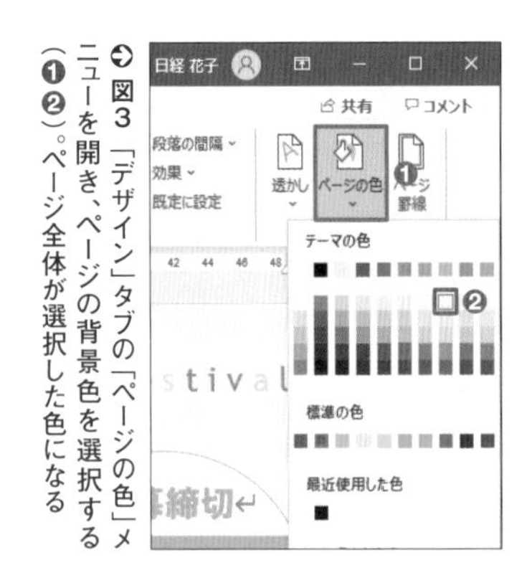

図3 「デザイン」タブの「ページの色」メニューを開き、ページの背景色を選択する（❶❷）。ページ全体が選択した色になる

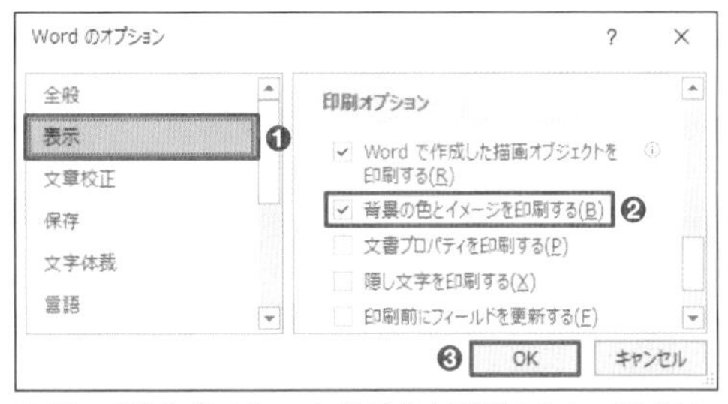

図4 印刷プレビューに背景色が表示されない場合は、「ファイル」タブの「オプション」を選択。表示される画面の「表示」パネルで「背景の色とイメージを印刷する」をオンにして「OK」ボタンをクリックする（❶～❸）

意外に気付かない位置のずれ ヘッダーとフッターの配置テク

ヘッダーとフッター

ヘッダーとフッターの文字列は、本文領域に食い込むことがあるので要注意だ(**図1**)。そのままにしておくと、せっかく整えた本文のレイアウトが崩れる危険がある。必ず位置を確認して、文字列を余白内に収めよう。ここでは、ヘッダーやフッターの位置を調節するテクニックを紹介する。同じ行に複数の項目を配置するときに便利な、「整列タブ」の使い方も覚えよう(**図2**)。

ヘッダーとフッターは余白内にバランス良く収める

✕ 本文領域に食い込んでいる

下余白

余白から
はみ出している

○ 余白内にバランス良く配置

図1 上下の余白を変更していると、ヘッダーやフッターが余白に収まらず、本文領域に食い込むことがある(左)。位置を調節して、余白内にバラン良く収めよう(右)

同じ行の左右に配置

図2 ヘッダーとフッターの文字列は、「整列タブ」で同じ行の中央や右端に手早く配置できる。複数の項目を表示するときに利用しよう

はみ出した文字列を余白内に収める

ヘッダーやフッターは、専用の編集画面で入力する。画面を切り替えると領域の先頭にカーソルが表示されるので、そのまま文字列を入力していこう（**図3**）。なお、ヘッダーとフッターの編集モードでは、操作に使う「ヘッダーとフッター」タブがリボンに表示される。本文は淡い表示になり、編集できなくなる。

ページの上下の余白を初期設定より狭くしている文書では、文字列が本文領域にはみ出すことがある。この例でも、フッターの文字列が本文に食い込んでしまった。

ワードでは、ヘッダーとフッターの位置を用紙の上端（または下端）からの距離で指定する。距離は「上からのヘッダー位置」欄や「下からのフッター位置」欄の数値で調節できる。この例では、「下からのフッター位置」欄の数値を初期設定の「17.5mm」から「7mm」に変更して、文字列を下余白内に収めた（**図4**）。

● ヘッダーやフッターの位置は用紙の端からの距離で指定

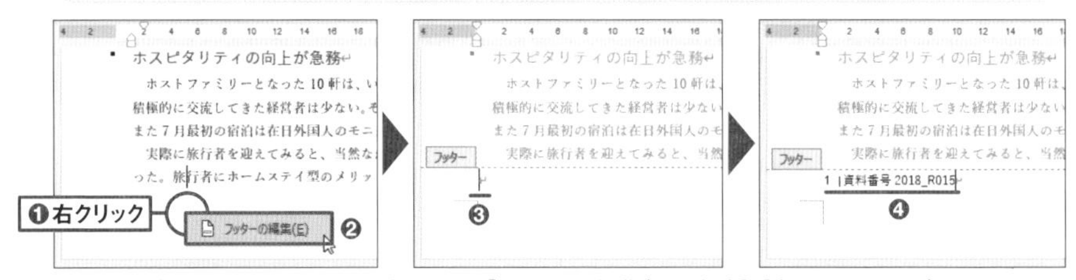

図3 下余白内を右クリックして、表示される「フッターの編集」を選択（❶❷）。画面がヘッダーとフッターの編集モードに切り替わり、フッターの先頭にカーソルが表示される（❸）。カーソル位置からページ番号や文字列を入力する（❹）

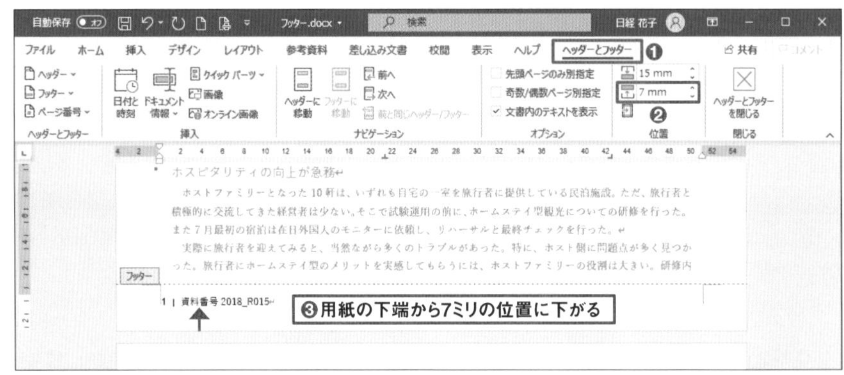

図4 フッターの位置が本文領域にはみ出しているときは、「ヘッダーとフッター」タブの「下からのフッター位置」を変更してフッターを下余白内に収める（❶〜❸）。ここでは用紙の下端から7ミリの位置に移動した

同じ行の文字列を右端や中央に配置

ヘッダーやフッターでは、「ページ番号」と「資料番号」のように、2つの項目を同じ行の左右に表示することも多い。そのため、段落内には「右揃えタブ」などが設定されている。タブ位置はずれることもあるので、その場合は「整列タブ」を利用しよう。

同じ行の文字列を行の右端に配置するときは、「整列タブ」ダイアログボックスを開き、「右揃え」を選択して「OK」ボタンをクリックする（**図5、図6**）。なお、「整列タブ」ダイアログボックスで「リーダー」の線を選ぶと、文字列の間が線で結ばれる。左右の文字列を関連付けたい場合や、装飾として利用しよう。

この例では文字列を右端に配置したが、「整列タブの挿入」ダイアログボックスで「中央揃え」を選ぶと、カーソルから後ろの文字列が行の中央に配置される。3つの項目を行の左端、中央、右端に並べることも可能だ。

● カーソルから後ろの文字列を行の右端に配置する

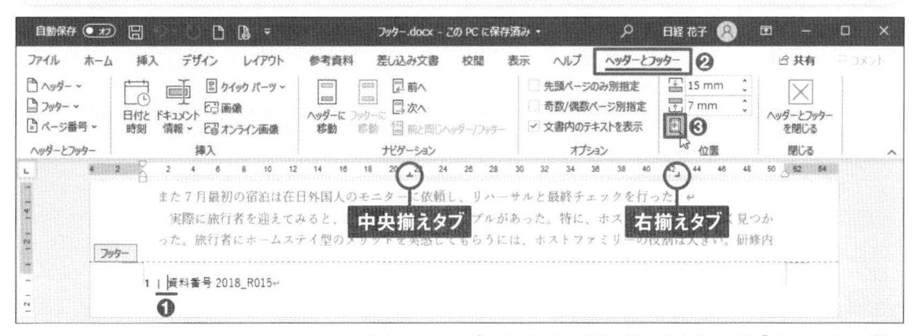

図5 ヘッダーとフッターの段落にはあらかじめ「中央揃えタブ」と「右揃えタブ」が設定されているが、左右の余白を変更していると、この例のようにタブ位置がずれる。整列タブを使うときは、行の右端に配置する文字列の先頭にカーソルを移動して、「ヘッダーとフッター」タブの「整列タブの挿入」ボタンをクリックする（❶～❸）

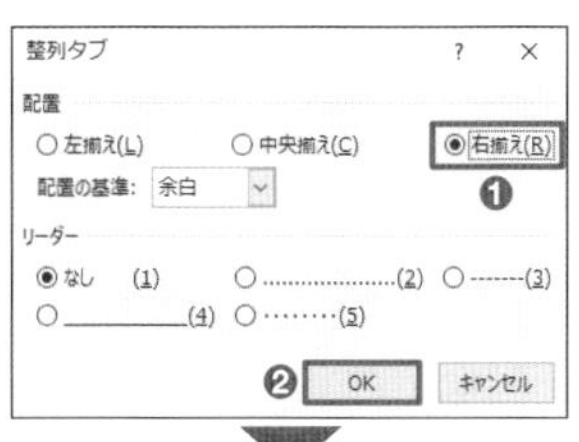

図6 表示される画面で「右揃え」を選択して、「OK」ボタンをクリックする（❶❷）。カーソル以降の文字列が行の右端に移動する（❸）

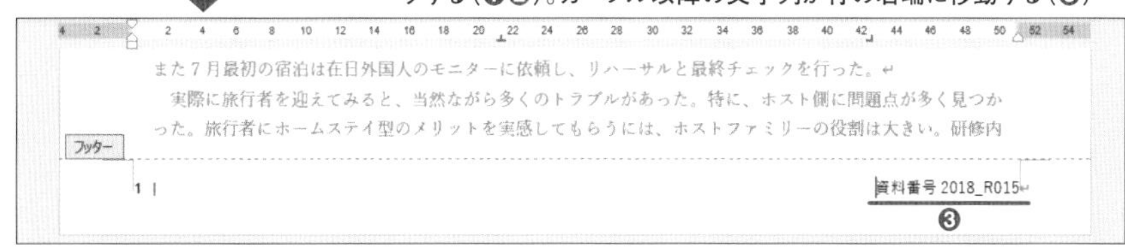

補足説明 ページ全体をヘッダーとフッターの領域として使う

ヘッダーとフッターの領域を編集するときは、ページの上下だけでなく中央部分も使える。本文の背景に透かし画像を入れたり、罫線を引いたりできるので、レターヘッドのような定型文書のデザインに重宝する（**図7**）。

画像の挿入方法や線の描き方は、通常の編集画面と同じだ。画像は、本文の邪魔にならない場所に配置しよう。背景にするときは、画像に透かし効果を付けて淡い表示にするとよい（→192ページ）。

なお、この作例では「ページ罫線」を利用して、ページの上下に蛇腹模様の罫線を引いた。ページ罫線はページの上下左右に表示する罫線で、ページを囲んだり上下に線を引いたりするのに使う。ヘッダーとフッターの領域に表示されるわけではないので、通常の編集画面でも設定可能だ。「デザイン」タブの「ページ罫線」ボタンをクリックし、表示される画面で罫線のスタイルと表示位置を指定すればよい。設定画面は段落罫線とほぼ同じ（→85ページ）。ページ罫線の場合は、絵柄もいろいろ選べる。

設定画面で「オプション」ボタンをクリックするとさらに画面が開き、用紙の端からの距離などを指定できる。ページ罫線に画像などを重ねるときは、「常に手前に表示する」をオフにしよう。これでページ罫線が画像などの背面に表示される。

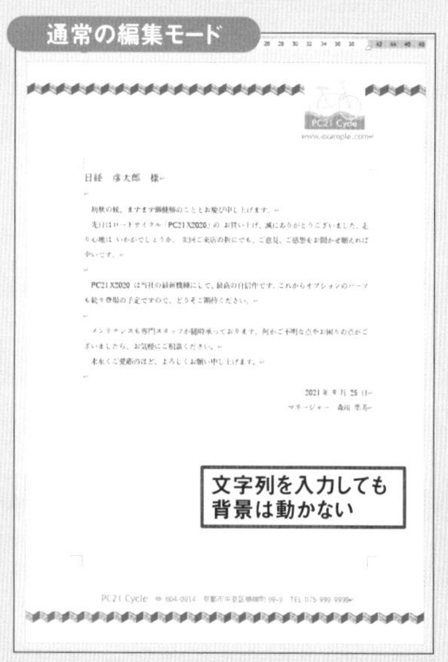

図7 ヘッダーとフッターの編集モードで、罫線や画像などを自由に配置する（左）。通常の編集モードで文字列を入力しても、ヘッダー領域とフッター領域の要素は動かない（右）

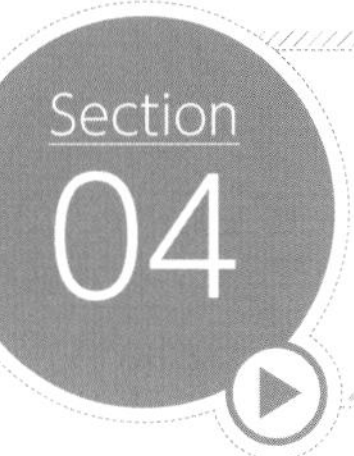

段組みのポイントは段数と間隔 各段の行位置も揃える

段組み

段組みは、文書内を複数の段に区切って文字列を表示するレイアウト方法。1行の文字数が少なくなり、段の間を適度に空けられるので、長い文章もすっきりと配置できる。ワードでは、文書の一部だけを段組みにしたり、段ごとに幅を変えたり、段間に境界線を引いたりと、柔軟な設定が可能だ。会報や長文レポートのように、文章をじっくり読ませたいときに利用を検討しよう。

段組みのレイアウトは、「段数」「段の幅」「段の間隔」で指定する（**図1**）。この3つは連動しているので、設定場所に合わせてちょうどよい値を考えよう。

「段数」「段の幅」「段の間隔」でレイアウトが決まる

風を感じて走る：長距離ライドのススメ

「自転車で 100km」というと、たいていの人は驚きます。100km は例えば、東京から箱根ぐらいの距離。自動車でも少し遠いと思うでしょう。でもスポーツ用の自転車で、特に長距離に向いた"ロードレーサー"なら、このくらいの距離を走るのは珍しくありません。長距離に慣れた人なら、東京～箱根間を日帰りで往復してしまうほどです。初めての人でも、徐々に距離を延ばせば大丈夫。「F40 自転車倶楽部」で、そんな楽しさを体感してみませんか。

2段

■ロードレーサーの魅力とは

細くて大きなタイヤにスリムなフレーム、ドロップハンドル。ロードレーサーはいかにも速そうな外観です。最近ではこの自転車で街中を走る人が増えているので、ご存じの方も多いでしょう。ロードレーサーの最大の特徴は、車体の軽さ……普通の実用車（いわゆるママチャリ）は 20kg 前後の重さですが、ロードレーサーは重くても 10kg 以下。タイヤの細さも特徴の一つです。実用車では 35mm ぐらいですが、ロードレーサーは 20～25mm ぐらい。この細いタイヤがかちかちになるほどの空気圧……。

これらの特徴によって、こぎ始めたときの軽さと加速感が、ほかの自転車とは格段に違います。

段の間隔

段の幅

100km を走破できる計算になります。

100km の壁を越えられたら、長距離イベントへの参加を考えるのも楽しいでしょう。160km を走る「センチュリーライド」と呼ばれるタイプのイベントが数多く開催されています。200km に始まり最長 600km を走破する「ブルベ」と呼ばれるタイプのイベントも開催されています。自転車の楽しみ方はいろいろありますが、ロードレーサーのこういった楽しみ方が今、とても人気です。

■自分にあった車体を選ぶ

ロードレーサーを始めるには、まず自転車が必要ですね。選ぶときのポイントは、自分の身体に合ったサイズのフレーム（車体）であるということ……

図1 文字列を段組みにするときは、読みやすい「段数」「段の幅」「段の間隔」を考えよう。縦向きのA4用紙で10.5ポイントの本文を段組みにする場合は、2段組みが適切だ。3段組み以上にすると1段の幅が狭くなりすぎ、かえって読みにくくなる

縦向きのA4用紙で10.5ポイントの本文を段組みにする場合は、2段組みが基本。3段組み以上にすると段の幅が狭くなりすぎ、かえって文章が読みにくくなる。また、段の間隔が狭いと、文章を読むときに隣の段の文字列が視界に入ってしまう（**図2上**）。横書きの文章では、1段の幅は16字以上、段の間隔は2〜3文字分、という値を1つの目安にしよう（**図2下**）。さらに左右の行位置も揃えると、きれいな段組みになる。

段の幅、段の間隔は字数で指定する

段組みは、「レイアウト」タブの「段組み」メニューで設定する。メニューには「2段」「3段」などのコマンドがあり、単純にこれらを選ぶと文書全体が段組みになる。事前に文書内の文字列を選択して操作すると、その部分だけが段組みになる。

段の間隔を変更したり、文書の途中から段組みにしたりする場合は、「段組み」ダイアログボックスを開く（**図3**）。「間隔」を変更すると「段の幅」も変わるので、双方の

● 段間を2〜3文字分空け、各段の行位置を揃えると読みやすい

✕ 段の間隔が狭すぎる／左右の行位置がずれている

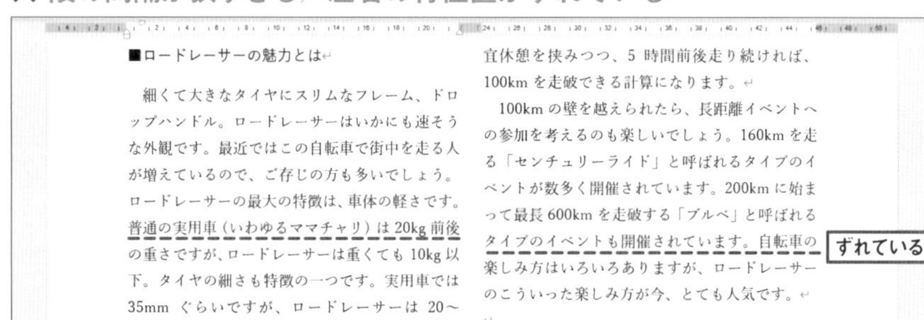

○ 適切な間隔で段の境が明確／左右の行位置がきれいに揃っている

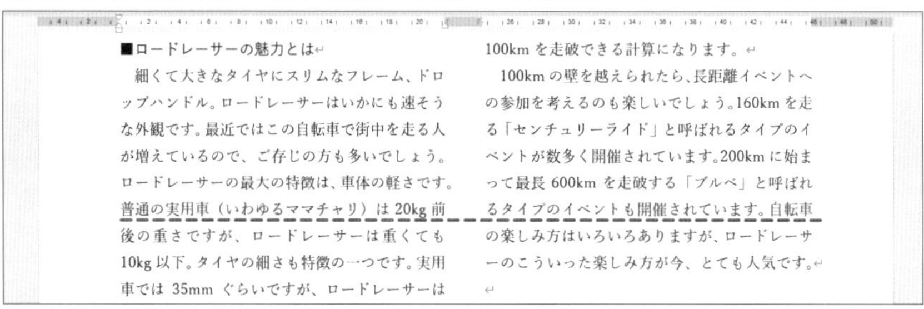

図2 段の間隔は本文の2〜3文字分が適当。狭すぎると境がわかりにくくなる。また、各段の行位置がずれていると読みにくいので、位置を揃えるようにする

バランスを確認しよう。なお、文書内で異なる段組みを設定した場合は、その部分が自動的に「セクション」という単位で区切られる。ワードでは、段組みの設定をセクションごとに行う仕組みになっているためだ（**図4**）。

● 文書の途中から2段組みにする

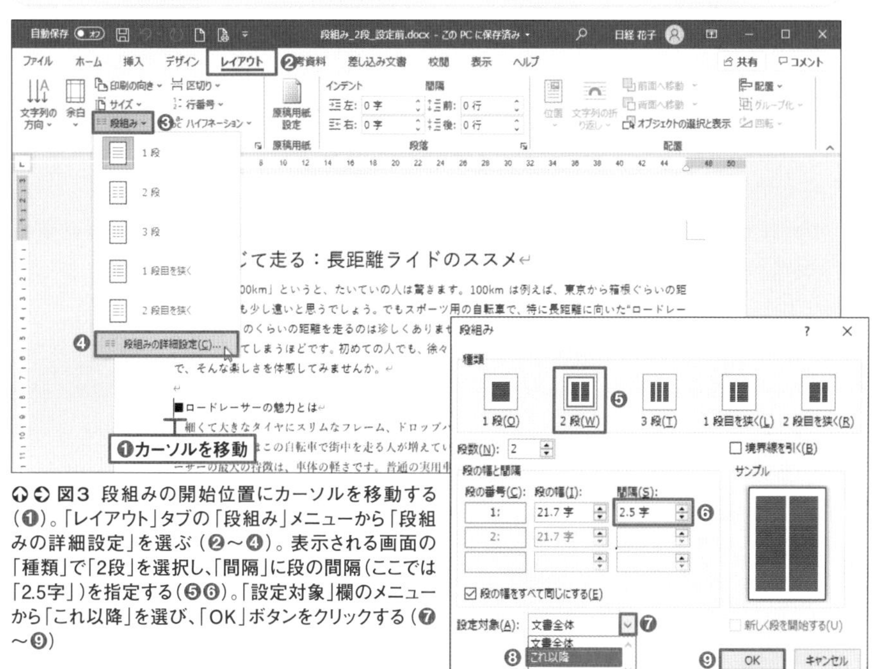

⬆⬅ 図3　段組みの開始位置にカーソルを移動する（❶）。「レイアウト」タブの「段組み」メニューから「段組みの詳細設定」を選ぶ（❷〜❹）。表示される画面の「種類」で「2段」を選択し、「間隔」に段の間隔（ここでは「2.5字」）を指定する（❺❻）。「設定対象」欄のメニューから「これ以降」を選び、「OK」ボタンをクリックする（❼〜❾）

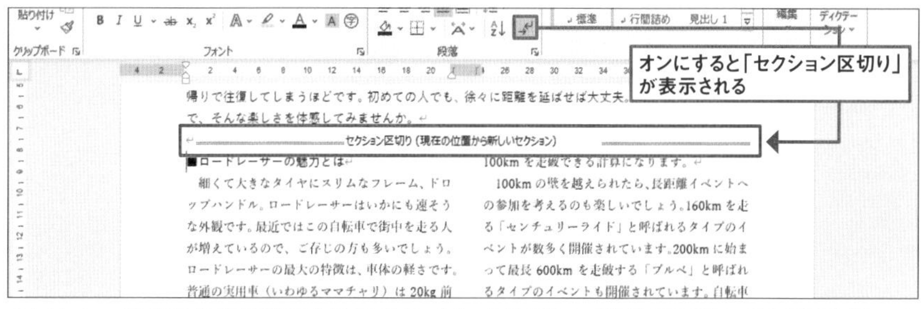

⬆ 図4　カーソル以降の文字列が2段組みになる。なお、文書の途中で段数を変えると、その部分は新しいセクションとなる。「ホーム」タブの「編集記号の表示／非表示」ボタンをオンにすると、セクションの境に「セクション区切り」が表示される。文書内がセクションで区切られると、「ページ設定」ダイアログボックスなどの「設定対象」が「このセクション」になる。文書全体の余白を設定するときは「設定対象」を「文書全体」に切り替えて操作しよう（→233ページ図2）

各段の行位置をきれいに揃えるには

段組みのレイアウトで困るのが、左右の行位置がずれること。これはページ全体の行数の指定を「標準の文字数」にしているせいだ(→64ページ図5)。この設定では、行間が文字サイズに応じて変化するため、見出しの文字サイズを大きくしたりすると、左右の行位置が微妙にずれてしまう。

これを防ぎたいときは、文書の行間をワードの初期設定にしておこう(**図5**)。行間は18ポイントの倍数で変化するので、左右の行位置はずれない。行間が大きく広がるのを避けたいなら、段組み部分の行間を18ポイントや16ポイントなどの「固定値」にしてもよいだろう(→67ページ図2)。

なお、行間を初期設定や固定値にしても、個別のスタイル設定によって行位置がずれることもある(**図6**)。特に段落前後の空きを調節するときは気を付けよう。

● 段組みの行間は初期設定か固定値がお勧め

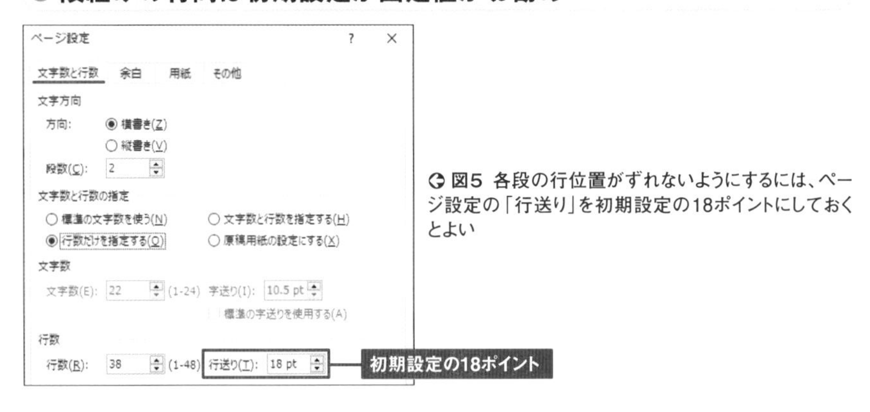

図5 各段の行位置がずれないようにするには、ページ設定の「行送り」を初期設定の18ポイントにしておくとよい

● 段落の間隔を空けると左右の行位置がずれる

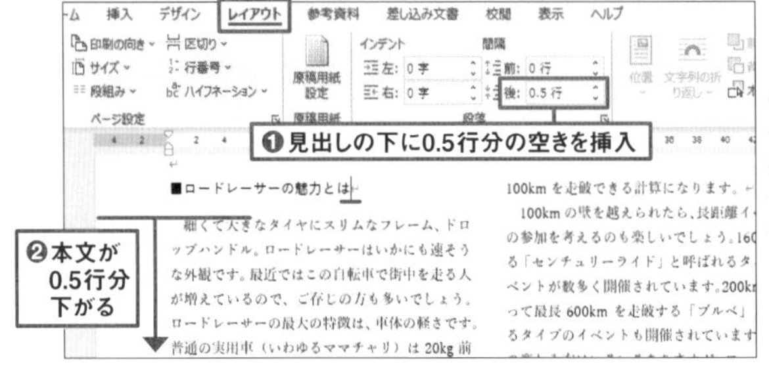

図6 行送りを初期設定にしていても、段落の間隔に「0.5行」のような半端な数値を指定すると行位置がずれるので注意する(❶❷)。上下に「0.5行」の空きを作るなど、1行になるように調整しよう

縦書きの段組みで雑誌風に段間の境界線も自動表示できる

段組み

縦書きの本文を段組みにして、横書きのタイトルなどを付けるときは、文書全体を段組みにするのがお勧め（**図1**）。この例では文書を5段組みにして、1段目に横書きのタイトルと前文をテキストボックスで配置し、2段目以降に本文を表示した。段数が多いので、段間に境界線を表示して読みやすくしている。

縦書きの段組み文書に横書きのタイトルを付ける

縦書きの文書を5段組みに設定

風を感じて走る：長距離ライドのススメ

「自転車で100km」というと、たいていの人は驚きます。100kmは例えば、東京から箱根ぐらいの距離。自動車でも少し遠いと思うでしょう。でもスポーツ用の自転車で、特に長距離に向いた"ロードレーサー"なら、このくらいの距離を走るのは珍しくありません。長距離に慣れた人なら、東京〜箱根間を日帰りで往復してしまうほどです。初めての人でも、徐々に距離を延ばせば大丈夫。「F40自転車倶楽部」で、そんな楽しさを体感してみませんか。

■ロードレーサーの魅力とは

細くて大きなタイヤにスリムなフレーム、ドロップハンドル。ロードレーサーはいかにも速そうな外観です。最近ではこの自転車で街中を走る人が増えているので、ご存じの方も多いでしょう。ロードレーサーの最大の特徴は、車体の軽さです。普通の実用車（いわゆるママチャリ）は２０キロ前後の重さですが、ロードレーサーは重くても１０キロ以下。タイヤの細さも特徴の一つです。実用車では３５ミリぐらいですが、ロードレーサーは２０〜２５ミリぐらい。この細いタイヤがかちかちになるほどの空気圧で走るのです。

これらの特徴によって、こぎ始めたときの軽さと加速感が、ほかの自転車とは格段に違います。その分、スピードも出ます。実用車で普通にこいでいる程度の感覚でも時速２０キロ以上になり、少し頑張ればすぐに時速３０キロ以上になります。

自転車は歩道を走るべきか、それとも車道を走るべきかという議論が話題になることがありますが、これほどのスピードなら、車道を走るべきでしょう。軽車両として、交通ルールに則った走行が求められます。また、安全対策として、自転車用ヘルメットの着用を強くお勧めします。

■１００キロは意外に簡単

ロードレーサーに少し慣れれば、時速２５キロ以上で走ることができます。ただ、公道では一旦停止や信号待ちの時間があるので、それらを含めると１時間で２０キロぐらいのペースになります。適宜休憩を挟みつつ、５時間前後走り続ければ、１００キロを走破できる計算になります。

１００キロの壁を越えられたら、長距離イベントへの参加を考えるのも楽しいでしょう。１６０キロを走る「センチュリーライド」と呼ばれるタイプのイベントが数[illegible]開催されています。２０[illegible]に始まって最長６００キ[illegible]破する「ブルベ」と呼ば[illegible]プのイベントも開催さ[illegible]ます。自転車の楽しみ方はいろいろありますが、ロードレーサーのこういった楽しみ方が今、とても人気です。

■自分にあった車体を選ぶ

ロードレーサーを始めるには、まず自転車が必要ですね。選ぶときのポイントは、自分の身体に合ったサイズのフレーム（車体）であるということです。サイズの合った靴なら快適に歩けるのと同様、車体のサイズがきちんと合っていると、身体に無理がかかりにくいので、長時間走りやすくなります。もちろんサドルやハンドルの高さ、ハンドルまでの距離なども重要になります。ただ、いずれもフレームサイズが決まってからの調整項目です。

最近では自転車の通販サイトも増えていますが、最初の１台を購入するときは、スポーツ自転車の専門店へ行くことをお薦めします。目的と予算を伝えれば、専門家が親身になってアドバイスしてくれるはずです。

価格は８万円前後から５０万円以上までさまざま。量販店などで売っているような実用車と比べるとかなり割高ですが、その分、スポーツ用としてしっかりとした作りになっています。とりあえず一番安いものでも始めるというのでもよいでしょう。ただ、最初から本格的に取り組みたいと考えているのであれば、２０万円以上のものをお薦めします。ヘルメットやシューズ、ウエアを用意する予算も残しておきましょう。

■仲間と一緒に走ろう

乗り始めは、前傾姿勢に慣れていないため、やや難しく感じるかもしれません。車の少ない道やサイクリングロードで練習しながら、慣れるようにしましょう。

自転車仲間も多い方が楽しいですね。イベントを通じて知り合える機会もたくさんあります。

Ｐｅｄａｌ　Ｆａｒ！——あなたも自転車で遠くへ行ってみませんか？

1段目のタイトル部分はテキストボックスで配置

境界線

図1　会報などで縦書きの文字列を段組みするときは、1段目をタイトルや前文の領域にするとよい。横書きの文字列はテキストボックスに入力して配置しよう。段間に境界線を表示すると、段の区切りがはっきりして読みやすくなる

改段は「Ctrl」+「Shift」+「Enter」キーで

4段組み以上の段数は、「段組み」ダイアログボックスの「段数」欄に指定する（**図2**）。段間に境界線を表示する場合は「境界線を引く」をオンにすればよい。なお、この例では「段の幅」が「13.12字」、「間隔」が「2.02字」となった。縦書きの文章は、1段の文字数が13字程度でも読みやすいので、このままの設定で大丈夫だ。

5段組みの1段目には文書のタイトルと前文を表示するので、本文は2段目以降に送る（**図3**、**図4**）。あとはテキストボックスに横書きの文字列を入力して、1段目に配置すればよい（**図5**）。

上部に横書きのタイトルを表示するレイアウトは、ページの上余白を広めに取って、本文部分を4段組みにする方法でも実現できる。ただ、今回のようにページ全体を5段組みにしておくと、2ページ目以降の本文を5段組みで表示できる。また、タイトル部分と本文の間にも段間の境界線を表示できる。文書の内容に応じて設定を選ぼう。

● 文書全体を5段組みにして段間に境界線を引く

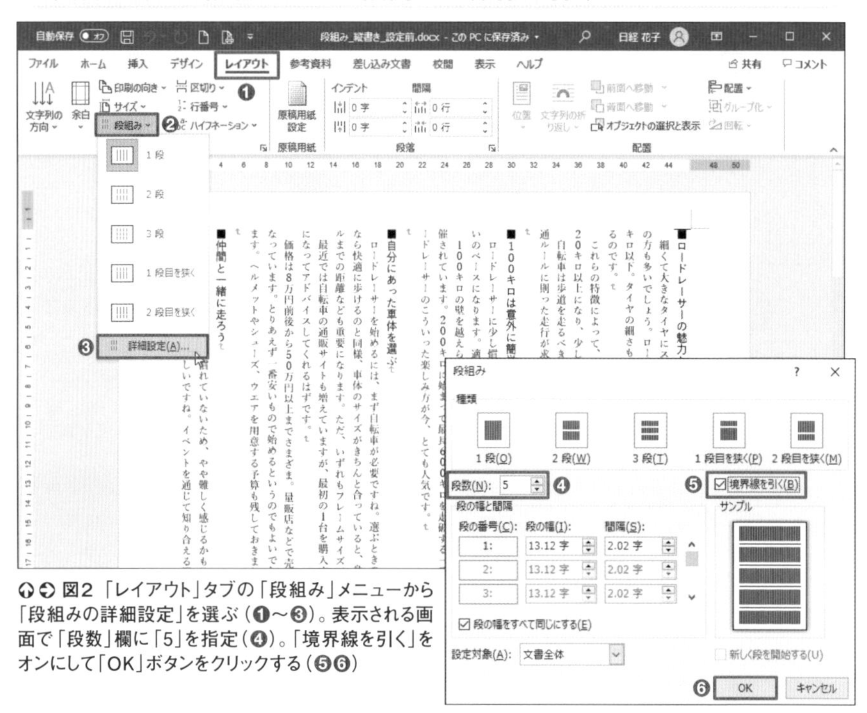

⬆⬅ **図2** 「レイアウト」タブの「段組み」メニューから「段組みの詳細設定」を選ぶ（❶〜❸）。表示される画面で「段数」欄に「5」を指定（❹）。「境界線を引く」をオンにして「OK」ボタンをクリックする（❺❻）

図3 文書全体が5段組みになり、段間に境界線が引かれる。文頭にカーソルを移動して、「Ctrl」+「Shift」+「Enter」キーを押す

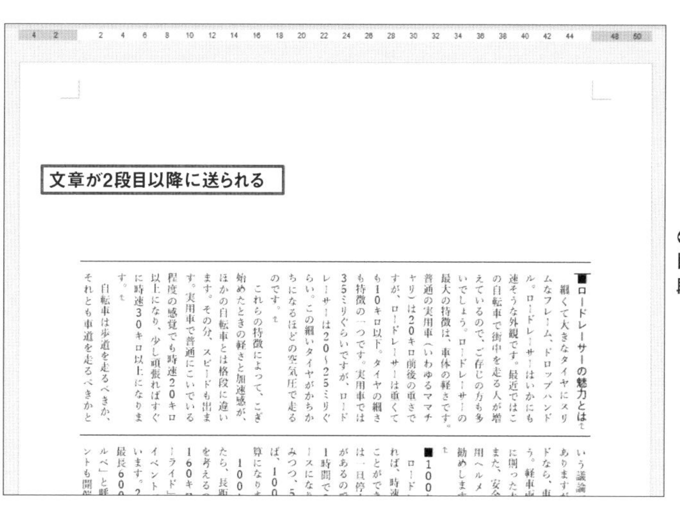

図4 文章が2段目以降に送られ、1段目が空欄となる

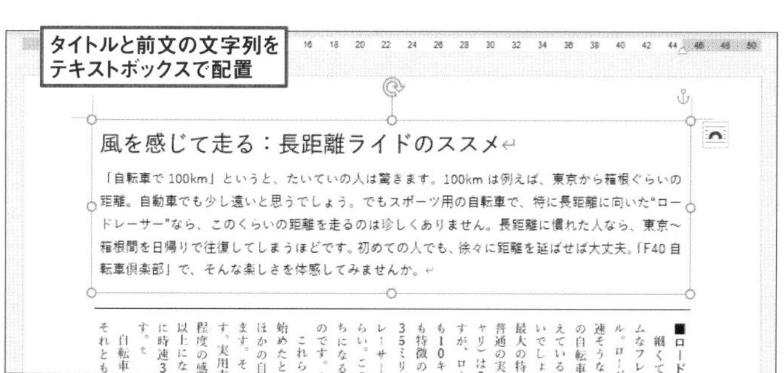

図5 テキストボックスにタイトルと前文の文字列を入力して書式を設定し、1段目に配置する

補足説明 文書の内容に応じて各段の幅に変化を付ける

段の幅や間隔は段ごとに指定できるので、文書の内容に合わせて調節しよう。例えば、3段組みの文書で1段目をタイトルと前文、2段目と3段目を本文にする場合は、1段目を狭くするとバランスが良くなる。幅の異なる段組みにする場合は、「段の幅をすべて同じにする」をオフにする（**図6**）。各段の幅と間隔を別々に設定できるようになるので、数値を指定しよう。この例では、タイトルと前文を表示する1段目の幅を狭くして、本文を表示する2段目以降を広くした。

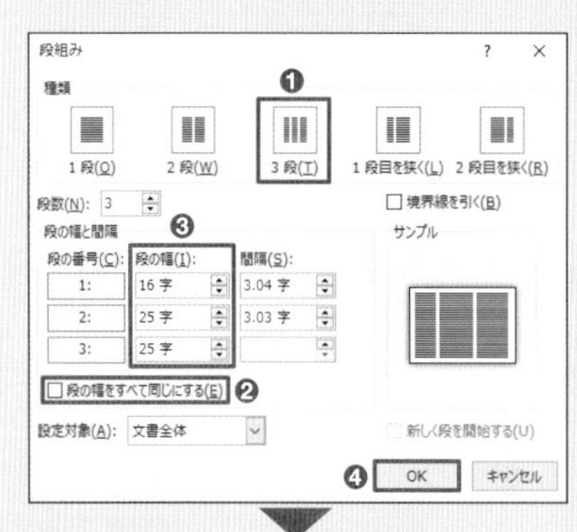

◆◆図6 「段組み」ダイアログボックスで、段数を指定して、「段の幅をすべて同じにする」をオフにすると、「段の幅」と「間隔」が段ごとに表示され、別々に指定できるようになる（❶❷）。ここでは1段目の「段の幅」を「16字」、2段目と3段目の「段の幅」を「25字」にした（❸）。「OK」ボタンをクリックすると、文書全体が3段組みになり、1段目の幅が16字、2段目と3段目の幅が25字になる（❹❺）

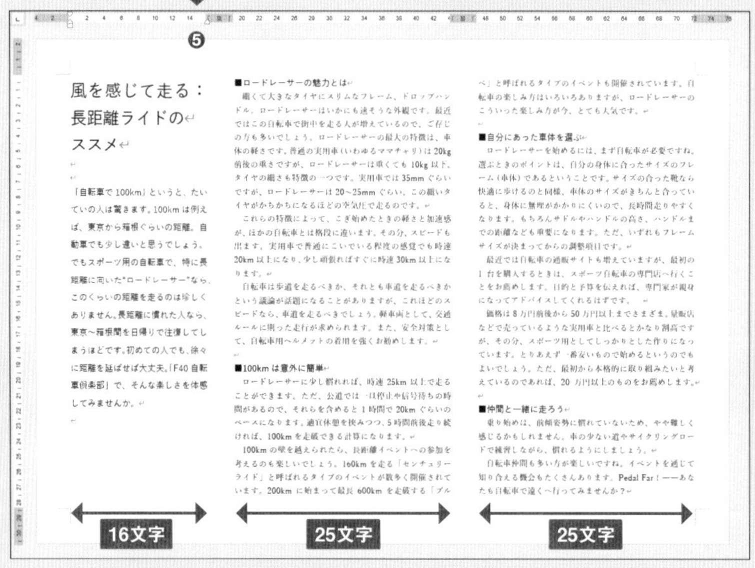

2つ折りパンフは2段組みで左右のバランスも取りやすい

段組み

1枚の用紙を2つ折りにした文書はコンパクトで携帯しやすく、イベントのプログラムなどに適している。作成するときは、横向きのページを2段組みで左右に区切り、見開きの状態でレイアウトするのがお勧め（**図1**）。1ページ目に表面（表紙と裏表紙）、2ページ目に見開きの中面を作成し、それをA4用紙に両面印刷すればよい。なお、2つ折りには、折り目が左側の「左開き」と、右側の「右開き」がある。文章が横書きなら、左開きにするのが一般的だ。その場合、表面のページは右半分が表紙、左半分が裏表紙になる。逆にしないように気を付けよう。

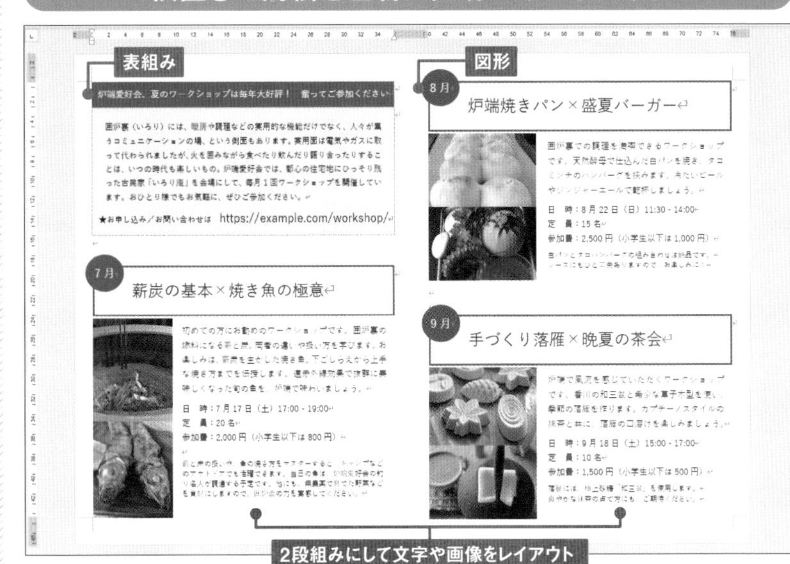

図1 2つ折りパンフレットのように印刷した用紙を2つに折って使う場合は、1ページを2段組みで左右に区切るとレイアウトしやすい。用紙の左右の余白は同じ幅にする。表や図形も使いながら、要素をレイアウトしていこう

小冊子のレイアウトと印刷方法は?

2つ折り文書には、複数枚の用紙をとじる小冊子の形式もある（**図1**）。この形式は印刷の順序が変則的なので（**図2**）、横向きのA4用紙では作りにくい。そこで事前に「ページ設定」で小冊子用の指定をして、1ページをA4の半分のA5サイズで作成する。

「ページ設定」ダイアログボックスでは、まず「印刷の形式」に「本（縦方向に谷折り）」を選択する（**図3**）。これにより、1ページがA5サイズになる。「とじしろ」は必要に応じて設定しよう。用紙の中央部分をダイレクトにとじる場合は不要だが、2つ折の左側をとじる場合は設けたほうがよい。冊子の誌面が出来上がったら、長辺をとじる「両面印刷」の設定で印刷する（**図4**）。

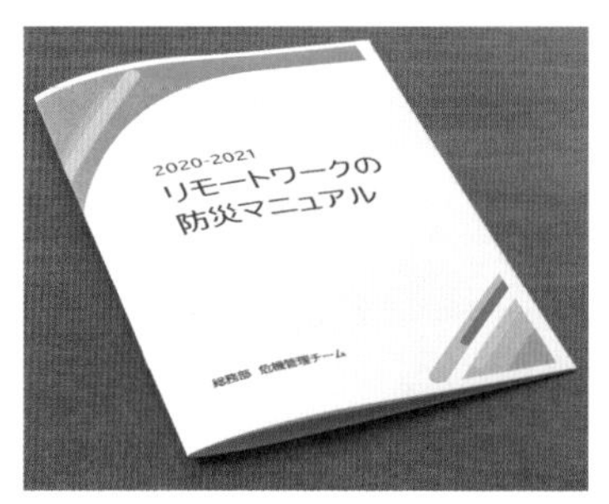

図1 ここでは全8ページの文書を2枚のA4用紙に2ページずつ両面印刷して、2つ折りの冊子に仕上げる手順を紹介する

冊子の両面印刷（横書き全4ページの場合）

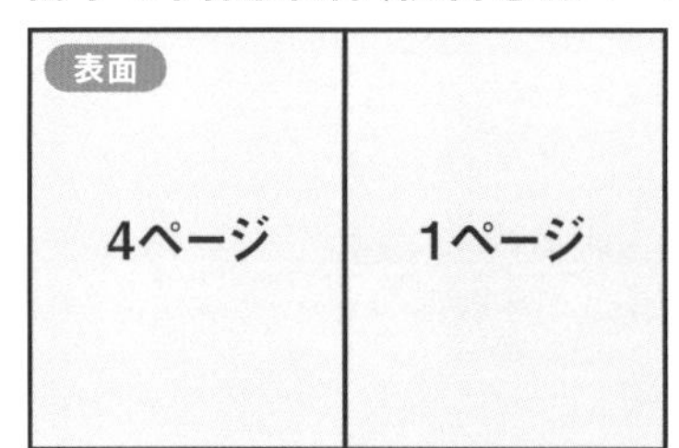

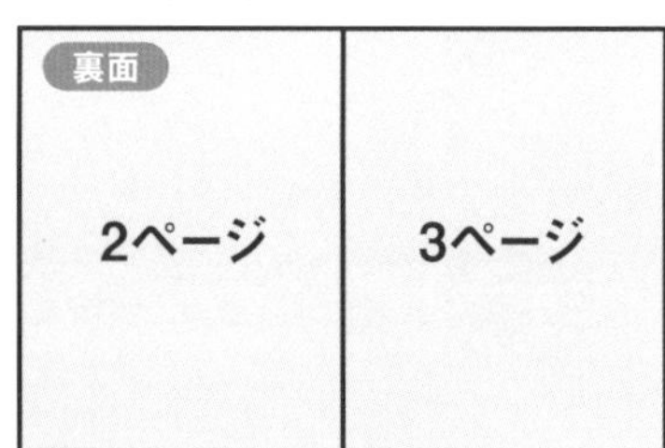

図2 両面印刷の冊子では、用紙の表と裏に印刷されるページの順番が変則的になる。この例は、用紙の中央を折って重ねる形式で、横書きの4ページを1枚の用紙に両面印刷する場合。ただ、順番は印刷時に自動的に判断されるので特に気にする必要はない

冊子を作成して印刷する

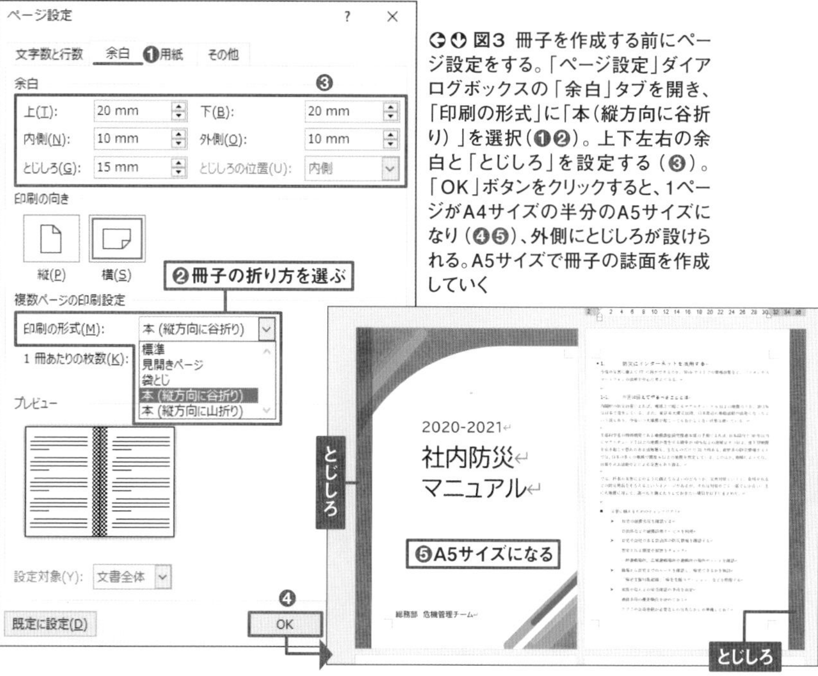

⬅⬇ **図3** 冊子を作成する前にページ設定をする。「ページ設定」ダイアログボックスの「余白」タブを開き、「印刷の形式」に「本（縦方向に谷折り）」を選択（❶❷）。上下左右の余白と「とじしろ」を設定する（❸）。「OK」ボタンをクリックすると、1ページがA4サイズの半分のA5サイズになり（❹❺）、外側にとじしろが設けられる。A5サイズで冊子の誌面を作成していく

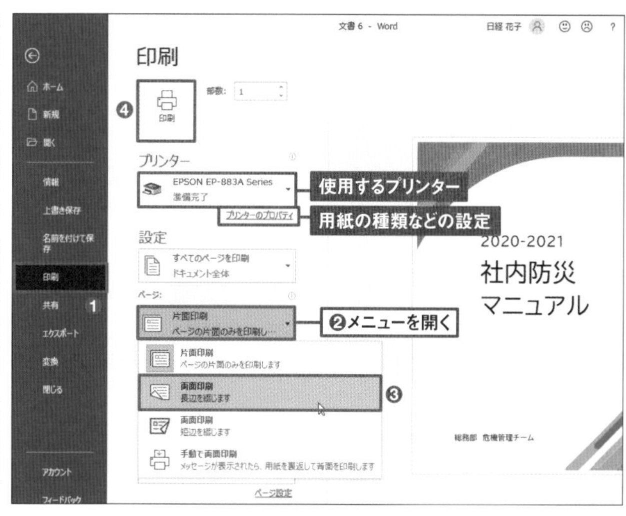

➡ **図4** 冊子が完成したら「印刷」画面を開き、印刷形式を選ぶメニューから「両面印刷 長辺を綴じます」を選択（❶～❸）。「印刷」ボタンをクリックして印刷を開始する（❹）。なお、プリンターが両面印刷に対応していない場合は、印刷形式で「手動で両面印刷」を選び、片面ずつ印刷する

ワード活用に便利なショートカットキー

- ワードでの作業を快適にするショートカットキーとその働きをまとめました。
- 「Ctrl」+「C」は、「Ctrl」キーを押しながら「C」キーを押す操作を表します。
- 標準的なキーボードでのキー操作に適用されます。ノートパソコンなど一部のキーボードでは割り当てが異なる場合があります。

コピー・貼り付け

Ctrl + C そ　データをコピーする

Ctrl + X さ　データを切り取る

Ctrl + V ひ　コピーしたデータや切り取ったデータを貼り付ける

Ctrl + Shift + C そ　書式のみをコピーする

Ctrl + Shift + V ひ　書式のみを貼り付ける

Ctrl + ドラッグ　選択した文字列やオブジェクトをコピーする

取り消し・再実行

Ctrl + Z っ　操作を取り消す

F4 ／ Ctrl + Y ん
取り消した操作をやり直す／直前の操作を繰り返す

印刷

Ctrl + P せ　「印刷」画面を表示する

開く・保存

Ctrl + N み　新規文書を開く

Ctrl + O ら　文書を開く

F12　名前を付けてファイルを保存する

Ctrl + S と　ファイルを上書き保存する

Ctrl + W て　ファイルを閉じる

Alt + F4　ワードを終了する／設定画面を閉じる

カーソルの移動

Home ／ End　行頭に移動／行末に移動

Ctrl + ↑　段落の先頭に移動

Ctrl + ↓　次の段落の先頭に移動

Ctrl + Home　文書の先頭に移動

Ctrl + End　文書の末尾に移動

Ctrl + Page UP　前ページの先頭に移動

Ctrl + Page Down　次ページの先頭に移動

Ctrl + ←　1単語分左に移動

Ctrl + →　1単語分右に移動

範囲選択

Ctrl + A ち	すべてを選択
Shift + ← · →	1文字ずつ広げる・狭める
Shift + ↑ · ↓	1行ずつ広げる・狭める
Shift + Ctrl + →	単語の末尾まで選択
Shift + End	行の末尾まで選択
Shift + Ctrl + ↓	段落の末尾まで選択
Shift + Ctrl + End	文書の末尾まで選択

編集

Ctrl + F は	検索
Ctrl + H く	置換
Ctrl + Enter	改ページ
Shift + Enter	段落内で改行
Alt + F3	新しい文書パーツの作成

文字の修飾・配置

Ctrl + B こ	太字（ボールドのB）
Ctrl + I に	斜体（イタリックのI）
Ctrl + U な	下線（アンダーラインのU）
Ctrl + { [「 。	フォントサイズを1ポイント小さくする
Ctrl + }] 」 む	フォントサイズを1ポイント大きくする
Ctrl + E い	段落を中央揃えにする
Ctrl + L り	段落を左揃えにする
Ctrl + R す	段落を右揃えにする
Ctrl + スペース	文字書式の解除
Ctrl + Q た	段落書式の解除
Ctrl + Shift + N み	すべての書式設定の解除
Ctrl + Shift + L り	箇条書きを設定
Ctrl + M も	インデントの挿入

日経PC21

1996年3月創刊の月刊誌。仕事にパソコンを活用するための実用情報を、わかりやすい言葉と豊富な図解・イラストで紹介。エクセル、ワードなどのアプリケーションソフトやクラウドサービスの使い方から、プリンター、デジタルカメラなどの周辺機器、スマートフォンの活用法まで、最新の情報を丁寧に解説している。

伊佐恵子

テクニカルライター。ワープロ、Webデザイン、グラフィックス分野を中心に、雑誌や書籍での執筆が多数。美しいサンプルを用いた実践的な解説に定評がある。現在は日経PC21と日経パソコンで、ワードの活用講座を連載中。

伝わるWord資料作成術

2021年6月7日　第1版第1刷発行

著　　者　伊佐恵子
編　　集　森本篤徳（日経PC21）
発 行 者　中野 淳
発　　行　日経BP
発　　売　日経BPマーケティング
〒105-8308　東京都港区虎ノ門4-3-12

装　　丁　小口翔平＋阿部早紀子（tobufune）
本文デザイン　桑原 徹＋櫻井克也（Kuwa Design）
制　　作　会津圭一郎（ティー・ハウス）
印刷・製本　図書印刷株式会社
ISBN978-4-296-10907-4

本書籍に関するお問い合わせ、ご連絡は下記にて承ります。
https://nkbp.jp/booksQA